와! 한글을 읽어요
가이드북

Wow! I Can Read Korean
Guidebook

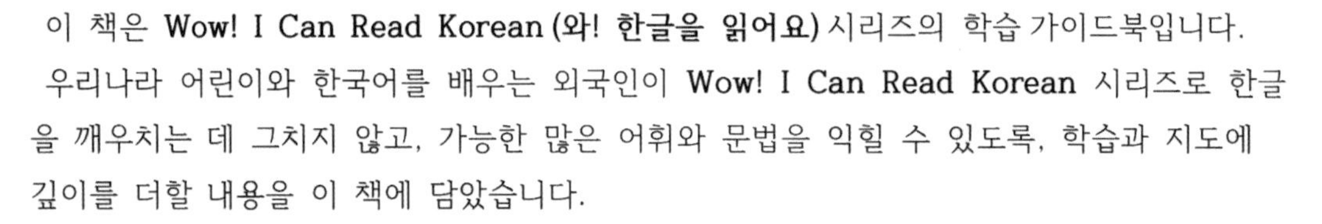

머리말

이 책은 **Wow! I Can Read Korean (와! 한글을 읽어요)** 시리즈의 학습 가이드북입니다.

우리나라 어린이와 한국어를 배우는 외국인이 **Wow! I Can Read Korean** 시리즈로 한글을 깨우치는 데 그치지 않고, 가능한 많은 어휘와 문법을 익힐 수 있도록, 학습과 지도에 깊이를 더할 내용을 이 책에 담았습니다.

이 가이드북에서는 외국인 학습자가 이해하기 쉽도록 영문법적 개념과 용어로 문법을 설명했습니다. 이를테면, 동사를 자동사와 타동사로 나누어 설명하였고 피동사는 수동형으로 설명하였습니다. 이야기 속에 나오는 단어를 따라 동사와 형용사 어미 변화 규칙들을 차례차례 정리했으며, 그 외의 다양한 문법을 진도에 맞게 해설하였습니다. 또, 문법 설명에 쓰인 예문은 학습자들이 자신 있게 활용할 수 있도록 진도에 맞게 받침을 사용했습니다. 예를 들어, 1권 예문은 받침이 없는 단어로 이루어져 있으며, 2권의 ㄷ 받침 이야기 설명에는 ㄱ, ㄴ, ㄷ 받침까지만 예문에 사용됩니다. 3권 예문에는 모든 받침이 순서 없이 사용됩니다.

또한, 스토리 속 단어의 영어 뜻과 발음기호를 단어 정리편 (Word List) 에 담았으며, 의태어, 의성어뿐만 아니라 초성어, 유행어, 신조어 등도 정리하여 어휘의 폭을 넓힐 수 있도록 하였습니다. 그 밖에 올바른 발음에 도움이 될 표준 발음법도 규칙과 함께 하나씩 소개했습니다.

덧붙여, 의태어는 외국인 상급 실력자들에게도 어려운 부분으로, 그 이해를 돕기 위해 이 책에 실린 의태어와 의성어의 한영 예문 파일을 준비하였습니다. 온라인에 이 가이드북을 소개하거나 리뷰를 남긴 후 메일(mybookonthedesk@naver.com)로 알려주시면 전송해 드립니다.

끝으로, 우리나라 어린이가 체계적으로 국어 실력을 키우고, 외국인 학습자가 한국어 능력을 폭넓게 향상하는데 Wow! I Can Read Korean 시리즈와 이 가이드북이 부디 오래오래 도움이 되기를 바랍니다.

2023년 12월

김수희

Introduction

This book is a study guidebook for **Wow! I Can Read Korean** series.

In order for foreign learners to learn as wide Korean vocabulary and grammar as possible, various kinds of words and useful rules are explained along the stories step by step in this book.

The grammar is explained in English grammar terms, not in Korean grammar terms, because English grammar terms are easier for foreign learners to understand.

However, there are differences between Korean grammar and English grammar. For example, English adjectives do not change the tense themselves, but Korean adjectives change the tense and the ending in many different ways. The rules of changing endings for verbs and adjectives are explained one by one in this guidebook. And various example sentences are made up of deliberate words for learners to practice them with confidence. For book 1, only words without bottom consonants are used in example sentences. And for book 2, only words with bottom consonants that match the progress are used. For example, only ㄱ, ㄴ, and ㄷ bottom consonants are used in the example sentences for the explanations of ㄷ consonant story. For book 3, all kinds of consonants are used for the example sentences from the first story.

Along with the convenience that you can hear the stories in Korean and English through QR codes in **Wow! I Can Read Korean** series, you can also look up the English meanings and pronunciation symbols in the Word Lists of this book.

As for the pronunciation codes used in this book, vowels are indicated as ㅏ[ɑ], ㅑ[yɑ], ㅓ[ɔ], ㅕ[yɔ], ㅗ[o], ㅛ[yo], ㅜ[u], ㅠ[yu], ㅡ[ə], ㅣ[i], ㅐ[ae], ㅔ[e], ㅢ[əi], ㅚ[we], ㅘ[wɑ], ㅙ[wae], ㅟ[wi], ㅝ[wo], and ㅞ[we].

And for consonants, as ㄱ[g], ㄴ[n], ㄷ[d], ㄹ[l], ㅁ[m], ㅂ[b], ㅅ[s], o (when ㅇ is a head consonant, it's silent, and when it's a bottom consonant, the symbol is ㅈ[j], ㅊ[ch], ㅋ[k], ㅌ[t], ㅍ[p], ㅎ[h], ㄲ[kk], ㄸ[tt], ㅃ[pp], ㅆ[ss], and ㅉ[jj].

Still, there are differences between the sounds of Korean and English letters.

For example, ㄷ is the sound mixed with air and pronounced as between [d] and

[t]. ㄹ similar to l is the sound made by touching the middle of the roof of the mouth so it's slightly different from l which is made by touching the front part of the roof of the mouth. And ㅌ is the blunt sound by hitting the middle of the roof of the mouth, while 't' is the light sound by hitting the front part right behind the front teeth with the tip of tongue. And there are no [f, r, v, z] sounds in Korean Hangeul.

The examples below will help you understand the pronunciation symbols used in this book. Bold ones are the symbols used in this book.

idea [aidiːə] - 아이디어 [**ɑ i di ɔ**]
chicken [tʃikin] - 치킨 [**chi kin**]
apple [æpl] - 애플 [**ae pəl**]
show [ʃoʊ] - 쇼 [**sho**]
taxi [tæksi] - 택시 [**taek si**]
noodle [nuːdl] - 누들 [**nu dəl**]
giant [dʒaiənt] - 자이언트 [**jɑ i ɔn tə**]
young [jʌŋ] - 영 [**yɔng**]
duet [duet] - 듀엣 [**dyu et**]
English [iŋgliʃ] - 잉글리쉬 [**ing gəl li shi**]

Also, to help expand vocabulary, various words including not only everyday words but also mimetic words, imitative words, acronyms, newly coined words, texting abbreviations, and even slangs used among young people are listed in this book.

Since Korean mimetic words and imitative words are difficult parts for even advanced learners, a special file of the Korean-English example sentences of the mimetic and imitative words in this book is ready for the readers.

So please contact at **mybookonthedesk@gmail.com** after leaving a review or a comment on this guidebook online to receive the file.

Lastly, I hope many people around the world enjoy learning Hangeul with **Wow! I Can Read Korean** series and develop their rich and systematic Korean skills with this guidebook.

December of 2023
Kim Suhie

차례 Content

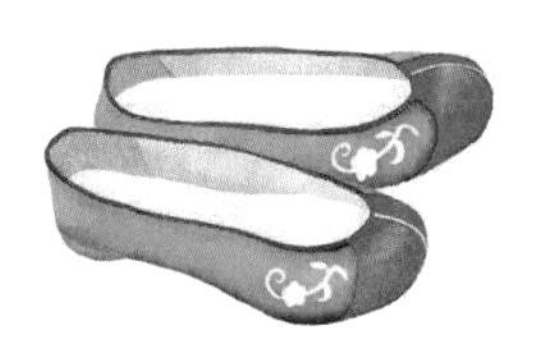

1권 와! 받침이 없네

2권 와! 받침이 한 가지네

3권 와! 받침이 하나씩 늘어나네

WOW

I Can Read Korean Book 1

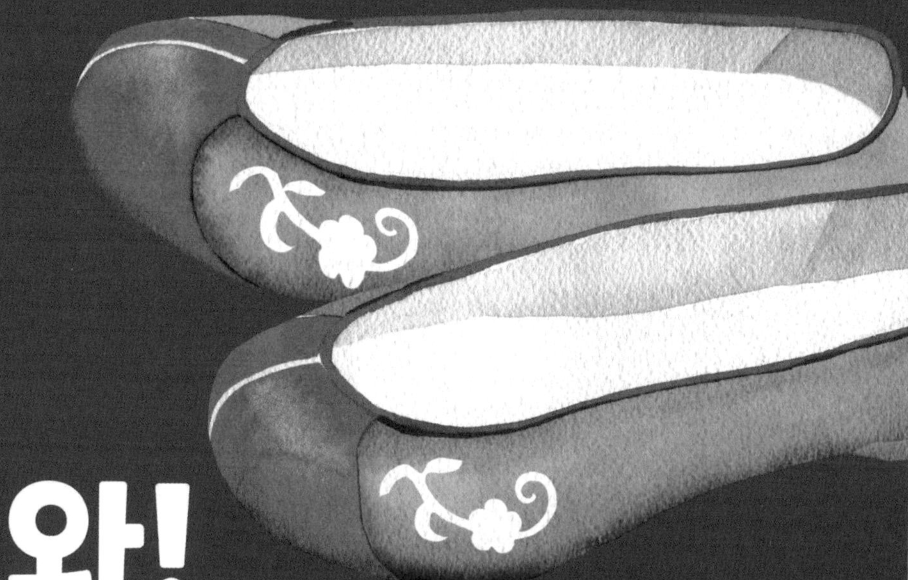

와! 받침이 없네

Wow! I Can Read Vowels and Basic Consonants

by 김수희(Kim Suhie)

illustrated by 정진수 박비솔 유채은

Highly recommended to anyone interested in Korea

BIGDESK

1권 와! 받침이 없네 단어 정리 Book 1 Word List

1. 아야어여 이야기

여우 ([yɔu] fox) **위** ([wi] up, on, above, top) **왜** ([wae] why) **이** ([i] this)
아이 ([ɑi] child) **예** ([ye] yes) **의** ([əi] of, 's) **우유** ([uyu] milk)
야 ([yɑ] informal ending)

2. 누구 뼈

누구 ([nugu] who, whose) **뼈** ([ppyɔ] bone) **고래** ([golae] whale)
타조 ([tɑjo] ostrich) **스테고사우루스** ([stegosɑulus] stegosaurus)
개구리 ([gaeguli] frog)

3. 개미가 우르르르

개미 ([gaemi] ant) **아래** ([ɑlae] under, below) **도토리** ([dotoli] acorn)
토마토 ([tomɑto] tomato) **사과** ([sɑgwɑ] apple) **바나나** ([bɑnɑnɑ] banana)
에서 ([esɔ] at) **너** ([nɔ] you) **뭐** ([mwɔ] what) **하다** ([hɑdɑ] do)

4. 까르르 까르르

쪼르르 ([jjoləlǝ] the sound of pouring water)
까르르 ([kkɑləlǝ] the sound of children laughing)
스르르 ([sǝləlǝ] the motion of falling asleep)
또르르 ([ttoləlǝ] the motion of small ball rolling)
쿠르르 ([kuləlǝ] the sound of thunder)
부르르 ([buləlǝ] the motion of shuddering)
와르르 ([wɑləlǝ] the motion of crumbling)
떼구르르 ([ttegulǝlǝ] the motion of rolling down)
꼬르르 ([kkoləlǝ] the sound of growling when hungry)

5. 소리 내 보세요

차 ([chɑ] 자동차, car, tea) **소리** ([soli] sound)
소리 내다 ([soli naedɑ] make a sound) **~해 보세요** ([hae boseyo] 하다, 보다, try doing) **새** ([sae] bird) **크게** ([kǝge] loudly)
파도 ([pɑdo] wave) **예쁘게** ([yeppǝge] prettily)

6. 내가 최고야

이리저리 ([ilijɔli] here and there) **내** ([nae] I, my) **꼬리** ([kkoli] tail)
최고 ([chwego] the best) **코** ([ko] nose) **귀** ([gwi] ear)

7. 도와줘서 고마워요

도 ([do] too, also) **도와야지** ([dowayaji] 돕다, I'll help) **어머** ([ɔmɔ] gosh)
여기 ([yɔgi] here) **우리** ([uli] we, us) **자** ([ja] let's) **그래** ([gəlae] OK)
주워 드리자 ([juwɔ dəlija] 줍다, 드리다, Let's pick them up.) **이거** ([igɔ] this one)
가져다드려야지 ([gajɔdadəlyɔyaji] 가져다드리다, honorific 'I will bring it to ___.')
고마워요 ([gomawoyo] 고맙다, thank you.) **모두** ([modu] all)

8. 너 누구니?

가르쳐 줘 ([galəchyɔ jwo] 가르치다, 주다, teach me, tell me)
왜 ([wae] why) **나** ([na] me) **따라 하다** ([ttala hada] 따르다, 하다, copy)
걔 ([jyae] 저 아이, that kid, he, she) **바로 나구나** ([balo] It is me!)

9. 어디 가지?

어디 ([ɔdi] where) **가다** ([gada] go) **오리** ([oli] duck)
두 ([du] two) **마리** ([mali] the counting word for animals)
지나가다 ([jinagada] pass by) **모자** ([moja] hat)
쓰다 ([ssəda] put on, write, use) **세** ([se] three) **네** ([ne] four)
기어가다 ([giɔ gada] crawl) **바쁘게** ([bappəge] busily)
아기 ([agi] baby) **따라가다** ([ttala gada] follow)

10. 아기 해마의 하루

해마 ([haema] seahorse) **바다** ([bada] ocean) **놀다** ([nolda] play)
해파리 ([haepali] jellyfish) **그네** ([gəne] swing) **타다** ([tada] ride, be burned)
자라 ([jala] turtle) **모래** ([molae] sand) **미끄러지다** ([mikkəlɔjida] slide)
가오리 ([gaoli] stingray) **그리고** ([gəligo] and) **조개** ([jogae] clam)
쉬다 ([shida] rest)

11. 나무가 자라서

나무 ([namu] tree) **자라다** ([jalada] grow) **태어나다** ([taeɔnada] be born)
이제 ([ije] now) **예요** ([yeyo] a formal ending of a sentence)

더 ([dɔ] more) 토끼 ([tokki] rabbit) 오다 ([oda] come)
자꾸자꾸 ([jakkujakku] more and more) 모이다 ([moida] gather)
기쁘게 ([gippəge] happily) 이야기 나누다 ([iyagi nanuda] talk)

12. 와 받침이 없네 카드 1

나 ([na] me) 내 ([nae] I, my) 저 ([jɔ] formal me) 제 ([je] formal I)
우리 ([uli] we, us, my, our) 저희 ([jɔhi] formal we, us) 너 ([nɔ] you)
너희 ([nɔhi] informal plural you)
얘 ([yae] this kid, he, she) 얘네 ([yaene] informal these kids, they)
쟤 ([jyae] that kid, he, she) 쟤네 ([jyaene] informal those kids, they)
걔 ([gyae] the kid, he, she) 걔네 ([gyaene] informal the kids, they)
가 ([ga] a subject marker used for letters without bottom consonants)
에게 ([ege] to) 의 ([əi] of, 's) 와 ([wa] and)
예, 네 ([ye, ne] formal yes)
아니, 아니야, 아니지 ([ani, aniya, aniji] informal no)
아니요, 아니에요, 아니지요 ([aniyo, anieyo, anijiyo] formal no) 이 ([i] this, these) 저 ([jɔ] that, those)
그 ([gə] the) 어느 ([ɔnə] which) 이거 ([igɔ] this one)
저거 ([jɔgɔ] that one) 그거 ([gəgɔ] the one)
어느 거 ([ɔnə gɔ] which one) 이게 ([ige] this is) 저게 ([jɔge] that is)
그게 ([gəge] it is) 어느 게 ([ɔnə ge] which one is) 여기 ([yɔgi] here)
저기 ([jɔgi] over there) 거기 ([gɔgi] there) 어디 ([ɔdi] where)
이리 ([ili] to here) 저리 ([jɔli] to there) 그리 ([gəli] to the way, to the place) 어때 ([ɔttae] how is it?) 뭐 ([mwo] what)
누구 ([nugu] who) 왜 ([wae] why)
어째서 ([ɔjjesɔ] how come) 위 ([wi] on) 아래 ([ale] under)
뒤 ([dwi] behind) 에, 서, 에서 ([e,sɔ, esɔ] at) 로 ([lo] to)
부터 ([butɔ] from) 까지 ([kkaji] up to, by, until)
니,네,다,야,지 ([ni, ne, da, ya, ji] informal endings of a sentence)
요, 예요 ([yo, yeyo] formal endings of a sentence) 자 ([ja] let's)
아니에요 ([anieyo] it is not) 세요 ([seyo] Please do) 지 마 ([jima] Don't)
지 마세요. ([jimaseyo] Please don't) 가다 ([gada] go)
쓰다 ([ssəda] put on, write, use) 오다 ([oda] come) 주다 ([juda] give)

모으다 ([moəda] gather) 뛰다 ([ttwida] run) 마시다 ([masida] drink)
배우다 ([baeuda] learn) 하다 ([hada] do) 자다 ([jada] sleep)
서다 ([sɔda] stand) 보다 ([boda] look at) 두다 ([duda] put)
끄다 ([kkəda] turn off) 그리다 ([gəlida] draw) 가르치다 ([galəchida]
teach) 키우다 ([kiuda] raise) 공부하다 ([gongbuhada]
study) 되다 ([dweda] become) 쉬다 ([shida] rest)

13. 와 받침이 없네 카드 2

또 ([tto] again) 다시 ([dasi] once again) 그리고 ([gəligo] and)
그래서 ([gəlaesɔ] so) 그러나 ([gəlɔna] but) 우주 ([uju] space)
지구 ([jigu] the Earth) 세계 ([segye] world) 나라 ([nala] country)
바다 ([bada] ocean) 비 ([bi] rain) 아버지 ([abɔji] father)
어머니 ([ɔmɔni] mother) 오빠 ([oppa] older brother)
누나 ([nuna] older sister) 아이 ([ai] child)
아저씨 ([ajɔsi] mister, middle-aged man)
아주머니 ([ajumɔni] ma'am, middle-aged woman)
머리 ([mɔli] head) 이마 ([ima] forehead) 어깨 ([ɔkkae] shoulder)
배 ([bae] stomach, belly) 허리 ([hɔli] waist) 다리 ([dali] leg)
개 ([gae] dog) 소 ([so] cow) 돼지 ([dweji] pig)
쥐 ([jwi] rat) 나비 ([nabi] butterfly) 모기 ([mogi] mosquito)
개미 ([gaemi] ant) 자 ([ja] ruler) 시계 ([sigye] clock)
의자 ([əija] chair) 피아노 ([piano] piano) 모자 ([moja] hat)
바지 ([baji] pants) 치마 ([chima] skirt) 스테이크 ([steik] steak)
구이 ([gui] grilled dish) 찌개 ([jjigae] Korean stew) 커피 ([kɔpi] coffee)
아메리카노 ([amerikano] americano) 주스 ([jusə] juice)
비싸다 ([bissada] cheap) 시다 ([sida] sour) 크다 ([kəda] big)
고프다 ([gopəda] feel hunger) 느리다 ([nəlida] slow)
예쁘다 ([yeppəda] pretty)

본문해설 아야어여 이야기 Explanation

1권 2쪽

1. **모음**을 읽고 쓸 수 있게 연습해 보세요.
'ㅇ'은 모음 앞에 있을 때 소리가 없습니다.
Practice vowels. 'ㅇ' has no sound before a vowel.

아 야 어 여 오 요 우 유 으 이 **애 얘 에 예** **의 외 와 왜** **위 워 웨**

예) 아 야 어 여 오 요 우 유 으 이
애 얘 에 예
의 외 와 왜
위 워 웨

2. 위치를 나타내는 **'위 아래'**를 연습하세요. Practice 위(on) and 아래(under).

예) **모자 위에 새** - a bird on the hat　　**위로 가자.** - Let's go up.
나무 아래에 개미 - an ant under the tree　　**어서 내려 와.** - Come down quickly.

3. 받침 없는 **의문사**를 연습해 보세요. Practice interrogative words without bottom consonants.

예1) **누구** - **who**　**뭐** - **what**　**어디** - **where**　**왜** - **why**

예2)
(반말)　(존댓말)
누구야? - **누구세요?** - **Who is it?**
이거 뭐야? - **이거 뭐예요?** - **What is this?**
너 어디야? - **어디세요?** - **Where are you?**
왜? - **왜요?** - **Why?**

4. 받침 없는 단어 뒤의 **'야'**는 반말(informal), **'예요'**는 존댓말(formal)이에요.
야 is an informal ending, and 예요 is a formal ending. They are used behind a vowel.

예) **여우야. - 여우예요.**　**우유야. - 우유예요.**　**이 아이야. - 이 아이예요.**

5. 받침 없이 끝나는 이름과 호칭을 **'~야'**로 불러보세요.
Call someone's name using informal 야 ending. 야 is for names that ends with a vowel.

예) **혜교야**　**수지야**　**효주야**　**태희야**

6. 존댓말 대답인 **'예 · 네, 아니요'**를 연습해 보세요.
Practice saying 'yes' and 'no' in a formal way.

	(반말)		(존댓말)
예)	**응** (yes) , **아니 · 아니야 · 아냐** (no)	-	**예 · 네** (yes), **아니요 · 아뇨** (no)

7. 줄임말을 연습해 보세요. Practice shortened forms.

1권 3쪽

예) **이 아이 - 이 애 - this kid, he, she**
저 아이 - 저 애 - that kid, he, she
그 아이 - 그 애 - the kid, he, she

8. 반말, 존댓말, 줄임말로 소개해 보세요.
Introduce someone using informal, formal, and shortened forms.

예) **이 아이가 ______야. - 얘가 ______예요.**

9. 받침 없는 사람 명사를 연습해 보세요.
Practice family nouns and job nouns.

예1) **아버지 어머니 오빠 누나 이모**
아가씨 아이 아저씨 아주머니

예2) **가수 교사 교수 디자이너 배우 비서 사서**
사회자 어부 요리사 의사 지휘자 피아니스트 화가

10. '~의' 로 **소유격**을 연습해 보세요. '의'는 자주 줄이거나 생략합니다.
Practice possessive '의' which is often shortened or omitted.

	(반말)	(존댓말)
예1)	**나의 - 내 - my**	**저의 - 제 - my**
	우리의 - 우리 - our	**저희의 - 저희 - our**
예2)	**너의 - 네 - your**	**이 아이의 - 얘의 - 얘 - his, her**
	누구의 - 누구 - whose	**저 아이의 - 쟤의 - 쟤 - his, her**

예3) **이거 누구 거야? - 이거 누구 거예요? - Whose is this?**
내 거야. - 제 거예요. - It's mine.
그거 쟤 거야. - 그거 쟤 거예요. - It's that kid's.
내 거가 어느 거야? - 제 거가 어느 거예요? - Which one is mine?

본문해설 누구 뼈 Explanation

1. 받침 없는 동물 단어들을 연습해 보세요. Practice animal words without bottom consonants.

고래 거미 거위 까마귀 까치 기러기 개 개구리 개미 귀뚜라미 나비
너구리 노루 돼지 두꺼비 메뚜기 뻐꾸기 사자 소 새 새우 여우 오리
이구아나 사마귀 조개 제비 지네 쥐 치타 토끼 하마 하이에나

예1) **빈칸 채우기**로 연습하세요. Fill in the blanks. : **귀_뚜_라미, _토_끼, 치_타_**

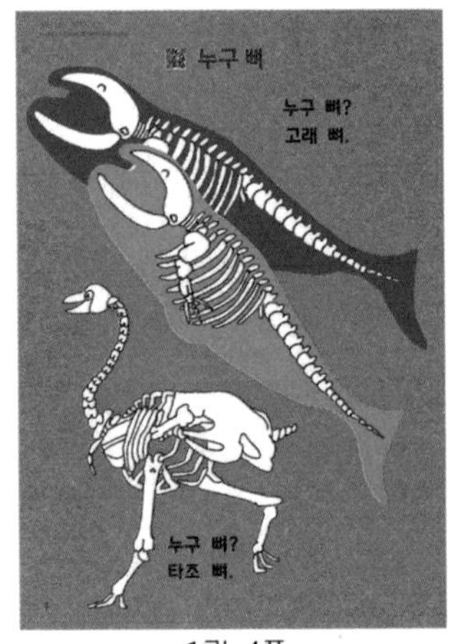

1권 4쪽

예2) **동물퀴즈**로 연습해 보세요. Solve animal quizzes.

① **다리가 없는 동물은?** Which animals have no legs?

: 고래 조개

② **다리가 두 개인 동물은?** Which animals have two legs?

: 거위 기러기 뻐꾸기 새 오리

③ **다리가 가장 많은 동물은?** Which animal has the most legs?

: 지네

④ **다리가 여섯 개인 동물은?** Which animals have six legs?

: 개미 귀뚜라미 나비 메뚜기 사마귀

예3) **동물 흉내**를 보여주고 어떤 동물인지 알아맞혀 보세요.
Mimic animals and play a guessing game.

예4) **동물 소리** : 동물 소리를 듣고 동물 이름을 알아맞혀 보세요. Whose sound it is?

꿀꿀 - 돼지 개굴개굴 - 개구리 귀뚤귀뚤 - 귀뚜라미 꽥꽥 - 오리 멍멍 - 개
뻐꾹뻐꾹 - 뻐꾸기 어흥 - 사자 음매 - 소 찍찍 - 쥐

2. 받침 없는 **쌍자음 단어**를 연습하세요.
Practice the words with twin consonants.

예) **까마귀 까치 꼬마 꾸러미 끼 깨 깨다 깨뜨리다**
또 또래 띠 띠다 띄우다 때 떼 비싸다 뼈
뽀뽀 뽀루지 삐다 빼다 싸다 쏘다 쓰다 쓰러지다
쓰러뜨리다 쓰레기 씨 짜다 쪼다 찌다 째다 등

1권 5쪽

본문해설 개미가 우르르르 Explanation

1. 받침 없는 **과일 단어**를 연습해 보세요. Practice fruit words ending with vowels.

도토리	모과	무화과	바나나	배	사과	자두	체리	키위	토마토

예) 이 자두가 커요. - This plum is big.

저 바나나가 노래요. - That banana is yellow.

그 키위가 비싸요. - The kiwi is expensive.

2. 받침 없는 **인칭대명사**를 연습해 보세요. Practice personal pronouns without bottom consonants.

예1) 구어체 (spoken)

내 (I, informal) - 제 (formal) - 내가 가. - 제가 가요. - I will go.

나 (me) - 저 - 나 줘. - 저 주세요. - Give me.

너 (you) - 너도 그거 사? - Are you buying it too?

너희, 너네 (plural you) - 너네 뭐 하니? - What are you doing?

우리 (we) - 저희 - 우리 그때 와. - 저희 그때 와요. - We will come then.

얘, 쟤, 걔 (he, she) - 쟤가 자꾸 쳐다봐요. - He keeps looking at me.

예2) 문어체 (written) he - 그 she - 그녀

3. 받침 없는 주어에 **'가'**를 써서 문장을 연습해 보세요.
가 is a subject marker for a word which ends without bottom consonants.

예) 아이가 뛰어요. - The child runs.

이 새우가 커요. - This shrimp is big.

이거가 싸요. - This one is cheap.

바다가 파래요. - The ocean is blue.

내가 해. - 제가 해요. - I will do it.

우리가 해. - 우리가 해요. - We will do it, Let's do it.

1권 6쪽

4. **주어와 주격 조사의 생략**을 연습해 보세요. Practice omitting the subject part.

예) **너가 와? - 너 와? - 와?** - Will you come?

네가 예뻐. - 너 예뻐. - 예뻐. - You are pretty.

네가 그거 가져. - 너 그거 가져. - 그거 가져. - You can have it.

5. 위치를 나타내는 **'에서'**를 연습해 보세요.

Practice 에서, a preposition marker for location words.

예) **그 가게에서 사요.** - We buy at the store.

네가 소파에서 자. - You sleep on the sofa.

나무 아래에서 쉬어. - Rest under the tree.

다리 위에서 봐요. - See you on the bridge.

6. 동사의 원형은 **'다'**로 끝나요. The original form of a verb ends with 다.

예) **하니? · 하자 · 하세요 · 해 · 해서 · 해요 - 하다**(원형) - **do**

가지니? · 가지자 · 가지세요 · 가져 · 가져서 · 가져요 - 가지다(원형) - **have**

7. **질문**을 연습해 보세요. Practice making questions.

		(반말)	(존댓말)
예)	**가다** (go)	- **가? 가니?**	- **가요? 가세요?**
	사다 (buy)	- **사? 사니?**	- **사요? 사세요?**
	오다 (come)	- **와? 오니?**	- **와요? 오세요?**
	주다 (give)	- **줘? 주니?**	- **줘요? 주세요?**
	쓰다 (write)	- **써? 쓰니?**	- **써요? 쓰세요?**
	하다 (do)	- **해? 하니?**	- **해요? 하세요?**

1권 7쪽

8. **'우르르르'**는 '우르르'라고도 하며, 몰려오는 소리, 무너지는 소리를 나타냅니다. **르르 의태어 의성어**를 연습해 보세요.

우르르르 is also used as 우르르 to show falling or rushing motion. Practice other mimetic words with 르르.

예) **까르르 꼬르르 꾸르르 또르르 떼구르르 바르르 부르르 스르르**

우르르 와르르 주르르 좌르르 쪼르르 찌르르 호르르 후르르

본문해설 까르르 까르르 Explanation

1. 포스트잇에 상자 안의 단어를 하나씩 쓰고 그림에서 찾아 붙여 보세요.
선생님이 부르는 대로 찾아 붙이고, 그다음 스스로 읽고 찾아 붙이도록 하세요.
Write the words in the box below on sticky notes, and put them on the right pictures of the story.

기차	귀	머리	바지	비	배	셔츠	스피커
시계	새	아이	오디오	크레파스	토끼	화초	

2. 이야기 속 포스터 안의 **자음**들을 순서대로 써 보세요.
Write the consonants in ㄱㄴㄷ order.

예) ㄱ ㄴ ㄷ ㄹ ㅁ ㅂ ㅅ ㅇ ㅈ ㅊ ㅋ ㅌ ㅍ ㅎ

ㄱ ㄴ ㄷ ㄹ ㅁ ㅂ ㅅ ㅇ ㅈ ㅊ ㅋ ㅌ ㅍ ㅎ

3. 각 자음으로 시작하는 **받침 없는 단어**들을 연습해 보세요.
Learn more words without bottom consonants.

ㄱ - 가구 가게 가수 가지 거리 고기 고래 고추 구이 그네 기계 기차 게
ㄴ - 나라 나무 나비 나사 너무 노루 노래 누구 누나 뉴스 내기 네모 뇌
ㄷ - 다리 다리미 다시 다시마 더미 도로 도시 두뇌 두부 두유 대나무 뒤
ㄹ - 라디오 라이브 라이프 러브 로마 로비 로프 루머 루비 레이디 레이저
ㅁ - 마녀 모기 모자 묘기 무 무기 무늬 무대 무료 무지개 미녀 매미 매우
ㅂ - 바가지 바구니 바다 바위 바지 바퀴 보자기 부모 부자 비누 배 베개
ㅅ - 사자 소고기 소라 소리 수도 수리 수저 시소 새 새치 세계 세모 세수
ㅇ - 아기 아이 야구 여자 오이 요리 유리 이사 의사 의자 위 위로 위치
ㅈ - 자 자리 자세 조개 조미료 주사 주차 주의 지구 지도 지리 재미 제비
ㅊ - 차 차고 차도 차례 초 초대 추수 처 치과 치마 치아 채소 체조 취미
ㅋ - 카레 카메라 카시트 커피 코 코끼리 코스 코스모스 쿠키 키 키위 퀴즈
ㅌ - 타자 타래 타조 터 토기 토끼 투구 투수 태도 태교 테 테두리 테마
ㅍ - 파 파도 파자마 파티 포스터 포크 표 표시 피 피구 피부 피아노 페
ㅎ - 하나 하루 하마 하체 허리 허브 허파 혀 호수 후추 해 해녀 회 회의 등

4. 받침 없는 단어로 **끝말잇기**를 해보세요. Play word chain.

예) **기차 - 차고 - 고추 - 추수 - 수도 - 도시 - 시소 - 소라 - 라디오 - 오이**

5. 받침 없는 **동사**를 연습해 보세요. Practice basic verbs without bottom consonants.

예) (기본형 - 반말 - 존댓말 - 영문)

가다 (go) - **가? - 가요? 가세요?** - Are you going?

자다 (sleep) - **자. - 자요. 주무세요.** - Go to bed.

그리다 (draw) - **뭐 그려? - 뭐 그려요? 뭐 그리세요?** - What are you drawing?

기다리다 (wait) - **기다려. - 기다려요. 기다리세요.** - Wait.

주다 (give) - **다 줘. - 다 줘요. 다 주세요.** - Give me all.

6. 받침 없는 **의태어**를 퀴즈와 동작으로 연습해 보세요.

Play mimetic words game with quizzes and gestures.

예) 떼구르르 구르다. (roll over)

와르르 무너지다. (crumble down)

꼬르르 소리나다. (stomach rumbles)

꼬르르	**스르르**	**떼구르르**	**부르르**	**와르르**

1권 8쪽 1권 9쪽

본문해설 소리 내 보세요 Explanation

1. 한 단어의 여러 의미를 연습해 보세요. Learn the different meanings of a word.

예) **거리** - street, distance　**다리** - leg, bridge　**배** - tummy, ship, pear

사과 - apple, apology　**새** - bird, new　**이** - 2, this, teeth

위 - stomach, top　**차** - car, tea　**해** - the sun, year, harm

2. '~게'로 받침 없는 **부사**를 연습해 보세요. Make adverbs with 게. 게 is an adverb suffix.

예) **크다** (be big) - **크게** (big, loudly)

예쁘다 (be pretty) - **예쁘게** (prettily)

빠르다 (be fast) - **빠르게** (fast)

느리다 (be slow) - **느리게** (slowly)

바쁘다 (be busy) - **바쁘게** (busily)

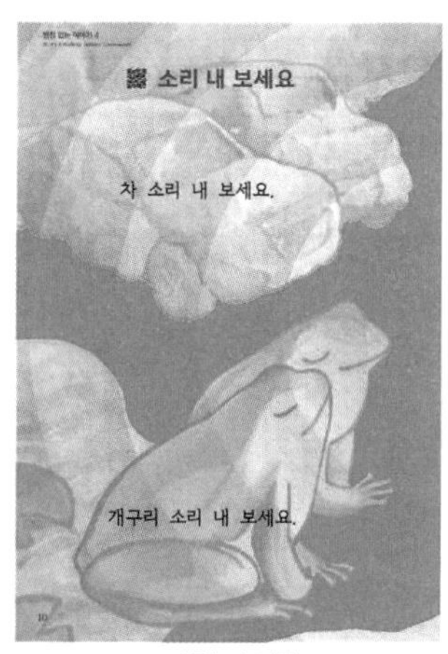

1권 10쪽

1권 11쪽

3. '~세요'로 명령형을 연습하세요.
Practice imperatives in an informal and a formal style.

(반말) (존댓말)

예) **가다** (go) - **가**. - **가세요**. - Go, please.

사다 (buy) - **사**. - **사세요**. - Buy it, please.

오다 (come) - **와**. - **오세요**. - Come, please.

보다 (look at) - **봐**. - **보세요**. - Look, please.

주다 (give) - **줘**. - **주세요**. - Give me, please.

두다 (put) - **둬**. - **두세요**. - Put it, please.

쓰다 (write, use) - **써**. - **쓰세요**. - Use it, please.

그리다 (draw) - **그려**. - **그리세요**. - Draw, please.

마시다 (drink) - **마셔**. - **마시세요**. - Drink, please.

하다 (do) - **해**. - **하세요**. - Do, please.

4. '~(해) 보세요'를 연습해 보세요. Practice 보세요 (Try ~ing) for making a suggestion.

예) **가다** (go) - **가 봐**. - **가 보세요**.　**오다** (come) - **와 봐**. - **와 보세요**.

주다 (give) - **줘 봐**. - **줘 보세요**.　**쓰다** (write) - **써 봐**. - **써 보세요**.

본문해설 내가 최고야 Explanation

1. '~가'를 사용해서 주어를 만들어 보세요.
Practice a subject marker of 가. Be careful to use the right form of the pronoun with 가.

예1) 나가(X) - 내가(O) 저가(X) - 제가(O) 너가(X) - 네가(O)

2. 반말인 **'~야'**와 존댓말인 **'~예요'**를 연습해 보세요. Practice informal 야 and formal 예요.

예) (반말 - 존댓말) **내가 수지야. - 제가 수지예요.** - I am Sujee.

저게 내 차야. - 저게 제 차예요. - That is my car.

이 모자가 최고야. - 이 모자가 최고예요. - This hat is the best.

3. 받침 없는 신체 단어를 연습하세요. Practice body words without bottom consonants.

예)

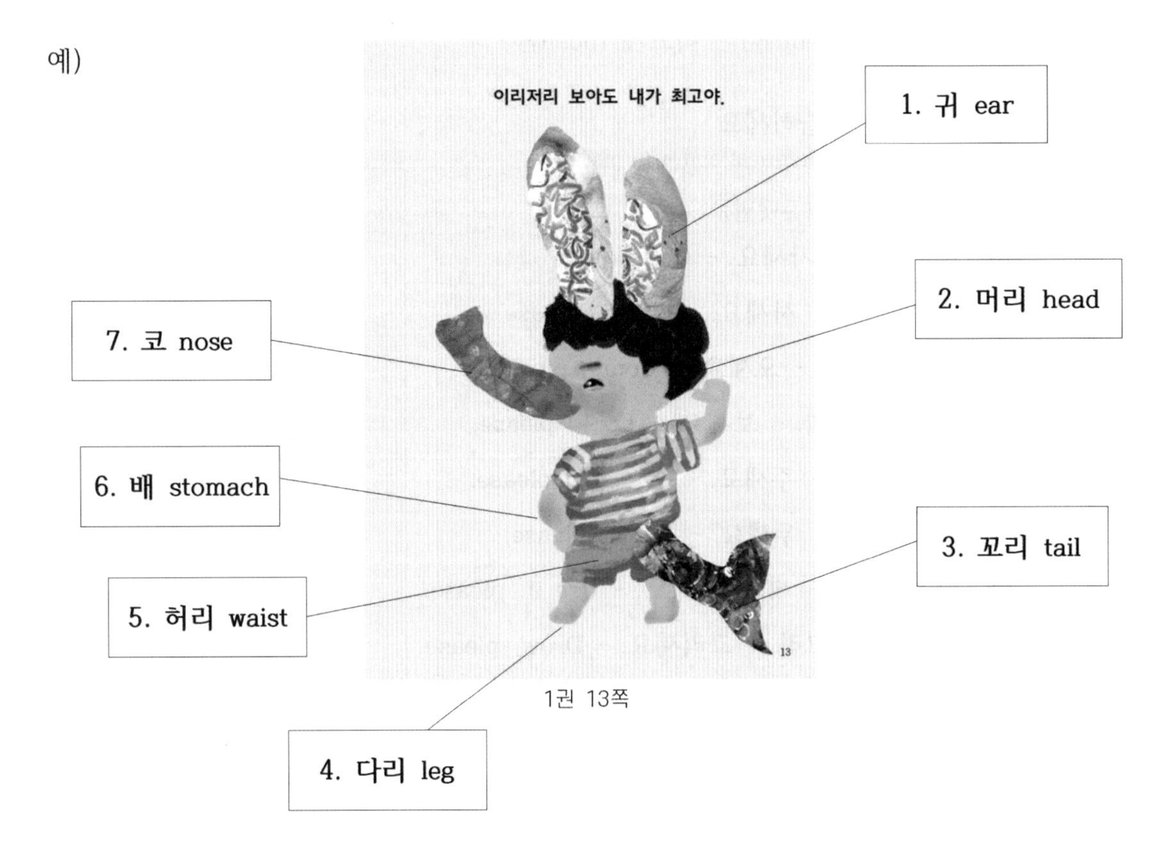

1권 13쪽

4. 최고를 나타내는 **'최'**가 들어가는 단어를 연습해 보세요.
Practice words starting with 최. It means the top or the most.

예) **최고** (the best, the highest) **최저** (the lowest) **최애** (favorite)

본문해설 도와줘서 고마워요 Explanation

1. 받침 없는 동사로 **'~서 고마워요.'**를 연습해 보세요.
Practice '~서 고마워요'. It means 'Thank you for ___'.

예) **사다** (buy) - **사 줘서 고마워요.** - Thank you for buying.
오다 (come) - **와 줘서 고마워요.** - Thank you for coming.
보다 (see) - **봐 줘서 고마워요.** - Thank you for watching.
주다 (give) - **줘서 고마워요.** - Thank you for giving.
기다리다 (wait) - **기다려 줘서 고마워요.** - Thank you for waiting.
하다 (do) - **해 줘서 고마워요.** - Thank you for doing.
도와주다 (help) - **도와줘서 고마워요.** - Thank you for helping.

2. '**~도**'와 '**~야지**'를 연습해 보세요.
Practice ~도 (___, too) and ~야지 (will or need to).

예) **나도.** - Me, too.
내가 도와야지. - I will help. **나도 도와야지.** - I will help, too.
내가 가야지. - I will go. **나도 가야지.** - I will go, too.
네가 해야지. - You need to do. **너도 해야지.** - You need to do, too.
이 사과 사야지. - I'll buy this apple.
이 사과도 사야지. - I'll buy this apple, too.

1권 14쪽

3. **감탄사**를 연습해 보세요.
Practice exclamations without bottom consonants.

예) **실수했을 때** (When in error)
- **어머, 아이고, 애고, 어이쿠**

놀랐을 때 (When surprised)
- **어머, 어머나, 아이고, 어?**

감탄할 때 (When amazed) - **와, 우와, 야~**

다쳤을 때 (When you get hurt) - **아야, 아파**

4. '어디 여기 저기 거기'를 연습해 보세요.
Practice 어디 (where) 여기 (here) 저기 (over there) and 거기 (there).

예) **어디 가? - 어디 가요? - 어디 가세요?** - Where are you going?
여기 봐. - 여기 봐요. - 여기 보세요. - Look here.
저기로 가자. - 저기로 가죠. - 저기로 가시죠. - Let's go there.
거기가 어디야? - 거기가 어디예요? - 거기가 어디죠? - Where is that?

5. '주다'의 존댓말인 **'드리다'**를 연습해 보세요. Practice 드리다, the honorific word for 주다 (give).

예) **이거 줘. - 이거 드려. - 이거 드리세요.** - Give this to him (or her).
저거 줘야지. - 저거 드려야지. - 저거 드려야죠. - You should give that one.

6. '~자'를 연습해 보세요. Practice ~자 (Let's). Just put 자 instead of the original 다 ending.

예) 하다 (do) - 하자. - Let's do it.
가다 (go) - 거기 가자. - Let's go there.
사다 (buy) - 그거 사자. - Let's buy it.
보다 (see, look) - 이거 보자.
- Let's see this.
쓰다 (write, use) - 이거 쓰자.
- Let's write (or use) this.
오다 (come) - 여기 또 오자.
- Let's come here again.
주다 (give) - 저거 주자. - Let's give that one.
드리다 (honorific give) - 이거 드리자. - Let's give this one.

1권 15쪽

본문해설 너 누구니? Explanation

1. 받침 없는 **감탄사**를 연습해 보세요. Practice exclamations without bottom consonants.

예) **의외일 때** (When unexpected) - **어? 어머**

깨달았을 때 (When realized) - **아하, 어~, 오~**

신날 때 (When excited) - **아싸, 야호, 와~**

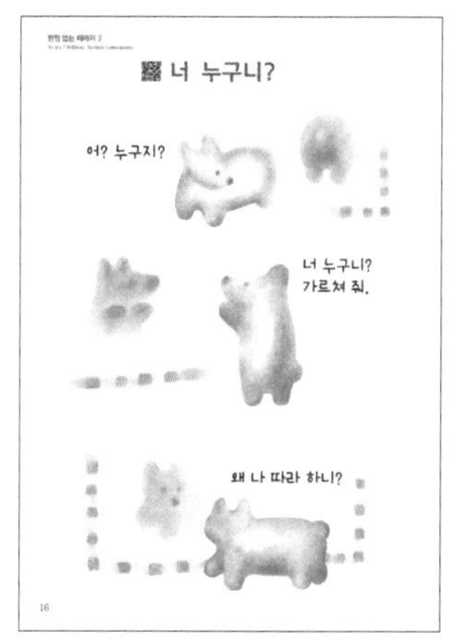

1권 16쪽

2. 반말로 물어보는 **'~니?'**를 연습해 보세요.
Practice informal questions using 니? ending.

예) **자다** (sleep) - **자니?** - Asleep?

가다 (go) - **너도 가니?** - Are you going too?

보이다 (see) - **저거 보이니?** - Can you see that?

쓰다 (use) - **너도 그거 쓰니?** - Do you use it too?

가르치다 (teach) - **뭐 가르치니?** - What do you teach?

배우다 (learn) - **쟤 뭐 배우니?** - What does he (or she) learn?

버리다 (throw away) - **너 뭐 버리니?** - What are you throwing away?

따라 하다 (copy) - **너 나 따라 하니?** - Are you copying me?

3. '주다'를 써서 부탁하는 반말 **'~ 해 줘'**와 존댓말 **'~해 주세요'**를 연습해 보세요.
When you ask someone for something, you are to use 줘 (informal) or 주세요 (formal).
For regular verbs, just put 줘 or 주세요 in the place of 다.
Irregular verbs are explained in the explanation for book 3.

예) (반말) (존댓말)

나가다 (go out) - **나가 줘.** - **나가 주세요.** - Please leave.

사다 (buy) - **이거 사 줘.** - **이거 사 주세요.** - Can you buy this for me?

서다 (stand) - **저기 서 줘.** - **저기 서 주세요.** - Please stand there.

보다 (see) - **이거 봐 줘.** - **이거 봐 주세요.** - Can you check this, please?

오다 (come) - **그때 와 줘.** - **그때 와 주세요.** - Please come then.

나누다 (share) - **나눠 줘.** - **나눠 주세요.** - Please share.

하다 (do) - **이거 해 줘.** - **이거 해 주세요.** - Please do this for me.

4. 받침 없는 **의문사**를 사용해 반말과 존댓말을 연습해 보세요.
Practice making different questions using interrogatives without bottom consonants.
누구 - who　　뭐 - 무엇 - what　　어디 - where　　왜 - why

예)　누구 : **누구야? 누구니? - 누구예요? 누구세요?** - Who is it?

뭐 : **거기서 뭐 해? 거기서 뭐 하니? - 거기서 뭐 해요? 거기서 뭐 하세요?**
- What are you doing there?

어디 : **어디 가? 어디 가니? - 어디 가요? 어디 가세요?**
- Where are you going?

왜 : **거기 왜 가? 거기 왜 가니? - 거기 왜 가요? 거기 왜 가세요?**
- Why are you going there?

5. 반말 **3인칭**인 얘, 쟤, 걔를 연습해 보세요. Practice informal third-person pronouns.

예)
이 아이 - 이 애 - 얘 - this kid, he, she
저 아이 - 저 애 - 쟤 - that kid, he, she
그 아이 - 그 애 - 걔 - the kid, he, she

6. 받침 없는 **웃는 소리**를 연습해 보세요. Who laughs like this? Learn some laughing sounds.

예) **으하하, 하하** (크게 웃을 때)　**허허** (할아버지)　**호호** (여성)　**후후** (조용히, 혼자)
헤헤 (어린 아이)　**히히** (아이, 혼자)　**흐흐** (음흉, 혼자)　**크크** (웃음을 참을 때)

7. 감탄하는 표현인 **'~구나!'**를 연습해 보세요.
Practice 구나! for showing a surprised feeling.

예)
나 (me) - **나구나!** - It's me!
너 (you) - **너구나!** - It's you!
키가 크다 (tall) - **키가 크구나!**
- You are tall!
빠르다 (fast) - **되게 빠르구나!**
- It's so fast!
예쁘다 (pretty) - **아주 예쁘구나!**
- It's very pretty!
기쁘다 (glad) - **너무 기쁘구나!**
- I am so glad!

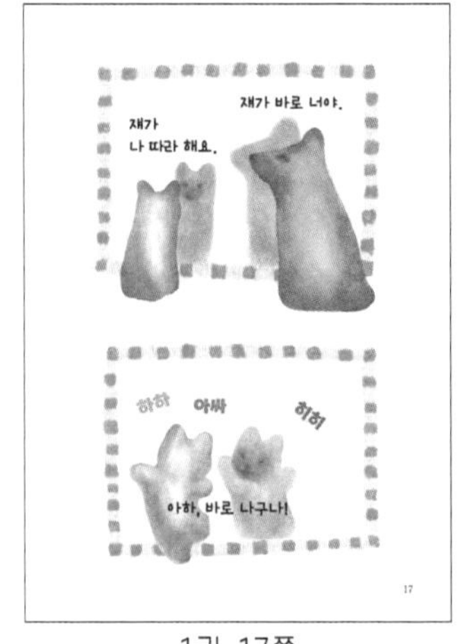

1권 17쪽

본문해설 어디 가지? Explanation

1. 혼잣말이나 의견을 물어볼 때 쓰는 **'~지?'**를 연습해 보세요.
지? is used to ask someone or oneself. Without 요, it makes an informal question.

예)

이게 뭐지? - What is this?

재가 누구지? - Who is he (or she)?

이제 뭐 하지? - What should I do now?

2. 확인하는 말투인 **'~지?'**와 **'~지.'**를 연습해 보세요. 존댓말 **'~지요.'**의 준말 **'~죠.'**도 연습해 보세요. This 지? is used to confirm like a tag question. Putting 요 makes it formal. 죠 is shortened form of 지요.

예)

너도 나와 가지? - You are going to go with me, aren't you?

: **가. - 가지. - 가죠.** - I am going to.

걔도 오지? - He (or She) will come, won't he (or she)?

: **와. - 오지. - 오죠.** - He (or She) will.

이 모자가 더 크지? - This hat is bigger, isn't it?

: **(더) 커. - (더) 크지. - (더) 크죠.** - It's bigger.

3. **'~지...'**로 유감과 아쉬움을 나타낼 수 있어요. 말투를 살려 연습해 보세요.
지... shows that you feel sorry for something that occurred in the past.
The intonation makes the difference of various meanings of 지 endings.

예)

너도 거기 가지... - You should have gone there, too.

걔도 이거 사지... - He (or She) should have bought this, too.

너도 배우지... - You should have learned it too.

4. 무언가 새롭게 알게 되었을 때 쓰는 **'~네'**를 연습해 보세요.
Use 네 ending when you've just found out something.

예)

바로 이거네. - That's exactly it.

그게 아니네. - That wasn't it.

버스가 더 빠르네. - The bus is faster!

1권 18쪽

5. 새로운 받침 없는 동사들에 **'네'**를 붙여 연습해 보세요.
Practice 네 ending with more verbs without bottom consonants.

예) **지나가다** (pass by) - **지나가네.** - Oh, it's passing by.
따라가다 (follow) - **따라가네.** - Oh, it's following.
기어가다 (crawl) - **기어가네.** - Oh, it's crawling by.
나타나다 (appear) - **나타나네.** - Oh, it's appearing.
사라지다 (disappear) - **사라지네.** - Oh, it's disappearing.

6. 동물을 세는 단위인 **'마리'**를 연습해 보세요. 수는 아직 받침을 안 배웠으므로 말로 연습해 봅니다.
마리 is a unit word for counting animals. Practice saying numbers and counting animals with 마리.

예1) **새 두 마리** - two birds **개 두 마리** - two dogs
사자 세 마리 - three lions **돼지 네 마리** - four pigs

예2) **하나 둘 셋 넷 다섯 여섯 일곱 여덟 아홉 열**

7. **'~고'**는 '~한 채, ~한 뒤, ~하고 나서'등의 의미로 쓰입니다. '~고'로 바꾸는 연습을 해 보세요. Practice putting 고 to connect continuous actions.

예) **보다** (see) + **가다** (go) - **보고 가다**
- **걔 보고 가자.** - Let's stop by and see him (or her).

세수하다 (wash face) + **자다** (sleep) - **세수하고 자다**
- **세수하고 자.** - Wash your face before you go to bed.

세다 (count) + **사다** (buy) - **세고 사다** - **세고 사지.**
- You should have counted before buying it.

1권 19쪽

본문해설 아기 해마의 하루 Explanation

1. 위치를 나타내는 **'아래에서'**와 **'위에서'**를 복습해 보세요.
Practice 아래에서 (under) and 위에서 (on). 아래 and 위 are nouns, while 에서 is a preposition marker.

예) **바다 아래에서** - under the sea ↔ **바다 위에서** - on the sea

다리 아래에서 - under the bridge ↔ **다리 위에서** - on the bridge

카페트 아래에서 - under the carpet ↔ **카페트 위에서** - on the carpet

2. 동시 동작을 나타내는 **'~며'**를 연습해 보세요.
며 means that the subject does something while doing another thing at the same time.

예) **쉬다** (rest) + **노래하다** (sing) - **쉬며 노래하다**

- **아기 해마가 쉬며 노래하지요.** - Baby seahorse sings while resting.

배우다 (learn) + **자라다** (grow) - **배우며 자라다**

- **아이가 배우며 자라요.** - A child grows while learning.

쓰다 (put on) + **지나가다** (pass by) - **쓰며 지나가다**

- **토끼가 모자를 쓰며 지나가네.**
- A rabbit passes by while putting on a hat.

1권 20쪽

3. 궁금함을 나타내는 **'~나요?'** 의문형을 연습해 보세요.
When you wonder about something, use 나요? ending for the question.

예) **어디 가나요?** - Where are we going?

누가 오나요? - Who is coming?

이거 여기서 파나요? - Do you sell this here?

4. 무언가를 알려주는 말투인 **'~지요'**와 **'죠'**를 연습해 보세요.
지 is used when you inform or explain something. Put 지 in the place of 다 of the original form.
To speak in a formal way, add 요 after 지. And 죠 is the shortened form of formal 지요.

예) **오다** (draw) - **오지** - **오지요** - **오죠** - **모두 오죠.** - Everyone is coming.

타다 (ride) - **타지** - **타지요** - **타죠** - **걔도 버스 타죠.** - He rides a bus too.

싸다 (cheap) - **싸지** - **싸지요** - **싸죠** - **저 코트가 싸죠.** - That coat is inexpensive.

5. 받침 없는 명사에 붙는 **'~와'**를 연습하세요.

와 is 'and' between nouns. It comes after a noun that ends with a vowel without bottom consonants.

1권 21쪽

예)

너와 나 - you and me

소와 돼지 - cows and pigs

고기와 스프 - meat and soup

사과와 포도 - apples and grapes

가재와 새우 - lobsters and shrimps

6. 접속사 **'그리고'**를 연습해 보세요.

그리고 is a conjunction meaning 'and' or 'and then'.

예)

TV 봐요. 그리고 나가요. - I watch TV. And I go out.

세수해요. 그리고 자요. - I wash my face. And I go to sleep.

이거 사세요. 그리고 어머니 드리세요. - Buy this. And give it to your mom.

7. 여러 경우를 열거할 때 쓰는 **'~기도 하고'**를 연습해 보세요.

~기도 하고, ~기도 하다 shows the options of actions the subject does.

예)

가지기도 하고 버리기도 해.

- Sometimes I keep it, or sometimes I throw it away.

자기도 하고 뛰기도 하지.

- Sometimes it sleeps, or sometimes it runs.

피아노 치기도 하고 그리기도 해요.

- Sometimes I play the piano, or sometimes I paint.

호수에 가기도 하고 바다에 가기도 해요.

- I go to the lake and go to the sea too.

8. 받침 없는 **바다 단어**를 연습해 보세요. Practice more ocean words without bottom consonants.

가오리	가자미	가재	고래	게	다시마	모래
바다	비치	배	소라	새우	어부	요트
조개	파도	해녀	해마	해초	해파리	회

본문해설 나무가 자라서 Explanation

1. 앞서 일어난 일이나 원인을 말할 때 쓰는 **'~서'**를 연습해 보세요.
서 ending is used to express the preceding action or the cause of the following clause.

1권 22쪽

예1) **가다** (go) - **가서**

서다 (stand) - **서서**

쉬다 (rest) - **쉬어서**

바쁘다 (be busy) - **바빠서**

아프다 (be sick) - **아파서**

예쁘다 (be pretty) - **예뻐서**

예2) **아프다** (be sick) + **자다** (sleep) - **아파서 자다**

- **걔 아파서 자요.**

- He is sleeping because he isn't feeling well.

기쁘다 (be happy) + **노래하다** (sing) - **기뻐서 노래하다**

- **기뻐서 노래해요.**

- I sing because I am happy.

2. **'~서'**를 생략하는 형태를 연습해 보세요. Practice omitting 서.

예) **태어나다** (be born) - **태어나(서) 자라요.** - It was born and grows.

사다 (buy) - **사(서) 나누죠.** - Let's buy and split them.

그리다 (draw) - **하나 그려(서) 드리죠.** - I'll draw one and give it to you.

오리다 (cut) - **그거 오려(서) 두세요.** - Please cut it out and keep it.

3. 명사 뒤의 **'~에서'**를 연습해 보세요.
에서 behind a noun marks a location. It means either 'at, in' or 'from'.

예1) **소파에서 TV 봐요.** - I watch TV on the sofa.

걔 어느 나라에서 사니? - Which country does he live in?

예2) **거기에서 나와.** - Get out of there.

버스에서 내리자. - Let's get off the bus.

4. '더'를 넣어 비교급을 연습해 보세요.

더 means 'more' and makes a comparative expression.

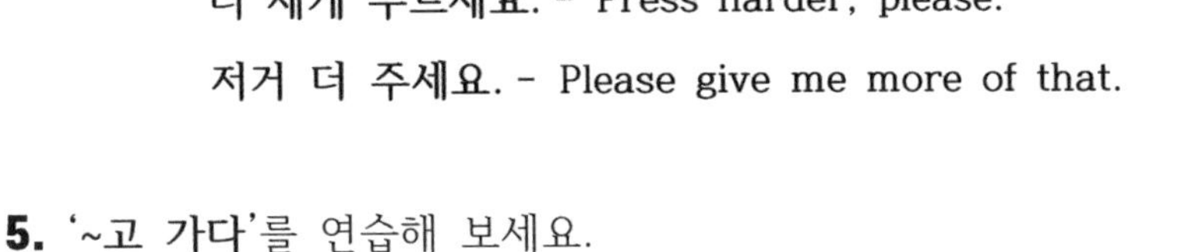

예) **이게 더 예뻐.** - This one is prettier.

더 세게 누르세요. - Press harder, please.

저거 더 주세요. - Please give me more of that.

1권 23쪽

5. '~고 가다'를 연습해 보세요.

Practice '고 가다' which means 'to go after doing something'.

예) **주스 마시고 가.** - Drink some juice and go.

여기서 구두 사고 가자. - Let's buy shoes here and go.

이거 다 보고 가도 돼요? - Can I go after I see all of this?

6. '자꾸자꾸'와 같은 받침 없는 **반복 부사**를 연습해 보세요.

Practice some adverbs without bottom consonants which repeat same words.

고래고래	**겨우겨우**	**꼬치꼬치**	**끼리끼리**	**너무너무**	**두고두고**
두루두루	**따로따로**	**무지무지**	**미리미리**	**바로바로**	**바리바리**
부랴부랴	**어서어서**	**오래오래**	**주저주저**	**하나하나**	**하루하루** 등

7. '게'를 붙여 **형용사의 부사형**을 연습해 보세요.

Practice making adverb forms of adjectives by adding 게 to the root of the adjective.

예) **기쁘다 - 기쁘게 - 기쁘게 노래해요.** - Let's sing happily.

바쁘다 - 바쁘게 - 바쁘게 사세요. - Live busily.

예쁘다 - 예쁘게 - 예쁘게 그리세요. - Draw prettily.

8. 받침 없는 이름은 **'야'**를 붙여 부릅니다.

When you call someone's name, add 야 to the name which ends with a vowel.

예) **로제야** **리사야** **지수야** **제니야** **소희야**

9. 감사의 표현을 연습해 보세요. Practice saying 'Thank you for'.

예) **고마워** (informal) - **고마워요** (slightly formal) - Thank you.

초대해 줘서 고마워요. - Thank you for your invitation.

와 줘서 고마워요. - Thank you for coming.

본문해설 와! 한글을 써요 Explanation

1. **'개구리'**를 쓰면서 관련 단어와 문장을 연습해 보세요.
Practice writing 개구리. And learn related words and sentences without bottom consonants.

예1) 비슷한 동물: **개구리** - frog **두꺼비** - toad

예2) 비슷한 철자: **너구리** - raccoon **소쿠리** - basket

예3) **개구리가 여기저기 뛰어다녀요.** - Frogs are running around here and there.

2. **'귀'**를 써보고 '귀'가 들어가는 받침 없는 단어와 문장을 연습해 보세요.
Practice writing 귀. And learn related words and sentences without bottom consonants.

예1) **귀마개** - earmuffs **귀이개** - earpick **귀지** - earwax

예2) **귀가 아파요.** - My ears hurt.

귀가 시려요. - My ears are cold.

3. **'꼬리'**를 쓰고 '리'로 끝나는 받침 없는 두 글자 단어를 말해 보세요.
Practice writing 꼬리 and say two-letter words ending with 리.

예)

거리	고리	구리	다리	머리	무리	미리	보리	부리	서리
street·distance	loop	copper	leg·bridge	head·hair	group	beforehand	barley	beak	frost
소리	**수리**	**요리**	**유리**	**이리**	**자리**	**저리**	**조리**	**지리**	**커리**
sound	repair	cuisine	glass	this way	seat	that way	cooking	geography	curry
파리	**피리**	**허리**	**꼬리**	**뿌리**					
fly	pipe	waist	tail	root					

4. **'나무'**를 쓰면서 관련 단어와 문장을 연습해 보세요.
Write 나무 and practice related words and sentences withouth bottom consonants,

예1) **나무** - tree **이파리** - leaf **가지** - branch **뿌리** - root

예2) **느티나무** - zelkova tree **대추나무** - jujube tree **모과나무** - quince tree

무화과나무 - fig tree **배나무** - pear tree **사과나무** - apple tree

소나무 - pine tree **포도나무** - vine

예2) **나무 아래로 토끼가 지나가요.** - A rabbit passes under the tree.

나무 위에서 새가 노래해요. - A bird sings on a tree.

5. **'도토리'**를 쓰면서 속담을 배워보세요. Practice writing 도토리 and learn a proverb.

예) **도토리 키재기** - Measuring the height of acorns.

They are too similar to compare or compete.

6. '모자'를 쓰면서 받침 없는 옷 단어들을 연습해 보세요.
Practice writing 모자 and other clothes words without bottom consonants.

예)

구두	모자	바지	셔츠	스웨터	와이셔츠	조끼	치마	스카프	코트
shoes	hat	pants	shirt	sweater	dress shirt	vest	skirt	scarf	coat

7. '사과'를 쓰면서 사과가 들어가는 받침 없는 문장을 연습해 보세요.
Practice writing 사과 and related sentences.

예) **배가 사과보다 커요.** - Pears are bigger than apples.
사과 주스 주세요. - I would like apple juice, please.
사과파이 가져가세요. - Take the apple pie, please.

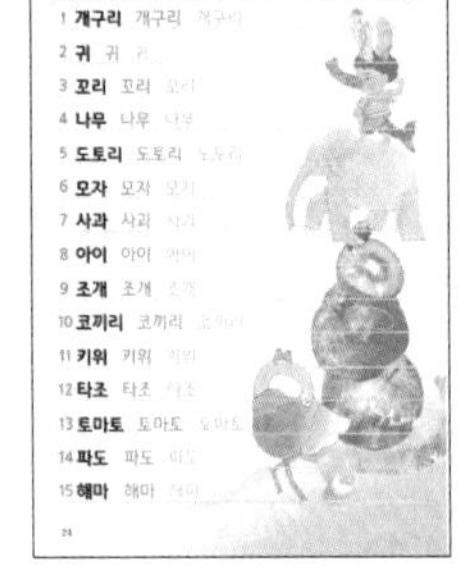
1 개구리
2 귀
3 꼬리
4 나무
5 도토리
6 모자
7 사과
8 아이
9 조개
10 코끼리
11 키위
12 타조
13 토마토
14 포도
15 해마

1권 24쪽

8. '아이'를 쓰고 '아'로 시작하는 말과 '이'로 끝나는 받침 없는 말을 연습해 보세요.
After writing 아이, practice words without bottom consonants which begin with 아 and end with 이.

예1) '아'로 시작하는 말 :

아가씨	아기	아래	아마	아버지	아부	아빠
young lady	baby	under	perhaps	father	flattery	dad
아야	아이	아이고	아저씨	아주머니	아차	
Ouch	kid	Oh My God	mister	ma'am	Oops	

예2) '이'로 끝나는 말 :

구이	나이	누이	모이	사이	차이	파이
roasting	age	sister	feed	between	difference	pie

9. '조개'를 쓰고 바다 생물과 관련된 받침 없는 단어를 익혀 보세요.
Practice ocean related words without bottom consonants after writing 조개.

예)

가오리	가재	가재미	고래	게	다시마	
stingray	lobster	crayfish	whale	crab	kelp	
따개비	소라	새우	자라	조개	해마	해파리
barnacle	conch	shrimp	softshell turtle	clam	seahorse	jellyfish

10. '코끼리'를 써 보며 받침 없는 관련 문장을 연습해 보세요.
Practice writing 코끼리 and related sentences without bottom consonants.

예) **코끼리가 사자보다 커요.** - Elephants are bigger than lions.
아기 코끼리가 귀여워요. - The baby elephants are cute.
코끼리가 나무 아래에서 자요. - The elephant is sleeping under the tree.

11. '키위'를 쓰고 '위'로 끝나는 단어와 관련 문장을 연습해 보세요.
Practice words ending with 위 and related sentences after writing 키위.

예1)

가위	거위	더위	바위	사위	시위	지위	추위
scissor	goose	hotness	rock	son-in-law	demonstration	status	coldness

예2) **가위로 자르세요.** - Cut it with scissors.

거위 떼가 지나가요. - A flock of geese is passing by.

12. **'타조'**를 쓰고 받침 없는 새 이름을 연습해 보세요.
Write 타조 and learn birds' names without bottom consonants.

예)	**까치**	**까마귀**	**두루미**	**뻐꾸기**	**오리**	**왜가리**	**제비**	**타조**
	magpie	crow	crane	cuckoo	duck	heron	swallow	ostrich

13. **'토마토'**를 쓰고 시작과 끝이 같은 단어들을 익혀 보세요.
Write 토마토 and practice words which start and end with the same letter.

예) **기러기** - wild goose **스위스** - Switzerland **토마토** - tomato

14. **'파도'**를 쓰고 파도를 넣은 문장을 익혀 보세요.
Write 파도 and practice related sentences without bottom consonants.

예) **파도가 쳐요.** - There are waves.

파도가 바위에 부서져요. - The waves shatter against rocks.

15. **'해마'**를 쓰고 바다를 뜻하는 '해'가 들어가는 말을 연습해 보세요.
Practice writing 해마 and learn words starting with 해 which means sea.

예)	**해녀**	**해류**	**해마**	**해수**	**해조**	**해초**
	woman diver	sea current	sea horse	sea water	algae	seaweeds

본문해설 와! 받침이 없네 카드 Exlanation

1. 페이지를 복사하여 카드를 두 장씩 만들어 **기억력 게임**을 해 보세요. 여러 카드를 뒤집어 놓고 짝이 되는 똑같은 카드들을 찾는 게임입니다.
Copy of the word card to make pairs and cut the cards out to play the memory game. It's a game where you put several cards face down and find a pair of same cards.

2. 카드들을 여러 개 놓고, 단어를 듣고 빠르게 그 **카드를 찾아보세요.**
Place several cards face up. Listen to a word and find the card as fast as you can.

3. 통에 카드들을 넣고 **무작위로 뽑아 읽습니다**. 못 읽은 글자는 세 번 쓰기를 합니다.
Put the cards in a bowl or a box and randomly draw a card and read the word on it. If the word was hard to read, say it aloud and write it three times.

4. 카드를 뽑아 **ㄱㄴㄷ 순서**로 나열해 봅니다. Pick cards and put them in ㄱㄴㄷ order.

5. 두 명이 **서로 카드를 뽑고 ㄱㄴㄷ 순서로** 놓았을 때 순서가 앞인 사람이 이깁니다.
Two players pick cards and the one whose card comes first in ㄱㄴㄷ order wins. Before you start, set the rules about which order wins and about what the prize or penalty is.

6. 카드를 뽑고 작은 종이에 **그 단어에 해당하는 그림을** 그리고 아래에 단어나 문장을 써서 나만의 한글 카드를 만들어 봅니다.
Pick a card and make your own word card of it. Write the word or a sentence using the word and draw the picture to make a word card.

7. '사람' '동물' 'ㅏ로 끝나는 말' 등 규칙을 정해 **단어를 분류**해 봅니다.
Sort words according to the categories like 'people' 'animals' or 'words that end with ㅏ' etc.

8. 단어카드 하나를 두 조각으로 자르고, **반쪽**만 보고 어떤 단어인지 알아맞힙니다.
Cut one word card into two pieces. Look at the half and guess the word.

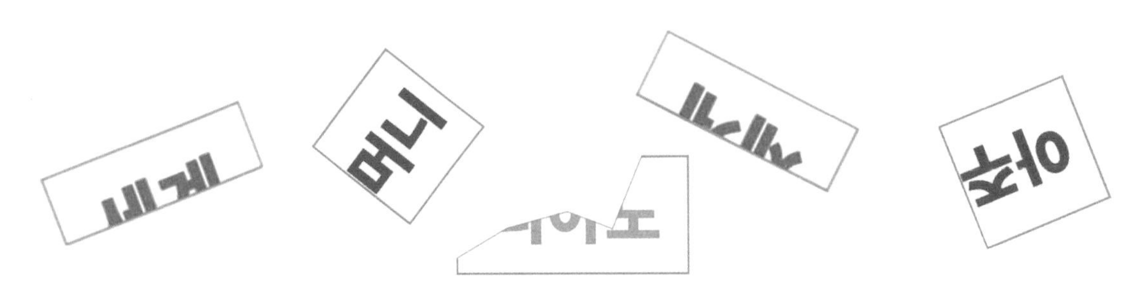

9. 카드를 자르고 다시 **퍼즐**로 맞추어 보세요.
Cut a card to make puzzles. Mix them, and then put them together to make a word.

10. **초성**을 보고 무슨 단어인지 알아맞혀 봅니다. (예: **ㅈㄱ - 지구**)
Guess the word from the acronym.

11. **동사와 형용사 활용 카드**를 멜로디를 붙이거나 리듬을 붙여 재미나게 암송합니다.
Read the cards of verb and adjective usages over and over again. Put a melody or rhythm, and chant them.

12. 카드를 뽑아 그 단어로 **문장**을 만들어 봅니다.
Make a sentence with the words you pick.

13. 카드를 골라 그 단어들로 스토리를 만들어 **미니북**을 만들어 보세요.
Choose several cards and make a minibook with the words.

14. 카드의 단어를 **받아쓰기**해 보세요. Take dictation of the words on the cards.

15. 카드를 숨기고 **보물찾기**를 합니다. 카드가 숨겨진 곳에 가까이 가면 그 카드의 단어를 크게 말하여 힌트를 줍니다.
Hide cards and play treasure hunt. If the player gets closer to the hidden card, say the word on the card loudly so that the player can get a hint.

1권 25쪽

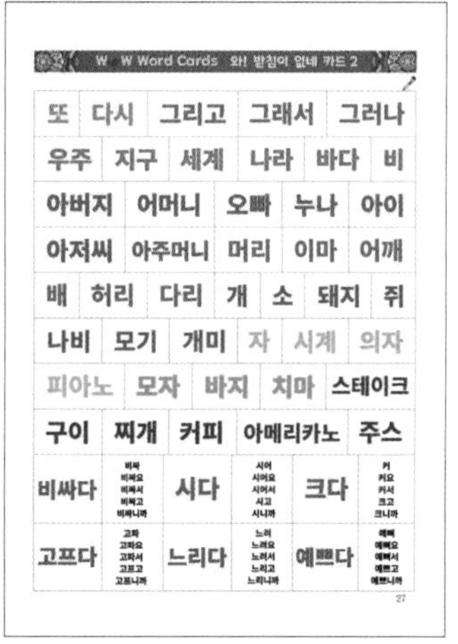

1권 27쪽

W W
I Can Read Korean Book 1
와!
받침이 없네
Wow! I Can Read Vowels and Basic Consonan
W W
I Can Read Korean Book 2
와! 받침이
한 가지네
Wow! I Can Read
Bottom Consonants
B GDESK
W W
I Can Read Korean Book 3
와! 받침이
하나씩 늘어나네
Wow! I Can Read All Hangul!

와! 받침이 한 가지네

Wow! I Can Read Bottom Consonants

Highly recommended to anyone interested in Korea

by 김수희 (Kim Suhie)

illustrated by
정진수 박비솔 이서현 유채은

BIGDESK

2권 와! 받침이 한 가지네 단어 정리 Book 2 Word List

1. 후다닥

후다닥 ([hudadag] in a jiffy)
다 ([da] all)
배고프다 ([baegopəda] be hungry)
먹자 ([mɔkjja] 먹다, Let's eat.)
꺼억 ([kkɔ ɔk] the sound of burping)
다시 ([dasi] again)
목마르다 ([mokmaləda] be thirsty)
마시자 ([masija] 마시다, Let's drink.)
국수 ([guksu] noodles)
후르륵 ([hulələk] the sound of slurping)
배부르다 ([baebuləda] be full)
나가자 ([nagaja] 나가다, Let's go out.)

2. 뭐 마시지?

기린 ([gilin] giraffe)
한 잔 ([hanjan] one glass)
너구리 ([nɔguli] racoon)
문어 ([munɔ] octopus)
레몬차 ([lemoncha] lemon tea)
시원한 ([siwonhan] 시원하다, cool)
주세요 ([juseyo] 주다, give me)
차가운 ([chagaun] 차갑다, cold)
뜨거운 ([ttəgɔun] 뜨겁다, hot)

3. 걷고 걷고

걷고 ([gɔkko] 걷다, walk and)
묻고 ([mukko] 묻다, ask and)
굳세게 ([gussege] strongly)
뜯고 ([ttəkko] 뜯다, pick and)
받고 ([bakko] 받다, receive and)
자라요 ([jalayo] 자라다, grow)

4. 즐거운 원시 아이들

돌 ([dol] stone) **돌칼** ([dolkal] stone knife)
갈고 ([galgo] 갈다, sharpen) **풀** ([pul] grass)
말아 ([mala] 말다, by rolling) **풀피리** ([pulpili] grass reed)
불어요 ([bulɔyo] 불다, blow) **둘** ([dul] two) **~을 가지고** ([əl gajigo] 가지다, with using)
놀고 나서 ([nolgo nasɔ] 놀다, 고 나서, after playing)
불 ([bul] fire) **불을 피워** ([buləl piwo] 불, 피우다, by making fire)
물고기 ([mulgogi] fish) **구워요** ([guwoyo] 굽다, broil) **노을** ([noəl] sunset)
풀벌레 ([pulbɔllae] grass bug) **듣다** ([dətta] listen)
들 ([dəl] field) **을** ([əl] object marker) **달** ([dal] the moon)
바라보아요 ([baraboayo] 바라보다, gaze)

5. 우리 엄마

배가 고파도 ([baega gopado] 고프다, even when hungry) **엄마** ([ɔmma] mom)
밤에 ([bame] at night) **무서워** ([musɔwo] 무섭다, be scared)
아침 ([achim] morning) **깨자마자** ([kkaejamaja] 깨다, 자마자, on waking up)
몸 ([mom] body) **아파도** ([apado] 아프다, even when sick)
마음 ([maəm] heart) **기뻐도** ([gippɔdo] 기쁘다, even when glad)
어려서도 ([ɔlyɔsɔdo] 어리다, when young too) **우리** ([uli] our, my)
커서도 ([kɔsɔdo] 크다, when I grow up too) **으로부터** ([əlobutɔ] from)
감사드려요 ([gamsa dəlyɔyo] 감사드리다, thank, appreciate)

6. 우리 집을 소개합니다.

우리 집 ([uli jib] my house) **무겁냐고요** ([mugɔmnyagoyo] 무겁다, Is it heavy?)
아주 ([aju] very) **가볍습니다** ([gabyɔpssəmnida] 가볍다, It is light.)
예쁩니다 ([yeppəmnida] 예쁘다, It is pretty)
어둡습니다 ([ɔdupssəmnida] 어둡다, It is dark) **최고의** ([chwegoəi] best)

7. 한국의 멋

멋 ([mɔt] beauty, flavor) **이것** ([igɔt] this one) **무엇** ([muɔt] what)
갓 ([gat] a Korean traditional hat) **비슷해요** ([bisətaeyo] 비슷하다, It's similar)
붓 ([but] brush) **너무** ([nɔmu] very) **멋있죠** ([mɔsijjo] 멋있다, It's wonderful)

8. 방귀 자랑

방귀 ([banggwi] fart) **요게** ([yoge] 이게, this one)

9. 퀴즈 맞히기

퀴즈 ([kwijə] quiz)
맞히기 ([machigi] 맞히다, guessing game)
누가 ([nuga] who)
갖고 ([gatkko] 가지다, take and)
찾나요 ([channayo] 찾다, Do you look for ___?)
게 ([ge] 것이, thing)
맞혀 보세요 ([machyɔ boseyo] 맞히다, 보다, Try to guess.)

10. 빛과 꽃

따스하게 ([ttasəhage] warmly)
빛 ([bit] light, ray)
내려와요 ([naeryɔ wayo] 내려오다, It comes down.)
비추니 ([bichuni] 비추다, as it shines)
꽃이 ([kkochi] flower is)
예쁘게 ([yeppəge] 예쁘다, prettily)
피어나요 ([piɔnayo] 피어나다, bloom)
여기도 ([yɔgido] here too)
저기도 ([jɔgido] there too)
화려하게 ([hwaryɔhage] splendidly)

11. 부엌으로 오세요

부엌으로 ([buɔklo, buɔglo] to kitchen)
오세요 ([oseyo] 오다, Come, please.)
아니 ([ani] no)
배 ([bae] pear)
개 ([gae] counting word for things)
보이나요 ([boinayo] 보이다, Can you see?)
모두 ([modu] all, everyone)
와서 ([wasɔ] 오다, come and)
드세요 ([dəseyo] 드시다, honorific word for 'eat')

12. 내 팥이 어디로 갔을까

팥이 ([pachi] The red bean is)
어디로 ([ɔdilo] where)
갔을까 ([gassəlkka] 가다, Did it go?)
야 ([ya] hey)
거기 ([gɔgi] there)
밑도 ([mitto] under too)
서 ([sɔ] 서다, stop, stand)
의자 ([əija] chair)
보고 ([bogo] 보다, see and)
샅샅이 ([sadssachi] thoroughly)
소파 ([sopa] sofa)
머리맡 ([mɔlimat] bedside)
봐 주세요 ([bwa juseyo] 보다, Please look.)
같이 ([gachi] together)
자야지 ([jayaji] 자다, I'm gonna sleep.)

13. 높이높이 깊이깊이

높이 ([nopi] high)
~고 싶어요 ([go sipɔyo] 싶다, want to)
더 ([dɔ] more)
깊이 ([gipi] deeply)

14. 너가 좋아

하트 ([hatə] heart)
되게 ([dwege] 되다, to become)
이렇게 ([ilɔke] like this)
그리세요 ([gəliseyo] 그리다, Please draw.)
그러고 나서 ([gəlɔgo nasɔ] and then)
오리세요 ([oliseyo] Please cut it out.)

~가 좋아 ([ga joa] 좋다, I like)
그 아이 ([gə ai] the child)
쓰고 ([ssəgo] 쓰다, write and)
에게 주세요 ([ege juseyo] 주다, give to)

15. 와! 한글을 써요

안녕 ([annyɔng] hi, bye)
안녕하세요 ([annyɔng haseyo] 안녕하다, How are you?)
잘 지내? ([jal jinae] 잘, 지내다, How are you doing?)
응 ([əng] yeah, uh huh)
오랜만이야 ([olaenmaniya] 오래간만, informal 'Long time no see.')
반가워 ([bangawo] 반갑다, informal 'Nice to meet you.')
처음 뵙겠습니다 ([chɔəm bwebkket ssəmnida] 처음, 뵙다, How do you do?)
반갑습니다 ([bangab ssəmnida] 반갑다, formal 'Nice to meet you.')
고마워 ([gomawo] 고맙다, Thanks.) **고맙습니다** ([gomabssəmnida] Thank you.)
감사합니다 ([gamsahamnida] 감사하다, I really appreciate it.)
미안해 ([mianhae] 미안하다, Sorry.) **미안합니다** ([mian hamnida] I am sorry.)
죄송합니다 ([jwesong hamnida] 죄송하다, honorific words for 'I am sorry.')
어서 오세요 ([ɔsɔ oseyo] 어서, 오다, Welcome.)
잘 먹겠습니다 ([jal mɔkkessəmnida] 잘, 먹다, Bon appetit, I'll enjoy the meal.)
잘 먹었습니다 ([jal mɔgɔssəmnida] Thank you. I enjoyed the meal very much.)
잘 가 ([jal ga] Bye.) **또 만나** ([tto manna] 또, 만나다, See you again.)
잘 있어 ([jalissɔ] 잘, 있다, Good bye. Take care.)
안녕히 가세요 ([annyɔnghi gaseyo] 가다, formal 'Good bye' from the host)
안녕히 계세요 ([annyɔnghi gyeseyo] 계시다, formal 'Good bye' from the guest)

16. 와! 받침이 한 가지네 카드

은 ([ən] a subject marker for words with bottom consonants. It is used to compare or emphasize.)
는 ([nən] a subject marker for words without bottom consonants. It is used to compare or emphasize.)
이 ([i] a subject marker for words with bottom consonants)
가 ([ga] a subject marker for words without bottom consonants)
을 ([əl] an object marker for words with bottom consonants)
를 ([ləl] an object marker for words without bottom consonants)

도 ([do] a subject and object marker which means 'too' or 'as well')
아, 어 ([ɑ],[ɔ] informal endings for some verbs)
야 ([yɑ] an informal ending for nouns without bottom consonants)
요 ([yo] a formal ending)
이 ([i] After a bottom consonant, 이 comes to link the sound of the bottom consonant .)
나, 니, 네, 다, 지 ([nɑ. ni, ne, dɑ, ji] endings for nouns and verbs)
죠 ([jo] the shortened form of 지요, which is formal)
에요 ([eyo] a formal ending to finish a sentence)
입니다 ([imnidɑ] the most formal ending to finish sentence)
까 ([kkɑ] an ending for a question)

가족 ([gɑjog] family) 책 ([chaeg] book) 먹다 ([mɔk ttɑ] eat)
친구 ([chingu] friend) 눈 ([nun] eye, snow) 살다 ([sɑldɑ] live)
숟가락 ([sudkkalak] spoon) 곧 ([god] soon) 받다 ([bɑttɑ] receive)
놀이 ([noli] game) 말 ([mɑl] words, horse) 팔다 ([pɑldɑ] sell)
마음 ([mɑ əm] heart) 힘 ([him] strength) 넘다 ([nɔmttɑ] cross, climb over)
집밥 ([jib bbɑb] homemade meal)
답 ([dɑb] answer) 입다 ([ibttɑ] put on) 그릇 ([gələt] dish)
맛 ([mɑt] taste) 웃다 ([uttɑ] laugh) 성공 ([sɔnggong] success)
상 ([sɑng] award) 사랑하다 ([sɑlɑnghɑdɑ] love)
젖병 ([jyɔdbbyɔng] baby bottle) 낮 ([nɑt] daytime)
맞다 ([mɑttɑ] right, get hit) 햇빛 ([haebbit] sunlight)
꽃 ([kkot] flower) 빛나다 ([binnɑdɑ] shine)
동녘 ([dongnyɔk] the east) 부엌 ([buɔk] kitchen) 들녘 ([dəlnyɔk] field)
낱개 ([nɑtgae] piece) 겉 ([gɔt] the surface) 뱉다 ([baettɑ] spit)
무릎 ([muləp] knee) 숲 ([sup] forest) 덮다 ([dɔbttɑ] cover)
놓다 ([notɑ] put) 좋다 ([jotɑ] good) 그렇다 ([gəlɔtɑ] be so)
밖 ([bɑk] the outside) 있다 ([ittɑ] be, exist) 꿈 ([kkum] dream)
뜻 ([ttət] meaning) 빵 ([ppɑng] bread) 쌀 ([ssɑl] rice)
짝 ([jjɑk] pair, partner)

본문해설 후다닥 Explanation

1. '후다닥'으로 빠른 움직임을 표현해 보세요.

Practice a mimetic word, 후다닥. It means 'in a jiffy' or 'very quickly'.

2권 2쪽

예) **후다닥 하자. - Let's do it quickly.**

후다닥 먹자. - Let's grab a bite quickly.

후다닥 닦지, 뭐. - Well, I'll wipe it quickly.

2. 의문문을 반말과 존댓말로 연습해 보세요.

Practice various kinds of questions. 반말 is an informal way of talking and 존댓말 is a formal way.

예) (원형 - 반말 - 존댓말)

배고프다 (be hungry) - 배고프니? 배고프지? - 배고프세요? 배고프죠?
배고파? 배고파요?

마시다 (drink) - 마시니? 마시지? 마셔? - 마시세요? 마시죠? 마셔요?
드세요? 드시죠? 드셔요?

먹다 (eat) - 먹니? 먹지? 먹어? - 먹으세요? 먹죠? 먹어요?
드세요? 드시죠? 드셔요?

나가다 (go out) - 나가니? 나가지? 나가? - 나가세요? 나가죠? 나가요?

3. 반말인 '~자'와 존댓말인 '~죠'를 연습해 보세요.

자 means 'let's'. Formal 죠 is the shortened form of 지요. Some words have separate honorific words. 드시다 is the honorific word for 먹다(eat)·마시다(drink). 주무시다 is for 자다(sleep).
시 is the common honorific marker that makes verbs formal.

예) **마시다 (drink) - 마시자. - 마시죠. - 드시죠. - Let's drink.**

먹다 (eat) - 먹자. - 먹죠. - 드시죠. - Let's eat.

나가다 (go out) - 나가자. - 나가죠. - 나가시죠. - Let's go out.

4. ㄱ 받침 동사의 반말과 존댓말 명령형을 연습해 보세요.

Practice imperative forms of the verbs with ㄱ 받침. Put 아 after ㅏ and ㅗ. And put 어 after ㅓ and ㅜ. Also, (으)세요 is a polite imperative ending.

예) **막다 (block up) - 막아 - 막아요 - 막으세요**

먹다 (eat) - 먹어 - 먹어요 - 드세요

묵다 (stay) - 묵어 - 묵어요 - 묵으세요

깎다 (peel, cut down, give a discount) - 깎아 - 깎아요 - 깎으세요

낚다 (fish, hook) - 낚아 - 낚아요 - 낚으세요
묶다 (tie) - 묶어 - 묶어요 - 묶으세요
볶다 (stir-fry) - 볶아 - 볶아요 - 볶으세요

5. ㄱ 받침 단어들을 익혀 보세요. Learn more words with ㄱ bottom consonant.

예) ㄱ - 가격 가족 각 곡 곡식 구독 국 국가 국기 국수 국제 규칙 기억 객석
ㄴ - 낙 낙서 낙타 낚시 낚시터 넉넉하다 녹 녹색 녹차 녹화 눅눅하다 넥타이
ㄷ - 덕 도착 도시락 독 독수리 둑 대박 대학 떡 떡국 떡볶이 똑똑하다 뚝배기
ㄹ - 락뮤직 락스 럭키 럭셔리 룩 렉카차
ㅁ - 막 막내 막차 먹거리 목 목도리 목수 목욕 목적 미국 미역국 맥박 맥주
ㅂ - 바닥 박사 박수 박자 박쥐 벽 벽지 보석 복 부탁 북 북극 백 백조 백지
ㅅ - 삭제 석고 속 수박 수육 숙박 숙제 시력 시작 식구 식사 식탁 색 쑥떡
ㅇ - 악기 악수 약 약국 약속 역 역사 옥수수 욕 육식 육지 이륙 액자 액체
ㅈ - 자국 자극 자석 자식 작가 작곡가 작사 저녁 적도 족보 죽 지각 직각 짝
ㅊ - 착각 착륙 착하다 척추 촉 추석 추억 축구 축하 치약 채식 책 체력 체육
ㅋ - 카톡 콕 쿡 컥서비스
ㅌ - 탁자 턱 턱시도 톡 틱톡 태극기 택배 택시
ㅍ - 파격 폭격 폭주 폭죽 폭포 표적 팩 팩트
ㅎ - 하복 학 학교 학자 혹 혹시 핵무기 희곡 희극 등

2권 3쪽

6. 쌍기역 받침 단어를 연습해 보세요. Practice words ending with ㄲ.

예1) 낚다 (fish) 낚시 (fishing) 닦다 (clean, wipe)
밖 (outside) 볶다 (stir-fry) 섞다 (mix)

예2) 밖에 나가자. - Let's go outside.
그거 섞지 마세요. - Don't mix them.
구두를 닦아 주세요. - Please polish the shoes.
야채 볶아 먹자. - Let's stir-fry the vegetable and eat.
보트에서 아빠와 낚시해요. - I am fishing with dad on the boat.

본문해설 뭐 마시지? Explanation

1. 주격 조사 중 받침 있는 단어 뒤에 오는 **'은'**과 **'이'**를 연습해 보세요.
은 and 이 are subject markers for words ending with a bottom consonant (받침). Since 'ㅇ' has no sound as a head consonant, the sound of preceding bottom consonant links to 은 or 이.

예)
기린은 키가 크지. - A giraffe is tall.
그 노트북이 비싸. - The laptop is expensive.
저 수건은 누구 거야? - Whose towel is that?
수박이 무거워서. - Because the watermelon is heavy.

2. 주격 조사 중 받침 없는 단어에 쓰는 **'는'**과 **'가'**를 연습해 보세요.
는 and 가 are subject markers for words which end with vowels without bottom consonants.

예)
나는 한국인이에요. - I am Korean.
리사가 한국인이니? - Is Lisa Korean?
아니, 걔(는) 한국인 아니야. - No, she is not Korean.
우리 언니가 착해요. - My sister is nice.
우리 누나는 똑똑해요. - My older sister is smart.
우리 오빠는 튼튼해요. - My older brother is strong.

3. 명사 앞 **형용사**를 연습해 보세요.
Practice the adjective form before a noun.
When an adjective is before a noun, it ends with ㄴ.

예)
예쁜 (pretty) - **예쁜 반지** - pretty ring
빠른 (fast) - **빠른 택시** - fast taxi
느린 (slow) - **느린 거북이** - slow turtle
시원한 (cool) - **시원한 주스** - cool juice
차가운 (cold) - **차가운 수건** - cold towel
뜨거운 (hot) - **뜨거운 차** - hot tea
무거운 (heavy) - **무거운 책** - heavy book
가벼운 (light) - **가벼운 노트북** - light laptop

2권 4쪽

4. 셀 때 쓰는 **단위 명사**를 연습해 보세요. Practice different unit words for counting.

예) **개 - 한 개 두 개 세 개 네 개 - 과자 한 개 - one cookie**

권 - 한 권 두 권 세 권 네 권 - 책 두 권 - two books

대 - 한 대 두 대 세 대 네 대 - 차 세 대 - three cars

마리 - 한 마리 두 마리 세 마리 네 마리 - 기린 네 마리 - four giraffes

잔 - 한 잔 두 잔 세 잔 네 잔 - 커피 세 잔 - three cups of coffee

5. '줘'의 공손한 말인 **'주세요'**를 연습해 보세요.

주세요 means 'Can I have ____?'. 주세요 is formal, while 줘 is informal.

예) **더 큰 거 주세요. - Can I have a bigger one?**

하얀 수건 주세요. - Can I have a white towel?

녹차 한 잔 주세요. - One green tea, please.

2권 5쪽

6. 명사 앞 동사의 **과거형**을 연습해 보세요.

Practice the past tense of verbs before a noun.

For verbs without bottom consonants, put ㄴ for the past tense.

예) **사다 (buy) - 어제 산 식탁이야. - This is the table I bought yesterday.**

보다 (see) - 네가 본 아이가 얘야. - He is the child you saw.

키우다 (raise) - 그게 내가 키운 토끼야. - It is the rabbit I raised.

7. '은'을 붙여, **받침 있는 동사의 과거형**을 명사 앞에 써 보세요.

For the verb with a bottom consonant, 은 is added to mean the past action.

예) **닦다 (clean) - 닦은 - 내가 닦은 식탁이에요. - This is the table I wiped.**

섞다 (mix) - 섞은 - 그거 섞은 거예요? - Is it mixed one?

8. ㄴ **받침 단어**를 연습해 보세요. Practice more words with ㄴ bottom consonant.

ㄱ - 간 간단 고민 군인 끈 기린

ㄷ - 단어 단위 단지 돈 댄스

ㅁ - 마흔 만 만화 문 문제 맨손

ㅅ - 사전 사진 산 선수 손 신문

ㅈ - 잔디 잔치 전 전기 준비 진짜

ㅋ - 칸 컨디션 콘서트 캔 캔디

ㅍ - 판단 판매 판사 편지 핀 팬 펜

ㄴ - 난리 난초 논 눈 눈가 눈매

ㄹ - 라면 런던 로션 리본 린스

ㅂ - 반 반지 반찬 번호 부인 분수

ㅇ - 안 안내 안전 연기 인간 인기

ㅊ - 찬 찬스 천사 천재 촌 친구

ㅌ - 탄내 탄소 톤 툰드라 튼튼한

ㅎ - 헌 현재 혼자 훈련 핸드폰 환자 등

본문해설 걷고 걷고 Explanation

1. **ㄷ 받침 발음**을 연습해 보세요. ㄷ 받침 뒤의 자음은 발음이 세져서 **ㄲ ㄸ ㅃ ㅉ로** 발음됩니다. 그러나 ㄷ 받침이 **ㄴ을 만나면 ㄴ으로** 발음됩니다.
Practice verbs with ㄷ bottom consonant.
Most consonants after ㄷ are pronounced stronger like the sound of twin consonants such as ㄲ ㄸ ㅃ ㅉ. But when ㄷ meets ㄴ, it is pronounced as ㄴ.

예1) **센 발음** (pronounced as twin consonants)

걷다 [걷따] (walk) - 걷고 [걷꼬] - 걷지 [걷찌]
뜯다 [뜯따] (pick, pluck) - 뜯고 [뜯꼬] - 뜯지 [뜯찌]
묻다 [묻따] (ask) - 묻고 [묻꼬] - 묻지 [묻찌]
받다 [받따] (receive) - 받고 [받꼬] - 받지 [받찌]
듣다 [듣따] (listen) - 듣고 [듣꼬] - 듣지 [듣찌]

예2) **ㄴ 동화** (assimilated into ㄴ)

걷는 - [건는]　**뜯는 - [뜬는]**　**묻는 - [문는]**
받는 - [반는]　**듣는 - [든는]**

예3)

그건 왜 묻지? - Why do you ask that?
주로 뭐 듣나요? - What do you usually listen to?
이제 아기가 밖에서 걷네요. - Now the baby is walking outside.

2. 반복을 나타내는 '**~고**'를 연습해 보세요. Practice 고 which expresses repeating actions.

예)

걷다 (walk) - 걷고 걷고 - walk and walk
묻다 (ask) - 묻고 묻고 - ask and ask
하다 (do) - 하고 하고 - do and do
먹다 (eat) - 먹고 먹고 - eat and eat
사다 (buy) - 사고 사고 - buy and buy

2권 6쪽

3. '**또**'를 연습해 보세요. Practice 또 which means 'again'.

예)

또? - again?
또 만나. - See you again.
또 오세요. - Come again.
또 하지 마. - Don't do that again.

4. 동시 동작을 나타내는 '**~며** (받침 없는 동사)'와 '**~으며** (받침 있는 동사)'를 연습해 보세요.

By binding two verbs with 며, you can describe that the subject is doing different actions at the same time. Put 며 behind the root that ends with a vowel. And put 으며 behind the one that ends with a bottom consonant.

예1) **보다 (see) + 닫다 (close) - 보며 닫다 - close seeing it**

노래하다 (sing) + 닦다 (wipe) - 노래하며 닦다 - wipe singing

먹다 (eat) + 걷다 (walk) - 먹으며 걷다 - walk eating

예2) **인사하며 떠나.** - Leave saying 'Goodbye'.

간식 먹으며 걷자. - Let's walk eating snack.

걔는 노래하며 손 닦네. - He is washing his hands singing.

5. 동사의 **현재형**을 연습해 보세요. 받침이 없는 경우에는 ㄴ을, 받침이 있는 경우에는 '**~는**'을 넣어 현재형을 만듭니다. 현재형은 가까운 미래로도 씁니다.

To make present tense forms(현재형) of verbs, put ㄴ or 는 to the original forms(원형). ㄴ is for the letters ending with vowels, and 는 is for the letters ending with consonants. The present form is often used for the close future tense.

(원형) (현재형)

예) **가다 (go) - 간다 - 나 거기 간다.** - I'm gonna go there.

하다 (do) - 한다 - 한다고 하지 마. - Don't say you will do it.

쓰다 (use) - 쓴다 - 나 이거 쓴다.
- I'm gonna use it.

쉬다 (rest) - 쉰다 - 나 저기서 쉰다.
- I'm gonna rest over there.

먹다 (eat) - 먹는다 - 배고프니까 먼저 먹는다.
- I'm hungry, so I'm gonna eat first.

듣다 (listen) - 듣는다 - 우리 이제 그거 듣는다.
- We're gonna listen to it from now.

받다 (receive) - 받는다 - 내가 받는다.
- I'm gonna receive it.

2권 7쪽

본문해설 즐거운 원시 아이들 Explanation

1. 받침 있는 단어에 **'~을'**, 받침 없는 단어에 **'~를'**을 붙여 목적어를 나타냅니다.
'~을'과 '~를'은 생략할 수 있습니다.
을 and 를 are objective markers to define the object of the clause.
을 comes after a consonant, and 를 comes after a vowel. They are often omitted.

예) **나는 국(을) 안 먹어.** - I don't eat soup.
별(을) 세며 놀아요. - We play counting stars.
돌(을) 던지지 마세요. - Please don't throw stones.

2. 자연과 관련된 ㄹ 받침 단어를 익혀 보세요. Learn nature words with ㄹ bottom consonant.

예) **노을** (sunset) **달** (moon) **돌** (stone) **들** (field) **물** (water)
물고기 (fish) **불** (fire) **별** (star) **풀** (grass) **하늘** (sky)

3. '~고 나서'를 사용해 이야기를 순서대로 전개해 보세요.
고 나서 is a phrasal ending which means 'after doing something,'. Simply put 고 나서 instead of 다 of the original form of a verb.

예) **국수 먹고 나서 물 마셔.** - After eating noodles, drink water.
저는 이거 다 하고 나서 가요. - I'll leave after I finish this.
건물 둘러보고 나서 책 사자. - After looking around the building, let's buy the book.

4. '~워' 형태로 쓰는 동사를 연습해 보세요.
ㅂ 불규칙 동사는 3권 '어디에 사나요' 편에,
ㅜ 불규칙 동사는 3권 '낙엽들의 이야기' 편에
설명되어 있습니다.
The original form of verbs with 워 ending for informal speech is either ㅜ다 or ㅂ다. The ㅂ irregular verbs are explained in '어디에 사나요 (book 3)' and ㅜ irregular verbs are in '낙엽들의 이야기 (book 3)' of this book.

2권 8쪽

예) **구워 - 구워요 - 굽다** (bake, broil)
누워 - 누워요 - 눕다 (lie down)
외워 - 외워요 - 외우다 (memorize)
피워 - 피워요 - 피우다 (build a fire, smoke)

5. '**들**'로 **복수형**을 만들어 보세요. 한국어에서는 복수형을 잘 쓰지 않으며, 여럿임을 강조할 때 씁니다. 들 is a plural suffix, which is often omitted.

예) **여러 사람(들)이 와요.** - Many people are coming.

바구니에 과일이 가득해요. - The basket is full of fruits.

6. 방법이나 원인을 알려주는 '**~서**'는 종종 생략합니다. '**~서**' 활용을 연습해 보세요.
서 explains how or why. It is put behind the informal form (반말) and is often omitted.

예) **갈다** (sharpen) - **갈아(서)** - **돌을 갈아 만들어요.** - I make it by sharpening a stone.

걷다 (walk) - **걸어(서)** - **걸어(서) 가도 돼.** - We can reach there on foot.

7. 동시 동작을 나타내는 '**~(으)며**'를 연습해 보세요.
며 or 으며 shows that the subject is doing different actions at the same time. 으며 is put behind the consonant in order to link the preceding bottom consonant sound. And 듣다 is a ㄷ irregular verb, which is explained in the explanation for book 3.

예) **보다 - 보며 - TV를 보며 간식을 먹어요.**

- I eat snack, watching TV.

먹다 - 먹으며 - 사과를 먹으며 숙제를 해요.

- I do my homework, eating an apple.

듣다 - 들으며 - 새 소리를 들으며 걸어요.

- I walk, listening to the birds sing.

2권 8쪽

8. 받침 없는 경우엔 '**~ㄹ 거**', 받침 있는 경우에는 '**~을 거**'를 넣어 **의지 미래형**을 연습해 보세요. Practice a future tense by putting ㄹ 거 or 을 거. It shows the subject's decision.

예) **가다 - 갈 거야 - 갈 거예요 - 한국에 갈 거예요.** - I'm going to go to Korea.

살다 - 살 거야 - 살 거예요 - 서울에서 살 거예요. - I will live in Seoul.

묻다 - 물을 거야 - 물을 거예요 - 친구에게 물을 거예요. - I will ask my friend.

9. 여러 뜻을 가진 ㄹ 받침 단어들을 익혀 보세요. Practice ㄹ 받침 words with multiple meanings.

예)

굴 - cave, oyster	날 - day, blade	달 - moon, month
돌 - stone, 1st birthday	들 - field, plural 's'	말 - words, horse
솔 - pine, brush	절 - deep bow, temple	풀 - grass, glue

본문해설 우리 엄마 Explanation

1. 하루의 때를 나타내는 단어들을 연습해 보세요. Learn the words for the time of a day.

예) **새벽** (dawn) - **아침** (morning) - **점심** (midday) - **저녁** (evening) - **밤** (night)

오전 (a.m.) - **오후** (p.m.)

2. 형용사의 활용을 연습해 보세요. 한국어의 형용사는 동사처럼 활용을 하며, 형용사는 원형이 현재형이 되고, 동사의 현재형은 '~ㄴ다' 혹은 '~는다'로 바뀝니다.

Korean adjectives change forms like the conjugation of verbs. However, the original form of an adjective is used as the present form, while a verb needs ㄴ or 는 to be the present form.

예) **아프다** (be sick) - **아프고** - **아파서** - **아파도**

- **아프니? 아프지? 아파?** - **아프세요? 아프죠? 아파요?**

기쁘다 (be glad) - **기쁘고** - **기뻐서** - **기뻐도**

- **기쁘니? 기쁘지? 기뻐?** - **기쁘세요? 기쁘죠? 기뻐요?**

어리다 (be young) - **어리고** - **어려서** - **어려도**

- **어리니? 어리지? 어려?** - **어리세요? 어리죠? 어려요?**

3. 명사 앞에서 받침 없는 **형용사**는 '~ㄴ'을 붙여서 명사를 꾸밉니다.

Add ㄴ to the root of an adjective before a noun.

예) **기쁘다** - **기쁜 얼굴** - happy face

크다 - **큰 구름** - big cloud

배고프다 - **배고픈 사슴** - hungry deer

예쁘다 - **예쁜 손** - pretty hand

어리다 - **어린 딸** - little daughter

아프다 - **아픈 곰** - sick bear

4. 양보의 뜻을 나타내는 **'~도'**와 금지의 뜻을 가진 **'~지 마'**를 연습해 보세요.

A verb with 도 ending means 'even' or 'even if'. 지 마 at the end of a verb means 'Don't'.

예) **가다** - **가도** / **사다** - **사지 마**

- **거기 가도 그건 사지 마.**

- Even if you go there, don't buy it.

오다 - **와도** / **열다** - **열지 마**

- **누가 와도 절대 문 열지 마.**

- Even if anyone comes, never open the door.

2권 10쪽

5. '~자마자'의 활용을 연습해 보세요. 자마자 after the root of a verb means 'as soon as'.

예) **깨다 - 깨자마자 - 깨자마자 전화해. - Call as soon as you wake up.**

먹다 - 먹자마자 - 나는 먹자마자 졸려. - I get sleepy as soon as I finish eating.

도착하다 - 도착하자마자 - 도착하자마자 알려줘. - Let me know as soon as you arrive.

6. '~(으)로부터'를 연습해 보세요. 받침이 있는 단어 뒤에서는 '으'가 들어갑니다.
(으)로부터 after a noun means 'from'. Put 으 when the preceding letter ends with a consonant.

예) **오늘 어머니로부터 소포가 도착해.**

- Today, a parcel will arrive from my mother.

아침마다 친구와 달리기를 해요.

- I go running with my friend every morning.

어린이는 산타할아버지로부터 선물을 받아요.

- Children receive presents from Santa Claus.

2권 11쪽

7. ㅁ **받침 단어**를 연습해 보세요. Learn more words with ㅁ bottom consonant.

ㄱ - 감 감기 감자 금 김 김치 개념
ㄴ - 남 남자 놈 님 냄비 냄새
ㄷ - 다음 담 담배 담임 덤 도심 땀
ㄹ - 룸 룸메이트 리폼 림프 램프
ㅁ - 마음 모음 모험 몸 몸매 미음
ㅂ - 바람 밤 밤차 범 봄 비듬 뱀
ㅅ - 섬 소금 숨 시범 시험 쉼표
ㅇ - 아줌마 여름 요금 음료 음표 염소
ㅈ - 잠 점 점심 조금 좀 지금 짐
ㅊ - 참가 참기름 참깨 처음 춤 침대
ㅋ - 캄보디아 컴퓨터 콤비 캠퍼스 캠프
ㅌ - 탐사 탐험 틈 틈새 팀 팀워크
ㅍ - 펌 폼 품 품사 품위
ㅎ - 함 함수 험담 홈 흠 힘 햄버거 등

본문해설 우리 집을 소개합니다 Explanation

1. 형용사의 활용을 연습하면서, 받침 없는 단어에 **'~ㅂ니다'**, 받침 있는 단어에 **'~습니다'**를 붙여 정중한 표현을 연습해 보세요.

Like a verb, ㅂ니다 and 습니다 are the most formal forms in using an adjective.
ㅂ니다 comes after a vowel, and 습니다 comes after a consonant.
Practice the usage of adjectives with 쁘다 or ㅂ다. And 까 at the end of sentence makes a question.

예1) **기쁘다** (be glad) - **기쁘고** - **기쁘지** - **기쁘네** - **기쁩니다** - **기쁩니까?**

나쁘다 (be bad) - **나쁘고** - **나쁘지** - **나쁘네** - **나쁩니다** - **나쁩니까?**

바쁘다 (be busy) - **바쁘고** - **바쁘지** - **바쁘네** - **바쁩니다** - **바쁩니까?**

예쁘다 (be pretty) - **예쁘고** - **예쁘지** - **예쁘네** - **예쁩니다** - **예쁩니까?**

가볍다 (be light) - **가볍고** - **가볍지** - **가볍네** - **가볍습니다** - **가볍습니까?**

무겁다 (be heavy) - **무겁고** - **무겁지** - **무겁네** - **무겁습니다** - **무겁습니까?**

덥다 (be hot as weather) - **덥고** - **덥지** - **덥네** - **덥습니다** - **덥습니까?**

춥다 (be cold as weather) - **춥고** - **춥지** - **춥네** - **춥습니다** - **춥습니까?**

뜨겁다 (be hot) - **뜨겁고** - **뜨겁지** - **뜨겁네** - **뜨겁습니다** - **뜨겁습니까?**

차갑다 (be cold) - **차갑고** - **차갑지** - **차갑네** - **차갑습니다** - **차갑습니까?**

쉽다 (be easy) - **쉽고** - **쉽지** - **쉽네** - **쉽습니다** - **쉽습니까?**

어렵다 (be difficult) - **어렵고** - **어렵지** - **어렵네** - **어렵습니다** - **어렵습니까?**

무섭다 (be scary) - **무섭고** - **무섭지** - **무섭네** - **무섭습니다** - **무섭습니까?**

어둡다 (be dark) - **어둡고** - **어둡지** - **어둡네** - **어둡습니다** - **어둡습니까?**

예2) **이 문제는 어렵고, 저 문제는 쉽습니다.**
- This question is difficult, and that question is easy.

이 책은 가볍습니다. 그 책도 가볍습니까?
- This book is light. Is the book also light?

여름에는 몹시 덥고, 겨울에는 몹시 춥습니다.
- It is very hot in summer and very cold in winter.

2권 12쪽

2. 되묻는 표현인 **'~냐고(요)?'**를 연습해 보세요
냐고(요)? is used to ask back the question or the guess that the conversation partner has.

예) **밥 먹냐고?** - Am I eating meal?
오늘 떠나냐고요? - Am I leaving today?
지금 시작하냐고요? - Is it starting now?

3. **너무, 대단히, 되게, 몹시, 무지, 무척, 매우, 아주**를 연습해 보세요.
Practice various synonyms of 아주 which means 'very'.

예) **무지 매워.** - It's so spicy. **되게 비싸다.** - It's very expensive.
요즘 너무 바빠요. - I am so busy these days.
드디어 졸업해서 무척 기뻐요. - I'm so happy that I finally graduated.
저를 도와주셔서 대단히 감사합니다. - Thank you very much for helping me.

4. **아니** (no) 의 존댓말을 연습해 보세요. Practice saying 'no' in a formal way.

예) **아니. - 아니요. - 아닙니다.**

5. 한국어에서 명사 앞 **'우리'**는 '나의'라는 뜻으로 쓰입니다.
In Korean, 우리(our) often means 'my' before a noun.

예) **우리 가족 우리나라 우리 반 우리 선생님 우리 집 우리 팀 우리 학교**

6. 이유를 설명하는 명사 뒤의 **'(이)니까'**와 동사와 형용사 뒤에 오는 **'(으)니까'**를 연습해 보세요. (이)니까 means 'because of' after a noun. (으)니까 is for verbs and adjectives.

예1) **명사** (noun)
아이니까요. - 애니까요. - Because he is a child.
외국어니까요. - Because it's a foreign language.
한국이니까요. - Because it's Korea.
사실이니까요. - Because it's true.

예2) **동사와 형용사** (verb and adjective)
나도 가니까. - Because I go too.
너를 믿으니까. - Because I trust you.
그게 예쁘니까. - Because it is pretty.
너무 작으니까. - Because it is too small.

2권 13쪽

본문해설 한국의 멋 Explanation

1. 자주 쓰는 **줄임말**을 연습해 보세요. Practice shortened forms.

예)

이것이 - 이게 this	**저것이 - 저게** that	**그것이 - 그게** the one
무엇 - 뭐 what	**이것이 무엇이죠? - 이게 뭐죠?** What is this?	

2. **반말**과 **존댓말**을 비교해 연습해 보세요.
Compare the informal and the formal styles of speaking and practice them.

예) (반말 - 존댓말)

이게 뭐지? - 이게 뭐죠? 이것이 무엇이죠?

이게 뭐야? - 이게 뭐예요? 이게 뭡니까? 이것이 무엇입니까? - What's this?

갓이지. 갓이야. - 갓이죠. 갓이에요. 갓입니다. - It's 갓 [gat].

비슷하지. 비슷해. - 비슷하죠. 비슷해요. 비슷합니다. - It's similar.

3. **'~의'**를 의미하는 **사이시옷** 단어를 연습해 보세요. 사이시옷은 한자어끼리만 합친 경우에는 안 쓰지만 '숫자, 횟수, 셋방, 곳간' 등의 예외가 있으며, 발음에 유의해야 합니다. In-between ㅅ(사이시옷) means possessive 'of' and binds two words into one compound word. Learn how to pronounce in-between ㅅ.

예1) 사이시옷 뒤의 자음이 세게 발음되어 **[ㄲ ㄸ ㅃ ㅆ ㅉ] 소리**로 되는 경우
The sound of the following consonant after in-between ㅅ(사이시옷) becomes stronger and sounds like twin consonants such as ㄲ ㄸ ㅃ ㅆ ㅉ.

바닷가 - [바다까, 바닫까] **촛불 - [초뿔, 촏뿔]**

칫솔 - [치쏠, 칟쏠] **빗자루 - [비짜루, 빋짜루]**

예2) ㄴ ㅁ ㅇ 앞에서 **[ㄴ] 소리**로 발음되는 경우
The sound of in-between ㅅ(사이시옷) becomes ㄴ sound of [n] when it meets ㄴ ㅁ ㅇ.

윗니 - [윈니]	**빗물 - [빈물]**
잇몸 - [인몸]	**존댓말 - [존댄말]**
깻잎 - [깬닙]	**나뭇잎 - [나문닙]**

2권 14쪽

4. 형용사의 활용을 연습해 보세요. Practice the usage of adjectives with ㅅ bottom consonant.

예) **비슷하다** (be similar) - **비슷하고** - **비슷하니까** - **비슷하죠** - **비슷합니다**
- **비슷한** - **비슷해** - **비슷해서** - **비슷해요**

멋지다 (be wonderful) - **멋지고** - **멋지니까** - **멋지죠** - **멋집니다**
- **멋진** - **멋져** - **멋져서** - **멋져요**

5. ㅅ 받침 단어를 익혀 보세요. Learn more words with ㅅ bottom consonant.

예) 갓 것 곳 그릇 맛 멋 못 버릇 벗 붓
빗 옷깃 엿 잣 탓 텃새 톳 풋사과 헛소리

6. 동사의 **과거형**을 연습해 보세요. 반말형에 ㅆ 받침을 붙여 만듭니다.
Practice the past tense of verbs. Add ㅆ to the informal form of a verb to make the past tense.

예1) **가다** - **가** (반말) - **갔다** (went) - **갔어** - **갔어요** - **갔습니다**
살다 - **살아** - **살았다** (lived) - **살았어** - **살았어요** - **살았습니다**
숨다 - **숨어** - **숨었다** (hid) - **숨었어** - **숨었어요** - **숨었습니다**
믿다 - **믿어** - **믿었다** (believed) - **믿었어** - **믿었어요** - **믿었습니다**
빗다 - **빗어** - **빗었다** (combed) - **빗었어** - **비었어요** - **빗었습니다**
그리다 - **그려** - **그렸다** (drew) - **그렸어** - **그렸어요** - **그렸습니다**
끄다 - **꺼** - **껐다** (turned off) - **껐어** - **껐어요** - **껐습니다**
오다 - **와** - **왔다** (came) - **왔어** - **왔어요** - **왔습니다**
주다 - **줘** - **줬다** (gave) - **줬어** - **줬어요** - **줬습니다**
하다 - **해** - **했다** (did) - **했어** - **했어요** - **했습니다**

예2) **누가 줬어?** - Who gave it to you?
어디 갔다 왔니? - Where have you been?
숙제 다 했어요. - I've finished my homework.
그 소식 들었어요? - Did you hear the news?
가스불 껐어? - Did you turn off the gas?
옛날에 서울에서 살았어요.
- I lived in Seoul long time ago.

2권 15쪽

본문해설 방귀 자랑 Explanation

1. '방귀' 가 바른 표기지만 말할 때는 '방구'라고도 합니다.

The correct spelling is 방귀 (fart), however 방구 is commonly used in spoken Korean.
방귀 is a noun and it needs 뀌다 to be a verb.

예) **방귀 뀌다** (원형 original) - **방귀 뀐다** (현재형 present) - **방귀 뀌었다** (과거형 past)

2. '방귀'로 **짧은 글짓기**를 해 보세요. Write fun sentences using 방귀.

예1) **방귀를 뀌면** ______________________________

(If I fart,)

예2) **고래가 방귀를 뀌면** ______________________________

(If a whale fart,)

3. '요게'는 '요것이'의 줄임말입니다. **줄임말**을 복습해 보세요.

Practice the shortened forms frequently used in spoken Korean.

예)			
	this is :	**이것이 - 이게**	**이것은 - 이건**
		요것이 - 요게	**요것은 - 요건**
	that is :	**저것이 - 저게**	**저것은 - 저건**
	it is :	**그것이 - 그게**	**그것은 - 그건**
	what is :	**무엇 - 뭐**	**무엇이 - 뭐가**

2권 16쪽

4. 자랑하는 말투를 연습해 보세요. Try speaking in a bragging tone.

예) **이게 내 새 지갑이야. - 이게 내 새 지갑이란다. - 이게 내 새 지갑이거든.**

- This is my new purse.

5. ㅇ 받침 단어들을 익혀 보세요. Learn more words with ㅇ bottom consonant.

ㄱ - 강 강당 고향 공 공부 광장
ㄴ - 나방 낭비 농구 농장 냉장고
ㄷ - 당장 동네 동영상 등 땅 똥
ㄹ - 로망 리스닝 링
ㅁ - 망치 멍 명랑 명령 몽땅 뭉치
ㅂ - 방 방송 병 병풍 붕대 빙수
ㅅ - 사랑 상상 성공 승강장 생명
ㅇ - 영광 영양제 영수증 영향 웅덩이
ㅈ - 장소 정 정상 종이 중앙 증상
ㅊ - 창가 창자 청소 총 충치 충성
ㅋ - 콩 콩가루 킹 킹콩 캥거루
ㅌ - 탕 통 통장 통증 태양 태풍
ㅍ - 평등 평야 평화 풍경 핑계
ㅎ - 항상 향수 형제 흥정 희망 횡재 등

본문해설 퀴즈 맞히기 Explanation

1. 궁금해서 물어볼 때 쓰는 **'~나요?'**를 **'누가'**를 넣어 연습해 보세요.
나요? makes a question showing wonder or curiosity about something.
Practice 나요? questions with 누가(who).

예) **누가 했나요?** - Who did it?

누가 꿀을 만드나요? - Who makes honey?

누가 내일 오나요? - Who will come tomorrow?

2. 스포츠 단어를 익혀 보세요. Learn some sports words.

예)			
권투 (boxing)	**농구** (basketball)	**미식축구** (football)	**배구** (volleyball)
사격 (shooting)	**수영** (swimming)	**야구** (baseball)	**양궁** (archery)
축구 (soccer)	**체조** (gymnastics)	**탁구** (ping-pong)	**피구** (dodge ball)

3. ㅈ 받침 동사의 활용과 발음을 연습해 보세요. Practice verbs with ㅈ bottom consonant.

예1) **맞다** (be hit) - **맞고** - **맞아** - **맞아서** - **맞았다** - **맞았어요** - **맞았습니다**

맞추다 (adjust) - **맞추고** - **맞춰** - **맞춰서** - **맞췄다** - **맞췄어요** - **맞췄습니다**

짖다 (bark) - **짖고** - **짖어** - **짖어서** - **짖었다** - **짖었어요** - **짖었습니다**

찾다 (look for, find) - **찾고** - **찾아** - **찾아서** - **찾았다** - **찾았어요** - **찾았습니다**

예2) ㅈ 받침은 ㄴ과 만나면 [ㄴ]로 발음합니다.
The sound of ㅈ 받침 become [n] when it meets ㄴ.

갖는 - **[간는]** **맞니** - **[만니]** **찾나요** - **[찬나요]**

2권 18쪽

4. '~ 보세요'형으로 정중한 권유형을 연습해 보세요.
Adding 보세요 after an informal form makes a polite suggestion or order.

예) **하다** (do) - **해** (반말) - **해 보세요.** - Please do it.

오다 (come) - **와** - **와 보세요.** - Please come.

찾다 (find) - **찾아** - **찾아 보세요.** - Try finding it.

나가다 (go out) - **나가** - **나가 보세요.** - Try going out.

생각하다 (think) - **생각해** - **생각해 보세요.** - Please think about it.

5. 명사 앞 동사에 **'는'**이 붙으면 그 명사의 현재 상태를 나타내고, **'ㄴ'**과 **'은'**는 과거의 동작을 나타냅니다.

If a verb before a noun ends with 는, it is present or present progressive. If a verb before a noun ends with ㄴ or 은, it is past.

예)	현재 (present)		과거 (past)
	잠자는 아이 (a sleeping child)	-	**잠잔 아이** (a child who slept)
	밥 먹는 아이 (a child having a meal)	-	**밥 먹은 아이** (a child who had a meal)
	옷 입는 아이 (a child getting dressed)	-	**옷 입은 아이** (a child who got dressed)
	세수하는 아이 (a child washing his face)	-	**세수한 아이** (a child who washed his face)

6. 설명을 듣고 그림에서 맞는 아이를 찾으세요. 혹은 설명을 듣고 그려보세요.

Find the child in the story who matches the description. Or draw a child matching the description.

웃다, 아이 - 웃는 아이 - a smiling child

하품하다 - 하품하는 아이 - a yawning child

골프, 치다 - 골프 치는 아이 - a child playing golf

우산, 쓰다 - 우산 쓴 아이 - a child with an umbrella

파자마, 입다 - 파자마 입은 아이 - a child in pajama

여행, 가다 - 여행 가는 아이 - a child going on a trip

활, 쏘다 - 활 쏘는 아이 - a child shooting an arrow

사진, 찍다 - 사진 찍는 아이 - a child taking a picture

2권 19쪽

본문해설 빛과 꽃 Explanation

1. 온도를 묘사하는 **형용사**와 **부사**를 연습해 보세요.
Practice adjectives(형용사) and adverbs(부사) which describe temperature.

예1) 사물 (thing)

	(형용사)	(부사)
차갑다 (cold)	**차가운**	**차갑게**
시원하다 (cool)	**시원한**	**시원하게**
미지근하다 (lukewarm)	**미지근한**	**미지근하게**
따스하다 (slightly warm)	**따스한**	**따스하게**
따뜻하다 (warm)	**따뜻한**	**따뜻하게**
뜨겁다 (hot)	**뜨거운**	**뜨겁게**

예2) 날씨 (weather)

	(형용사)	(부사)
춥다 (cold)	**추운**	**춥게**
쌀쌀하다 (chilly)	**쌀쌀한**	**쌀쌀하게**
포근하다 (a little warm)	**포근한**	**포근하게**
따뜻하다 (warm)	**따뜻한**	**따뜻하게**
덥다 (hot)	**더운**	**덥게**

2. '**~(으)니**'와 '**~(으)니까**'는 이유를 나타내요. 받침이 있는 단어에는 '으'를 넣습니다. 규칙 동사로 연습해 보세요.
(으)니 and (으)니까 act like 'because'. 으 is needed when the preceding letter ends with a consonant.

예) **내려오다** (come down) - **내려오니** - **내려오니까** (because it comes down)

2권 20쪽

비추다 (shine) - **비추니** - **비추니까**
씹다 (chew) - **씹으니** - **씹으니까**
올라가다 (go up) - **올라가니** - **올라가니까**
웃다 (laugh) - **웃으니** - **웃으니까**
피어나다 (bloom) - **피어나니** - **피어나니까**
참다 (hold back) - **참으니** - **참으니까**

2권 21쪽

3. **ㅊ 받침**도 ㅈ 받침처럼 ㄴ을 만나면 **[ㄴ]로 발음**됩니다.
ㅊ 받침 is pronounced [ㄴ] when it meets ㄴ.

예) **빛나다 - [빈나다]** **빛나는 - [빈나는]** **꽃나무 - [꼰나무]** **꽃놀이 - [꼰노리]**

본문해설 부엌으로 오세요 Explanation

1. 숫자를 세는 **단위**를 연습해 보세요. Practice various counting units.

예) **개** - **물건 · 과일** - **한 개 두 개 세 개 네 개 다섯 개 여섯 개 일곱 개 여덟 개 아홉 개 열 개 열한 개 열두 개 열세 개**

곳 · 군데 - **장소** - **한 곳 두 곳 세 곳 … - 한 군데 두 군데 세 군데 …**

공기 - **밥** - **한 공기 두 공기 세 공기 …**

그루 - **나무** - **한 그루 두 그루 세 그루 …**

권 - **책** - **한 권 두 권 세 권 …**

다발 - **꽃 · 지폐** 등 - **한 다발 두 다발 세 다발 …**

대 - **기계 · 에어컨 · 자동차 · 자전거 · 컴퓨터 · 피아노** 등 - **한 대 두 대 세 대 …**

마리 - **동물** - **한 마리 두 마리 세 마리 …**

명 - **사람** - **한 명 두 명 세 명 …**

2권 22쪽

병 - **유리병** - **한 병 두 병 세 병 …**

송이 - **꽃 · 포도** 등 - **한 송이 두 송이 세 송이 …**

잔 - **음료** - **한 잔 두 잔 세 잔 …**

장 - **기와 · 벽돌 · 사진 · 연탄 · 유리 · 종이 · 타일** 등 - **한 장 두 장 세 장 …**

조각 - **자른 과일 · 자른 케이크 · 자른 피자** 등 - **한 조각 두 조각 세 조각 …**

척 - **배** - **한 척 두 척 세 척 …**

채 - **건물 · 아파트 · 집** 등 - **한 채 두 채 세 채 …**

2. '(으)로'를 연습해 보세요. A prepositional marker (으)로 means 'to'.

예) **너네 집으로 가자.** - Let's go to your house.

운동장으로 나가세요. - Go out to the playground.

내일 학교로 오세요. - Come to school tomorrow.

이따 너네 교실로 갈게. - I will go to your classroom later.

2권 23쪽

3. 존대어를 연습해 보세요. 별도의 존대어가 없으면 **'시'**를 넣어 존댓말을 만듭니다.
시 is an honorific marker that makes a verb formal. For example, 가다 is informal while 가시다 is formal. However, some words have their own honorific words.

예) **먹다 (eat), 마시다 (drink) - 드시다, 잡수시다** **자다 (sleep) - 주무시다**

있다 (be present) - 계시다 **말하다 (say) - 말씀하시다**

본문해설 내 팥이 어디로 갔을까 Explanation

1. 누군가를 **부르는 말**을 연습해 보세요. Learn some ways to call a person

예) **친구 사이** (between friends) - **야!** (받침 없는 이름) **야**, (받침 있는 이름) **아**

모르는 사이 (to a stranger) - **저기요, 여보세요**

가게에서 (at a store) - **고객님, 손님**

병원에서 (at a hospital) - **~님, ~씨, 환자분**

2권 24쪽

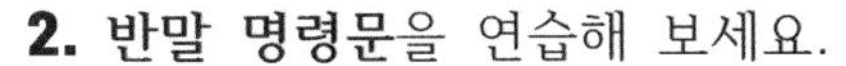

2. 반말 명령문을 연습해 보세요.

Practice informal imperative sentences.

예) **서다 - 서 - 거기 서!** - Stop there!

멈추다 - 멈춰 - 당장 멈춰! - Stop right now!

오다 - 와 - 빨리 와! - Come quickly!

3. 궁금함을 나타내는 **'~일까'**를 연습해 보세요. 받침 없는 단어에는 **'ㄹ까'**를 붙입니다. 또 가벼운 권유에도 쓰입니다.

일까 expresses curiosity. If the preceding letter ends with a vowel, ㄹ까 comes.
ㄹ까 and 일까 are also used to make a suggestion like 'Shall we?'.

예1)	**궁금한 기분** (feeling curious)	**무엇일까? - 뭘까?** - What could it be?
		누굴까? - Who could it be?
		무슨 맛일까? - What will it taste like?
예2)	**권유** (suggestion)	**이제 갈까?** - Shall we go now?
		내일 만날까? - Shall we meet tomorrow?
		그럼, 이거 먹을까? - Then, how about eating this?

4. ㅌ 받침 발음을 연습해 보세요. ㅌ 받침은 ㅇ을 만나면 ㅊ으로, ㄷ을 만나면 ㄸ으로, ㅁ을 만나면 ㄴ으로 발음됩니다.

When ㅌ meets ㅇ, it is pronounced as [ㅊ], and when it meets ㄷ, it is pronounced as [ㄸ].
With ㅁ, it is pronounced as [ㄴ].

예)	**팥이 - [파치]**	**밑이 - [미치]**	**겉이 - [거치]**	**밭이 - [바치]**	**솥이 - [소치]**
	팥도 - [팓또]	**밑도 - [믿또]**	**겉도 - [걷또]**	**밭도 - [받또]**	**솥도 - [솓또]**
	팥만 - [판만]	**밑만 - [민만]**	**겉만 - [건만]**	**밭만 - [반만]**	**솥만 - [손만]**

5. 반말에 **'~야 한다'**를 붙여 의무와 강제성을 나타냅니다. 밝은 모음인 ㅏ ㅗ 뒤에는 같은 밝은 소리인 '아'가, 어두운 모음인 ㅓ ㅜ ㅡ ㅣ 뒤에는 '어'가 와서 반말이 되지만, 불규칙 활용도 많습니다. 불규칙 활용들은 3권 해설에 설명되어 있습니다.

야 한다 behind the informal form of a verb means 'should' or 'have to'.
Basically, the informal forms are made by adding 아 to ㅏ ㅗ, and by adding 어 to ㅓ ㅜ ㅡ ㅣ.
However, there are many irregular rules. They are explained in the explanation for book 3.

예) **가다 - 가 - 가야 한다 - 가야 해요 - 가야 합니다** - have to go
보다 - 봐 - 봐야 한다 - 봐야 해요 - 봐야 합니다 - have to see
주다 - 줘 - 줘야 한다 - 줘야 해요 - 줘야 합니다 - have to give
하다 - 해 - 해야 한다 - 해야 해요 - 해야 합니다 - have to study
알다 - 알아 - 알아야 한다 - 알아야 해요 - 알아야 합니다 - have to know
참다 - 참아 - 참아야 한다 - 참아야 해요 - 참아야 합니다 - have to be patient
잡다 - 잡아 - 잡아야 한다 - 잡아야 해요 - 잡아야 합니다 - have to catch
먹다 - 먹어 - 먹어야 한다 - 먹어야 해요 - 먹어야 합니다 - have to eat
웃다 - 웃어 - 웃어야 한다 - 웃어야 해요 - 웃어야 합니다 - have to laugh
가지다 - 가져 - 가져야 한다 - 가져야 해요 - 가져야 합니다 - have to have
모이다 - 모여 - 모여야 한다 - 모여야 해요 - 모여야 합니다 - have to gather
바르다 - 발라 - 발라야 한다 - 발라야 해요 - 발라야 합니다 - have to apply
부르다 - 불러 - 불러야 한다 - 불러야 해요 - 불러야 합니다 - have to call

6. 결심을 나타내는 표현인 **'~야지'**를 연습해 보세요. '~야지'는 의무를 나타내기도 합니다. 말투를 다르게 하여 연습해 보세요.

야지 behind the informal form shows that the decision of the subject.
야지 is also used to mean 'should' or 'have to'.

예) **이제부터 열심히 공부해야지.**
- I will study hard from now on.
- You have to study hard from now on.

이제 자야지.
- I'm going to sleep now.
- It's time you went to bed.

먹어야지. - I'm gonna eat. - You should eat.

2권 25쪽

본문해설 높이높이 깊이깊이 Explanation

1. '**~고 싶다**'를 사용해 하고 싶은 걸 표현해 보세요.
고 싶다 means 'want to'. Put 고 싶다 in the place of 다 of the original form.

예) **가다 - 가고 싶다 - 놀이동산에 가고 싶어요.**
- I want to go to the amusement park.

놀다 - 놀고 싶다 - 밖에서 놀고 싶어.
- I want to play outside.

먹다 - 먹고 싶다 - 김치가 먹고 싶어요.
- I want to eat kimchi.

하다 - 하고 싶다 - 나도 잘 하고 싶어요.
- I want to do well, too.

되다 - 되고 싶다 - 가수가 되고 싶어요.
- I want to become a singer.

2권 26쪽

2. '빨리빨리'처럼 같은 단어를 반복하여 강조하는 **반복 부사**를 연습해 보세요.
Practice adverbs that repeat the same word twice to emphasize.

예) **거듭거듭 구석구석 깊이깊이 널리널리 널찍널찍 높이높이**
대강대강 멀리멀리 몰래몰래 얼른얼른 빨랑빨랑 빨리빨리 등

3. 포스트잇에 단어를 쓰고 본문 그림에 찾아 붙여 보세요.
Write each word below on sticky notes, and put them on the right pictures of the story.

예)

별	우주선	우주	구름	비행기	문어	낙하산	새	가오리
물고기 떼	산호초	잠수함	잠수부	심해어	열기구	인공위성		

4. 위의 단어들을 **가나다 순**으로 써보세요. Write the words above in 가나다 order.

가오리 - 구름 - 낙하산 - 문어 - 물고기 떼 - 별 - 비행기 - 산호초
- 심해어 - 새 - 열기구 - 우주 - 우주선 - 인공위성 - 잠수부 - 잠수함

5. **우주와 바다** 중 어디를 가고 싶은지, 어떻게 갈 것인지, 가서 무엇을 하고 싶은지 말하고 써보세요. Where do you want to go, ocean or space? Why and how do you want to go there? Talk and write about your story.

본문해설 좋아해 Explanation

1. 목적을 나타내는 **'~게'**를 연습해 보세요. 게 at the end of a verb means 'in order to'.

예) **지금 먹게 조금 주세요.** - Can I have a little bit to eat now?

나중에 쓰게 두세요. - Leave it so you can use it later.

네모가 되게 그리세요. - Try to draw a square.

표 사게 돈 주세요. - Can I have some money to buy a ticket?

2. '**그러고 나서 - 그런 다음 - 그런 후**'로 바꾸어 읽어 보세요.
Practice 그러고 나서, 그런 다음, and 그런 후 which mean 'and then'.

예) **아이는 엄마 얼굴을 그립니다. 그러고 나서 엄마에게 가지고 갑니다.**
- The child draws mom's face. Then he takes it to his mom.

엄마는 그림을 보며 웃습니다. 그런 다음 아이를 안아 줍니다.
- Seeing the picture, mom smiles. Then she hugs the child.

그런 후 둘은 즐겁게 박수를 칩니다.
- And then the two clap happily.

3. '이렇게'는 '이렇다'의 부사형입니다. **ㅎ 받침 형용사**의 **부사형**을 연습해 보세요.
ㅎ 불규칙 형용사의 활용은 이 책의 3권 '낙엽들의 이야기' 편에 정리되어 있습니다.
You can make an adverb by putting 게 behind the root of an adjective.
The rules of ㅎ irregular adjectives are explained in '낙엽들의 이야기 (book 3)' of this book.

예) **이렇다** (be like this) - **이렇게** (like this)
- **이렇게요?** - Like this?

저렇다 (be like that) - **저렇게** (like that)
- **저렇게 하는 건 어떻습니까?**
- How about doing like that?

그렇다 (be so) - **그렇게** (so)
- **뭐가 그렇게 좋아?**
- What's so good about it?

2권 28쪽

어떻다 (be how) - **어떻게** (how) - **어떻게 알았어?** - How did you find out?

예쁘다 (be pretty) - **예쁘게** (prettily) - **예쁘게 찍어.**
- Take a good picture of me.

나쁘다 (be bad) - **나쁘게** (bad) - **나쁘게 얘기하지 마.** - Don't talk bad.

4. 위치를 나타내는 '**~에**'를 연습해 보세요.
Location markers come behind the location word.
에 means 'at' and is used for time as well as for location.

예) **어디에 그려요?** - Where should I draw?

여기에 그리세요. - Draw here, please.

너 지금 어디에 있니? - 지금 어딨니?
- Where are you now?

집에 있어. - 집이야. - I am at home.

도서관에 두 시에 가자.
- Let's go to the library at two o'clock.

2권 29쪽

5. 메시지를 전달하는 '**~(라)고**'를 연습해 보세요. When quoting, use 라고 after the words.

예) **엄마가 뭐라고 하셨어요?** - What did mom say?

건강하시다고 하셨어요. - She said she was healthy.

아빠도 보고 싶다고 하셨고요. - Dad said he missed me, too.

동생도 잘 지낸다고 했어요. - Younger sister said she was doing well too.

6. '**~에게**'로 시작되는 메모나 편지를 써보세요. Write a memo or a letter starting with __에게.

예)

엄마 아빠에게,

수학 시험 다 맞았어요.
새 핸드폰 사 주세요.
꼭~~~!

To Mom and Dad,

I got a perfect score
on the math test.
Can you buy me a new
cell phone?
Please!

본문해설 와! 한글을 써요 Explanation

1. '안녕'과 **'안녕하세요'**를 예쁘게 써 보세요.
Practice writing '안녕' and '안녕하세요' which mean hi or hello.

예) **안녕?** - Hi! **안녕.** - Bye!
안녕하세요? - **안녕하십니까?** - Hello.

2. '잘 지내?'와 **'잘 지냈어?**를 예쁘게 써 보세요.
Practice writing '잘 지내?' and '잘 지냈어?' for asking how one's been doing.

예1) 반말 : **잘 지내? - 잘 지내니? - 잘 지내지? - 잘 지내냐? - 잘 지내고?**
존댓말 : **잘 지내요? - 잘 지내세요? - 잘 지내시죠? - 잘 지내십니까?**
- How are you?

예2) 반말 : **잘 지냈어? - 잘 지냈니? - 잘 지냈지? - 잘 지냈냐? - 잘 지냈고?**
존댓말 : **잘 지냈어요? - 잘 지내셨어요? - 잘 지내셨죠? - 잘 지내셨습니까?**
- How have you been doing?

예3) 반말 : **응, 잘 지내.** - Yeah, I'm good. **그럭저럭.** - So so.
요새 힘들어. - It's been tough lately.
존댓말 : **네, 덕분에 잘 지냅니다.** - Yes, thanks to you, I'm doing well.
예, 그럭저럭 지냅니다. - Yes, I'm doing okay. or I'm getting by.
요즘 힘듭니다. - I'm having a hard time these days.

3. '오랜만이야'와 **'반가워'**로 쓰기 연습을 해 보세요.
Practice writing with 오랜만이야 and 반가워.

예1) 반말 : **오랜만이야. - 오랜만이네. - 오랜만이다.**
존댓말 : **오랜만이에요. - 오랜만이네요. - 오랜만입니다.**
- It's been a while.

예2) 반말 : **반가워. - 반갑다.** 존댓말 : **반가워요. - 반갑습니다.**
- Nice to meet you.

4. '처음 뵙겠습니다'는 처음 만난 분에게 하는 인사입니다. 쓰면서 연습해 보세요.
처음 뵙겠습니다 is a greeting to someone you've never met before. Practice writing it.

예) **처음 뵙겠습니다.** - How do you do?
It's pleasure to meet you.

5. **'잘 부탁합니다'**는 처음 만났을 때, 그리고 어떤 일을 맡겼을 때 하는 말입니다.

예) **잘 부탁합니다.** - Thank you in advance.
I look forward to your kind cooperation.

6. **'고마워'**와 **'고맙습니다'**를 쓰면서 연습해 보세요.
Practice writing 고마워 and 고맙습니다 which mean 'thank you'.

예1) 반말 : **고마워. - 고맙네. - 고맙다.** 존댓말 : **고마워요. - 고맙습니다.**
- Thank you.

예2) **걱정해 줘서 고마워. - 걱정해 주셔서 감사합니다.** - Thank you for your concern.

7. **'감사합니다'**를 쓰면서 연습해 보세요. Practice writing 감사합니다.

예1) **감사해요. - 감사합니다. - 감사드립니다.** - Thank you very much.

예2) **친절에 감사드립니다.** - I appreciate your kindness.
신경을 써 주셔서 감사합니다. - Thank you so much for your care.

8. **'미안해'**와 **'미안합니다'**를 쓰면서 연습해 보세요.
Write 미안해 and 미안합니다 which mean 'I am sorry.'

예1) **미안해. - 미안하다.** - Sorry. **미안해요. - 미안합니다.** - I am sorry.

예2) **늦어서 미안해.** - Sorry I'm late.
기분 상하게 해서 미안해요. - I'm sorry I hurt your feelings.
초대에 응하지 못하여 미안합니다. - I'm sorry I can't accept your kind invitation.

9. **'죄송합니다'**를 쓰면서 연습해 보세요.
Practice 죄송합니다. 죄송합니다 is the most formal style of saying 'I am sorry'.
And 괜찮아요 is the most common response for both 'thank you' and 'I am sorry'.

예1) **죄송합니다.** - I am terribly sorry.

예2) **기다리게 해서 죄송합니다.**
- I'm sorry for keeping you waiting.
실망하게 해 드려 죄송합니다.
- I'm sorry for disappointing you.
번거롭게 해 드려 죄송합니다.
- I'm sorry for the inconvenience.

예2) **아니에요.** - Not at all.
괜찮아요. - That's okay.

(겹받침은 3권의 '앉아서 무엇을 하나요?'에서 연습합니다.)

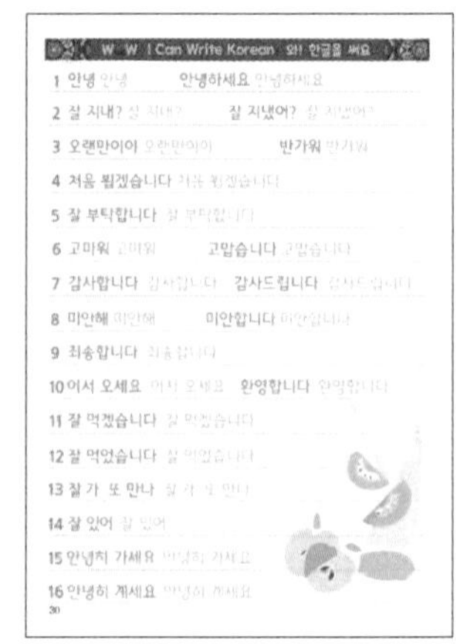
W W I Can Write Korean 와! 한글을 써요
1 안녕 안녕하세요
2 잘 지내? 잘 지냈어?
3 오랜만이야 반가워
4 처음 뵙겠습니다
5 잘 부탁합니다
6 고마워 고맙습니다
7 감사합니다 감사드립니다
8 미안해 미안합니다
9 죄송합니다
10 어서 오세요 환영합니다
11 잘 먹겠습니다
12 잘 먹었습니다
13 잘 가 또 만나
14 잘 있어
15 안녕히 가세요
16 안녕히 계세요
30

2권 30쪽

10. **'어서 오세요'**와 **'환영합니다'**를 써 보세요.
Practice 어서 오세요 and 환영합니다 which mean 'Welcome.'

예) **어서 오세요.** - Welcome.
한국에 오신 것을 환영합니다. - Welcome to Korea.
잘 왔어. - **잘 왔어요.** - **잘 오셨어요.** - Welcome.

11. **'잘 먹겠습니다'**는 식사 전에 하는 인사입니다. 쓰면서 연습해 보세요.
Say 잘 먹겠습니다 at table before you start to eat. Practice writing it.

예) **잘 먹겠습니다.** - Thank you for the meal.
맛있어 보여요. - It looks delicious.
너무 많이 차리셨어요. - You prepared so much food.

12. **'잘 먹었습니다'**라고 식사 후에 인사합니다. 쓰는 연습을 해 보세요.
Say 잘 먹었습니다 at table after you finish the meal. Practice writing it.

예) **잘 먹었습니다.** - I really enjoyed the meal.
맛있었어. - **맛있었어요.** - **맛있었습니다.** - It was delicious.
배불러. - **배불러요.** - **배부릅니다.** - I'm full.

13. 친구와 헤어질 때 하는 인사인 **'잘 가'**와 **'또 만나'**를 써 보세요.
Write 잘 가 and 또 만나. They are informal greetings when parting ways.

예) **잘 가.** - Goodbye.
또 만나. - See you again.
내일 또 만나. - See you again tomorrow.

14. 친구 집이나 곁을 떠날 때는 **'잘 있어'**라고 인사합니다. 쓰면서 연습해 보세요.
Say and write 잘 있어, an informal farewell greeting for a visitor or a guest.

예) **잘 있어.** - **잘 있어요.** - Goodbye.

15. **'안녕히 가세요'**는 떠나는 사람에게 하는 인사입니다. 쓰면서 연습해 보세요.
Practice 안녕히 가세요 which is a formal farewell greeting for a host or a hostess.

예) **안녕히 가세요.** - Goodbye.
또 오세요. - Come again.

16. **'안녕히 계세요'**는 본인이 떠날 때 하는 인사입니다. 쓰면서 연습해 보세요.
Practice 안녕히 계세요 which is a formal farewell greeting for a visitor.

예) **안녕히 계세요.** - Goodbye.
건강하세요. - Take care.

본문해설 와! 받침이 한 가지네 카드 Explanation

1. 받침 있는 단어 뒤에 '은' '이' '을' 카드를 연결하여 읽으며 **연음**을 연습해 보세요.
Put 은·이·을 cards one by one after a word ending with a bottom consonant, and practice the pronunciation of the linking consonant sound. Inside [ ] is how to pronounce.

예) **가족은 - [가조근]** **마음이 - [마으미]** **집밥을 - [집빠블]**

2. **명사** 카드 뒤에 알맞게 **검은색 글자 카드**를 놓아 다양한 말투를 연습해 보세요.
받침이 있는 단어 뒤에는 보통 '이'가 필요합니다.
Pick a noun and place a suitable card after it to make a meaning.
After a word with a bottom consonant, 이 comes next in most cases.

예) **친구니까** **숟가락이에요** **법입니다** **상이니까** **낮에**

3. **동사** 카드를 무작위로 골라 **현재형과 과거형**을 말해보세요. 동사의 현재형은 받침이 없으면 'ㄴ'을, 받침이 있으면 '는'을 넣지만, 불규칙도 많습니다. 과거형은 받침이 없으면 'ㅆ'을, 받침이 있는 경우에는 ㅏ ㅗ 뒤에 '았'을 붙이고, ㅓ ㅜ ㅡ ㅣ 뒤에 '었'을 붙입니다.
Choose a verb card randomly and say the present and the past form of it. Basically, to make present forms, put ㄴ for the verbs ending with a vowel, and put 는 for the verbs ending with a consonant. In order to make past forms, put ㅆ for the verbs ending with a vowel, and for the verbs with bottom consonants, put 았 after ㅏ ㅗ and put 었 after ㅓ ㅜ ㅡ ㅣ.

(원형 - 현재형 - 과거형)

예)

가다 - 간다 - 갔다
먹다 - 먹는다[멍는다] - 먹었다
받다 - 받는다[반는다] - 받았다
입다 - 입는다[임는다] - 입었다
웃다 - 웃는다[운는다] - 웃었다
맞다 - 맞는다[만는다] - 맞았다
뱉다 - 뱉는다[밴는다] - 뱉다
놓다 - 놓는다[논는다] - 놓았다[노알따]

하다 - 한다 - 했다
살다 - 산다 - 살았다
팔다 - 판다 - 팔았다
넘다 - 넘는다 - 넘었다
사랑하다 - 사랑한다 - 사랑했다
빛나다 - 빛난다[빈난다] - 빛났다
덮다 - 덮는다[덤는다] - 덮었다
있다 - 있는다[인는다] - 있었다

4. 형용사 카드를 골라 **현재형과 과거형**을 말해보세요. 형용사는 원형이 현재형입니다.
Say the present and the past of adjective cards. The original form is used as the present form for adjectives. (원형 - 현재형 - 과거형)

예) **좋다[조타] - 좋다 - 좋았다[조앋따]** **그렇다[그러타] - 그렇다 - 그랬다**

5. 동사와 형용사 카드를 골라 그 **반대말**을 연습해 보세요.
Pick a verb or an adjective card and practice its antonym.

예) **팔다 - 사다** **웃다 - 울다** **좋다 - 나쁘다**

6. 두 개 이상의 카드를 골라 **문장**을 만들어 보세요. 어미 변화를 하여 자연스러운 표현을 만들어 보세요. Choose more than two cards and make a sentence using the words.

2권 31쪽

예) **나는 가족을 사랑합니다.** - I love my family.
눈이 들녁을 덮었다. - Snow covered the field.
그 말이 무슨 뜻이에요? - What does that mean?
꿈에서 상을 받았습니다. - I received an award in my dream.
내 답이 맞아서 좋아요. - I am glad that my answer is right.
집밥을 먹으면 힘이 나요. - Homemade meals give me energy.
밖에서 친구와 놀이를 했어요. - I played games with my friend outside.
아이가 젖병을 보고 웃네요. - The baby smiles, seeing the baby bottle.
그릇과 숟가락은 낱개로 파세요? - Do you sell bowls and spoons by the piece?

7. 카드를 골라 그 단어의 **받침**으로 **끝말잇기**를 시작해 보세요. 모든 단어는 받침으로 끝나야 합니다.
Choose a card with a bottom consonant and start a word chain which links the bottom consonant of the previous word. All the words in the game should end with a bottom consonant.

예) **가족 - 구름 - 모양 - 인간 - 낮잠 - 무릎 - 풀 - 리본 - 낙엽 - 봄 - 민족 - 갓 - 사진 - 날 - 레몬 - 나방 - 안경 - 온돌 - 라면 - 냉동 - 알 - 로션**

8. 자음을 이야기할 때, 주의해야 할 발음을 연습해 보세요.
Practice how to pronounce consonants with markers.

예)

ㄷ이 - [디그시]	**ㄷ을 - [디그슬]**	**ㄷ에 - [디그세]**
ㅈ이 - [지으시]	**ㅈ을 - [지으슬]**	**ㅈ에 - [지으세]**
ㅊ이 - [치으시]	**ㅊ을 - [치으슬]**	**ㅊ에 - [치으세]**
ㅋ이 - [키으기]	**ㅋ을 - [키으글]**	**ㅋ에 - [키으게]**
ㅌ이 - [티으시]	**ㅌ을 - [티으슬]**	**ㅌ에 - [티으세]**
ㅍ이 - [피으비]	**ㅍ을 - [피으블]**	**ㅍ에 - [피으베]**
ㅎ이 - [히으시]	**ㅎ을 - [히으슬]**	**ㅎ에 - [히으세]**

WOW
I Can Read Korean Book 1
와!
받침이 없네
Wow! I Can Read Vowels and Basic Consonan
by 김수희(Kim Suhie)
Highly recommended to anyone interested in Korea
WOW
I Can Read Korean Book 2
와! 받침이
한 가지네
Wow! I Can Read
Bottom Consonants
by 김수희 (Kim Suhie)
B GDESK
WOW
I Can Read Korean Book 3
와! 받침이
하나씩 늘어나네
Wow! I Can Read All Hangul!

WOW

I Can Read Korean Book 3

와! 받침이 하나씩 늘어나네

Wow! I Can Read All Hangeul!

by 김수희(Kim Suhie)

illustrated by 정진수 박비솔 이서현

Highly recommended to anyone interested in Korea

BIGDESK

3권 와! 받침이 하나씩 늘어나네 단어 정리 Book 3 Word List

1. 꼬마의 하루

꼬마 ([kkoma] little kid) **하루** ([haru] a day) **사과** ([sagwa] apple)
사각사각 ([sagaksagak] the sound of munching)
먹고 ([mɔkko] 먹다, eat and) **스윽스윽** ([sə ək sə ək] the motion of drawing easily) **그리고** ([gəligo] 그리다, draw and)
뛰어다니고 ([ttwiɔdanigo] 뛰어다니다, run around and)
쓱싹쓱싹 ([ssəkssakssəkssak] the motion of washing)
세수하고 ([sesuhago] 세수하다, wash face)
치카치카 ([chikachika] the motion of brushing teeth)
이 닦고 ([i dakko] 이, 닦다, brush teeth)
쌕쌕 ([ssaekssaek] the motion of sleeping soundly)
푹 ([puk] deeply) **가요** ([gayo] 가다, go)

2. 친구와 파티해요

똑똑 ([ttokttok] the sound of knocking) **무슨** ([musən] what)
소리 ([soli] sound) **내 친구** ([nae chingu] my friend)
두드리는 ([dudulinən] 두드리다, knock) **어서 와** ([ɔsɔ wa] 어서, 오다, welcome)
어서 ([ɔsɔ] quickly) **툭툭** ([tuktuk] the sound of tapping or dripping)
흰쥐 ([hinjwi] white mouse) **딱딱** ([ttakttak] the sound of tapping on a hard material)
딱따구리 ([ttakttaguli] woodpecker)
축하해 ([chukahae] 축하하다, Congrats!) **짝짝짝** ([jjakjjakjjak] Clap,clap, clap)
박수치고 ([baksuchigo] 박수치다, clap) **와** ([wa] with)
신나게 ([sinnage] excitedly) **파티해요** ([patihaeyo] 파티하다, have a party)

3. 돋보기

으악 ([ə ak] Ugh!) **이게 뭐예요** ([ige mwoyeyo] 이것이 무엇이에요, what is this?)
돋보기 ([doppogi] magnifying glass)
개미 ([gaemi] ant) **해바라기** ([haebalagi] sunflower)
손 ([son] hand) **모든** ([modən] every) **로** ([lo] by) **~면** ([myɔn] if)
게 ([ge] 것이, thing) **다르게** ([daləge] differently)

4. 비 오는 날

주룩주룩 ([julukjuluk] the motion of rain falling)

비가 와요 ([biga wayo] 비, 오다, it rains) **학교** ([hak kkyo] school)

가는 길에 ([ganən gile] 가다, 길, on the way to) **우산이** ([usani] umbrella is)

가득해요 ([gadəkaeyo] 가득하다, be full of)

우산 쓰고 ([usan ssəgo] 우산, 쓰다, under an umbrella)

까지 ([kkaji] up to, to, until) **만나면** ([mannamyɔn] 만나다, 면, if I meet)

반가워요 ([bangawoyo] 반갑다, Glad to see you.) **내일** ([naeil] tomorrow)

안 ([an] not) **들** ([dəl] plural suffix)

과 ([gwa] with) **밖에서** ([bakkesɔ] outside)

뛰어놀래요 ([ttwiɔ nolleyo] 뛰어놀다, I'll play around)

5. 하늘 다람쥐의 사계절

하늘 다람쥐 ([hanəl dalamjwi] flying squirrel)

사계절 ([sagyejɔl] four seasons) **봄에** ([bome] in the spring)

예쁜 ([yeppən] 예쁘다, pretty) **개나리** ([gaenali] forsythia)

진달래 ([jindallae] azalea) **목련** ([mongnyɔn] magnolia)

을 ([əl] objective marker) **보며** ([bomyɔ] 보다, seeing)

마음도 ([maəmdo] heart too) **되어요** ([dweɔyo] 돼요, 되다, become)

여름 ([yɔləm] summer) **시원하게** ([siwonhage] refreshingly)

듣지요 ([dədjjiyo] 듣다, listen) **물놀이** ([mulloli] playing in the water)

가을 ([gaəl] autumn) **잘** ([jal] well)

익은 ([igən] 익다, ripe) **준비** ([junbi] preparation)

해요 ([haeyo] 하다, do) **겨울에** ([gyɔule] in the winter)

설레는 ([sɔllenən] 설레다, fulttering with joy)

산타 할아버지 ([santa halabɔji] Santa Claus) **선물** ([sɔnmul] present)

선물을 기다려요 ([sɔnmuləl gidalyɔyo] 선물, 기다리다, wait for the present)

6. 어디에 사나요?

북극에는 ([bugkkəgenən] at the Artic) **누가** ([nuga] who)

삽니다 ([samnida] 살다, live) **집입니다** ([jibimnida] 집, It is a home.)

하얀 ([hayan] 하얗다, white) **북극곰** ([bugkkəgkkom] polar bear)

추운 ([chu un] 춥다, cold)
남극 ([namgək] the Antarctic)
연구 ([yɔngu] research)
과학자 ([gwahakjja] scientist)
사막에 ([samage] in the desert)
유목민 ([yumongmin] nomad)
오아시스 ([oasis] oasis)
천막 ([chɔnmak] tent)
집에서 ([jibesɔ] at home)
믿기 ([mikki] to believe)
어려운 ([ɔlyɔun] 어렵다, difficult)
추위 ([chuwi] coldness)
속에서도 ([sogesɔdo] 속, even in)
더위 ([dɔwi] hotness)
사람들 ([salamdəl] people)
어디에 ([ɔdie] at where)
여러분은 ([yɔlɔbunən] ladies and gentlemen)

7. 깨끗이 깨끗이

비누 ([binu] soap)
손 ([son] hand)
깨끗이 ([kkaekkəsi] clearly)
씻으면 ([ssisəmyɔn] 씻다, 으면, if you wash)
감기 ([gamgi] bad cold)
이 ([i] teeth)
감기에 걸려요 ([gamgie gɔllyɔyo] 감기, 걸리다, catch a cold)
잘 하고 있으면 ([jal hago issəmyɔn] 잘, 하다, 고 있다, If you are doing well)
밥을 잘 먹고 ([babəl jal mɔkko] 밥, 잘, 먹다, eat well and)
마스크 ([masəkə] mask)

8. 내 동생

내 동생 ([nae dongsaeng] 내, 동생, my little brother)
한 살 ([han sal] 한, 살, one year old)
때 ([ttae] the time when)
아장아장 ([ajang ajang] the motion of baby toddling)
걷는 ([gɔnnən] 걷다, who walks)
귀여운 ([gwiyɔun] 귀엽다, cute)
맨날 ([maennal] everyday)
우는 ([unən] 울다, crying)
울보 ([ulbo] crybaby)
무엇이든 ([muɔsidən] whatever)
맘대로 ([mamdaelo] 마음대로, as one pleases)
하려는 ([halyɔnən] 하다, try to)
떼쟁이 ([ttejaeng i] 떼, 쟁이, insistent kid)
곧 ([god] soon)
다섯 살 ([dasɔssal] five years old)
아무데나 ([amudaena] anywhere)
낙서 ([nak ssɔ] doodle)
하는 ([hanən] 하다, that does)
말썽꾸러기 ([malssɔngkkulɔgi] 말썽, 꾸러기, troublemaker)
휴우 ([hyu u] phew)
형 ([hyɔng] older brother of a boy)
노릇 ([nolət] role)

9. 낮에 자는 동물들

바쁩니다 ([bappəmnida] 바쁘다, be busy) **공부** ([gongbu] study)
잠 ([jam] sleep) **그런데** ([gəlɔnde] however) **어떤** ([ɔttɔn] some, certain)
동물 ([dongmul] animal) **실컷** ([silkɔt] as much as one likes)
그리고 ([gəligo] and) **어두워지면** ([ɔduwojimyɔn] 어두워지다, when it gets dark) **슬슬** ([səlsəl] softly, leisurely)
밤이 되자 ([bami dweja] 밤, 되다, when the night comes)
사냥 ([sa nyang] hunting) **시작합니다** ([sijakamnida] 시작하다, begin)
그들 ([gədəl] they) **어둠** ([ɔdum] darkness) **속에서** ([sogesɔ] inside)
먹이 ([mɔgi] prey) **소리** ([soli] sound) **듣고** ([dətkko] 듣다, hear)
다가갑니다 ([dagagamnida] 다가가다, approach)
이런 ([ilɔn] this sort of)
동물들이 ([dongmuldəli] 동물, 들, animals are)
야행성 ([yahaengsɔng] nocturnal)
동물입니다 ([dongmulimnida] They are animals.)

10. 꽃들의 인사

아침 ([achim] morning)
햇살 ([haessal] sunshine) **아래** ([alae] under)
나팔꽃 ([napalkkot] morning glory)
생긋생긋 ([saengkkət saengkkət] the motion of smiling lovely)
인사해요 ([insahaeyo] 인사하다, greet) **곧게** ([gokke] straight)
자란 ([jalan] 자라다, which grew) **해바라기** ([haebalagi] sunflower)
오늘도 ([onəldo] today too) **햇님** ([haennim] the sun)
만 ([man] only) **바라봐요** ([balabwayo] 바라보다, gaze)
달빛 ([dalbit] moonlight) **받은** ([badən] 받다, which received)
달맞이꽃 ([dalmajikkot] evening primrose)
처럼 ([chɔlɔm] like, as) **고와요** ([gowayo] 곱다, lovely)
벚꽃 ([bɔt kkot] cherry blossoms) **활짝** ([hwaljjak] in full bloom, widely)
피었어요 ([piɔssɔyo] 피었다, are in bloom)
꽃구경 ([kkokkugyɔng] 꽃, 구경, flower viewing)
눈부시게 ([nunbusige] dazzlingly) **예쁩니다** ([yeppəmnida] 예쁘다, pretty)

11. 허수아비

해 돋는 ([hae donnən] 해, 돋다, sun rising) **들녘에** ([dəllyɔke] in the field)
허수아비 ([hɔsuabi] scarecrow) **서 있습니다** ([sɔ issəmnida] 서다, 있다, is standing) **쨍쨍한** ([jjaengjjaenghan] blazing)
한낮에도 ([hannajedo] 한낮, even at midday)
그 자리에 ([gə jalie] 그, 자리, on the spot) **해 질 녘** ([haejilnyɔk] 해, 지다, 녘, at dusk) **홀로** ([hollo] alone)
배웅합니다 ([baeunghamnida] 배웅하다, see off)
별빛이 쏟아지는 ([byɔlbichi ssodajinən] 별빛, 쏟아지다, starlight pouring down)
그대로 ([gədaelo] as it was) **누워서** ([nuwosɔ] 눕다, while lying)
쉬면 ([shimyɔn] 쉬다, If it rests) **안 될까요?** ([an dwelkkayo] 안, 되다, Isn't it okay?)

12. 무궁화꽃이 피었습니다

어느 날 ([ɔnə nal] 어느, 날, one day) **고양이** ([goyang i] cat)
부엌에서([buɔgesɔ] in the kitchen) **같이** ([gachi] together)
수저꽂이 ([sujɔkkoji] spoon stand) **몰래** ([mollae] secretly)
무궁화꽃 ([mugunghwakkot] rose-of-sharon, national flower of Korea)
무궁화꽃이 피었습니다 ([mugunghwakkochi piɔtssəmnida] 무궁화꽃, 피다, Rose-of-sharons have bloomed. Greed light, red light)
모두 ([modu] all, everyone) **조심조심** ([josimjosim] carefully)
살금살금 ([salgəmsalgəm] gingerly) **얼음!** ([ɔləm] Freeze!)
흰 ([hin] 희다, white) **갈색** ([galsaek] brown)
얼룩 고양이 ([ɔlluk goyang i] 얼룩, 고양이, tabby cat)
멈칫 ([mɔmchit] the motion of stopping abruptly)

13. 데이트

미안한데 ([mianhande] 미안하다, 그런데, sorry but)
좀 ([jom] a little bit) **늦을 거 같아** ([nəjəl kkɔ gata] 늦다, 거 같다, I think I'll be late.)
갑자기 ([gapjjagi] suddenly) **수도** ([sudo] tap)
고장나서 ([gojangnasɔ] 고장나다, Because it's broken)
집에서 ([jibesɔ] 집, from home, at home) **늦게** ([nəkke] late)

나왔어 ([nawassɔ] 나오다, go out) **ㅇㅋ** ([oki] OK)
조심해서 와 ([josimhaesɔ wa] 조심하다, 오다, Come safely.)
빨리 ([ppalli] quickly) **보고 싶다** ([bogo siptta] 보다, 고 싶다, I miss you)
먼저 ([mɔnjɔ] first) **자리 잡고 있어** ([jali japkko issɔ] 자리 잡다, 있다, Take a seat and wait.) **응** ([əng] uh huh) **그림** ([gəlim] painting)
밑에 있는 ([mite innən] 밑, 있다, which is under) **곧** ([got] soon)
도착해 ([dochakae] 도착하다, arrive)
바로 앞이야 ([baro apiya] 바로, 앞,이다, It's right in front.)

14. 낙엽들의 이야기

낙엽 ([nagyɔp] falling leaves, fallen leaves) **이야기** ([iyagi] talking, story)
가을날 ([gaəlnal] autumn day) **찬 바람** ([chanbalam] 찬, 바람, cold wind)
휘익 ([hwi ik] swish) **불어왔어요** ([bulɔwassɔyo] 불어오다, blew)
그러자 ([gəlɔja] then) **울긋불긋한** ([ulgutppulgətan] multicolored)
나뭇잎 ([namunnip] leaf) **바람에** ([balame] 바람, in the wind)
날리기 시작했어요 ([nalligi sijakaessɔyo] 날리다, 시작하다, began to fly)
저마다 ([jɔmada] their own) **자기** ([jagi] one's)
기분 ([gibun] feeling) **얘기해요** ([yaegihaeyo] 이야기하다, talk)
귀기울여 보세요 ([gwigiulyɔ boseyo] 귀기울이다, 보다, Listen attentively.)
금빛 ([gəmbit] golden) **햇빛** ([hae ppit] sunlight)
속에 ([soge] in) **속삭이는** ([soksaginən] 속삭이다, whisper)
들릴 거예요 ([dəllil gɔyeyo] 들리다, 거다, You'll hear.)
살려 ([sallyɔ] 살리다, save life)
기분 좋은 ([gibunjoən] pleasant)
바람에 맞춰 ([balame machɔ] 바람, 맞추다, to the wind)
빙글빙글 ([bing gəl bing gəl] the motion of turning round and round)
야호! ([yaho] Yahoo!)
만 ([man] just, only)
엄마야! ([ɔmmaya] Oh, my god!)

15. 앉아서 무엇을 하나요?

앉아서 ([ɑnjɑsɔ] 앉다, sitting) **무엇을 하나요** ([muɔsəl hɑnɑyo] 무엇, 하다, what do you do?) **사이좋게** ([sɑijoke] friendly)

요리조리 ([yolijoli] this way that way) **핥고** ([hɑlkko] 핥다, lick)

아이, ([ɑi] Oh, Gee) **맛있어** ([mɑsissɔ, mɑdissɔ] 맛있다, delicious)

영화 ([yɔnghwɑ] movie) **일어날 수 없는** ([ilɔnɑlsu ɔmnən] 일어나다, 수 없다, which cannot happen) **일** ([il] thing, happening)

없어요 ([ɔpssɔyo] 없다, there is no) **그림** ([gəlim] painting)

그려요 ([gəlyɔyo] 그리다, draw a painting) **아빠** ([ɑppɑ] dad)

닮은 ([dɑlmən] 닮다, which resembles) **얼굴** ([ɔlgul] face)

즐겁게 ([jəlgɔpkke] joyfully) **자전거** ([jɑjɔngɔ] bicycle) **페달** ([pedɑl] pedal)

밟으면 밟을수록 ([bɑlbəmyɔn bɑlbəlsulok] 밟다, the more you step on,the more)

빨리 ([ppɑlli] fast) **달려요** ([dɑllyɔyo] 달리다, run.)

차 한 잔 ([chɑ hɑn jɑn] 차, 한, 잔, a cup of tea)

마시며 ([mɑsimyɔ] 마시다, while drinking)

평화롭게 ([pyɔnghwɑlobge] peacefully)

책을 읽어요 ([chegəl ilgɔyo] 책, 읽다, read a book.)

많은 ([mɑnən] a lot of) **추억** ([chuɔk] memories)

우리 ([uli] we) **만들어요** ([mɑndəlɔyo] 만들다, make)

16. 와! 한글을 써요

내 이름은 ([nae iləmən] my name is) **~사람이에요** ([sɑlɑmieyo] I am from)

좋아해요 ([joɑhaeyo] 좋아하다, like) **싫어해요** ([silɔhaeyo] 싫어하다, dislike)

잘해요 ([jɑl haeyo] 잘하다, be good at)

배우고 있어요 ([baeugo issɔyo] 배우다, 고 있다, be learning)

읽을 수 있어요 ([ilgəl su issɔyo] 읽다, 수 있다, can read)

할 줄 몰라요 ([hɑljjul mollɑyo] 하다, 줄 모르다, don't know how to, cannot)

본 적 있어요 ([bonjɔk issɔyo] 보다, 적 있다, have ever seen)

간 적 없어요 ([gɑnjɔk ɔpssɔyo] 가다, 적 없다, have never been to)

많이 ([mɑni] a lot) **닮았어요** ([dɑlmɑssɔyo] 닮다, resemble)

괜찮아요 ([gwenchɑnɑyo] 괜찮다, It's okay.)

17. 카드

우리는 ([ulinən] we) **학교에서** ([hakkyo esɔ] at school)

공부를 합니다 ([gobuləl hamnida] 공부, 하다, I study.)

한국어를 배웁니다 ([han gugɔləl baeumnida] 한국어, 배우다, learn Korean)

친구들을 만나고 ([chingudələl mannago] 친구, 만나다, meet friends and)

밥을 먹어요 ([babəl mɔgɔyo] 밥, 먹다, eat meal)

주말에는 ([jumalenən] on weekends) **가족과** ([gajogkkwa] with family)

많은 ([manən] a lot of)

이야기를 해요 ([iyagiləl haeyo] 이야기, 하다, talk)

도서관에서 ([dosɔgwanesɔ] in the library) **좋은** ([joən] 좋다, good)

책을 읽어요 ([chegəl ilgɔyo] 책, 읽다, read a book) **멋진** ([mɔjjin] wonderful)

공연도 봐요 ([gongyɔndo bwayo] 공연, 보다, see a performance too)

날씨가 좋으면 ([nalssiga joəmyɔn] 날씨, 좋다, If the weather is fine)

밖에 나가요 ([bakke nagayo] 밖, 나가다, go outside)

공원에서 ([gongwonesɔ] at the park) **열심히** ([yɔlssimi] hard)

운동을 해요 ([undong əl haeyo] 운동, 하다, exercise)

강아지와 ([gangajiwa] with my puppy) **즐겁게** ([jəlgɔbkke] merrily)

산책을 해요 ([sanchaegəl haeyo] 산책, 하다, take a walk)

아름다운 ([aləmdaun] 아름답다, beautiful) **음악** ([əmag] music)

음악을 들어요 ([əmagəl dəlɔyo] 음악, 듣다, listen to the music)

친한 ([chinhan] 친하다, close, intimate)

친구를 만나서 ([chinguləl mannasɔ]
친구, 만나다, meet a friend and)

맛있는 걸 ([masinnən gɔl] 맛있는 것을,
something tasty)

먹어요 ([mɔgɔyo] 먹다, eat) **옷** ([ot] clothes)

입고 ([ipkko] 입다, wearing) **신나게** ([sinnage] excitedly)

춤을 추어요 ([chuməl chuɔyo] 춤, 추다, dance) **한글은 쉽고 재미있어요**
([hangələn shipkko jaemissɔyo] 한글, 쉽다, 재미있다, Hangeul is easy and fun.)

한국어를 많이 배워서 ([hangugɔləl mani baewosɔ] 한국어, 많이, 배우다,
After I learn Korean a lot) **정말** ([jɔngmal] really)

잘하고 싶어요 ([jalhago sipɔyo] 잘하다, 고 싶다, I want to be good at it.)

본문해설 꼬마의 하루 Explanation

1. ㄱ 받침 의태어 의성어를 익혀 보세요. Practice mimetic words with ㄱ bottom consonant.

예) ㄱ - 가득가득 그득그득 까닥 까닥까닥 까르륵 깍깍 꺅 꺼벅 꺼억 껵껵 꼭꼭
꼬꼬댁 꼬르륵 꼬박꼬박 꼬옥 꽉 꽉꽉 꾸덕꾸덕 꾸르륵 꾸벅꾸벅 꾸역꾸역
꾸욱 꾹 꾹꾹 끄덕끄덕 끄떡끄떡 끄적끄적 끼익 깨작깨작 꽉 꽥

ㄴ - 노닥노닥 누덕누덕

ㄷ - 다닥다닥 더덕더덕 더럭더럭 덕지덕지 드르륵
뒤룩뒤룩 뒤죽박죽 딱 떡 또각또각 똑 똑딱똑딱
똑똑 따박따박 또박또박 뚜벅뚜벅 뚝 뚝딱
뚝딱뚝딱 뚝뚝 띡

3권 2쪽

ㅁ - 모락모락 무럭무럭 미적미적 메슥메슥

ㅂ - 바득바득 바락바락 바삭바삭 바스락 바스락바스락 바싹 바싹바싹 바짝
박박 버럭 버석버석 버스럭버스럭 벅벅 부득부득 부스럭부스럭 부쩍부쩍
북북 북적북적 비비적비비적 비죽비죽 빠지직 빡빡 뻑뻑 뽀드득 뾰족뾰족
뿌지직 삐거덕삐거덕 삐걱삐걱 삐익 삐약삐약 삐죽 삐죽삐죽 삐쩍 빽

ㅅ - 사각사각 사락사락 서걱서걱 서먹서먹 소록소록 소복소복 속닥속닥
수북수북 스르륵 싹 싹싹 싹둑 쏙 쏙쏙 쑥 쑥덕쑥덕 쑥쑥 쓰윽 쓱싹쓱싹
쓱쓱 씨익 씩씩 새록새록 쌕쌕

ㅇ - 아삭아삭 악 어기적어기적 억 오도독 오뚝 오르락내리락 오싹오싹 우뚝
우락부락 우두둑 으쓱 으악 이기죽이기죽 이죽이죽 와드득 와지끈 와락 웩

ㅈ - 자박자박 저벅저벅 주룩주룩 주르륵 지지직 재깍재깍 재까닥재까닥 짝짝 쩍
쪽 쪽쪽 쭈르륵 쭈욱 쭉 쭉쭉 찌익 찍 찍찍 째깍째깍 짹짹 쫙 쫙쫙

ㅊ - 차곡차곡 착착 척 척척 추적추적 축 축축 치지직 칙칙 칙칙폭폭

ㅋ - 카악 컥컥 콕 콕콕 쿡쿡 키득키득 킥킥 캑캑 콱콱

ㅌ - 타다닥 탁 탁탁 터벅터벅 턱 토닥토닥 톡톡 투덕투덕 툭툭 티격태격

ㅍ - 파닥파닥 팍팍 퍼덕퍼덕 퍼뜩 퍼뜩퍼뜩 퍼석퍼석 퍽 퍽퍽 폭삭 푸드덕
푸석푸석 푹 푹푹 피식 픽 픽픽

ㅎ - 허걱 허우적허우적 헉 헉헉 호락호락 후다닥 후드득 후루룩 훅 흐느적흐느적
흑흑 히죽히죽 헥헥 휘리릭 휘익 휘적휘적 훽 홱 등

2. 동작의 연속을 나타내는 **'~고'**를 연습해 보세요.
고 shows that another action is following. Put 고 after the root of the verb, then write the following action.

예1) **먹다** (eat) - **먹고** **자다** (sleep) - **자고**
세수하다 (wash) - **세수하고** **그리다** (draw) - **그리고**
뛰어다니다 (run around) - **뛰어다니고**

예2) **세수하고 이 닦고 자러 가요.**
- I wash my face, brush my teeth, and go to bed.
다 먹고 나가. - Go out after you eat it all.

3. 아이를 나타내는 단어를 익혀 보세요. 꼬마, 아이, 어린이는 성구별 없이 씁니다.
Learn the words that mean 'child'. 아이, 꼬마 and 어린이 are used for both boys and girls.

예) **소녀** (girl) - **여자아이** - **여자애**
소년 (boy) - **남자아이** - **남자애**
아이들 - **어린이** (children)
작은 아이 - **꼬마, 꼬맹이** (kiddo)

3권 3쪽

4. 동사의 **반말**과 **존댓말**을 복습해 보세요.
Practice informal forms and formal forms of verbs.

(원형 - 반말 - 존댓말)

예) **자다** (sleep) - **자** - **자요, 주무세요** **먹다** (eat) - **먹어** - **먹어요, 드세요**
닦다 (wipe) - **닦아** - **닦아요, 닦으세요** **묶다** (tie) - **묶어** - **묶어요, 묶으세요**

5. 동시 동작을 나타내는 **'(으)며'**를 연습해 보세요. 받침 있는 단어 뒤에는 '으'가 들어갑니다. 며 shows the subject is doing two different actions at the same time. 으며 is for a verb whose root ends with a bottom consonant.

예) **먹으며 드라마 보자.** - Let's watch a drama while eating.
야채를 섞으며 볶으세요. - Stir-fry vegetables while mixing.
노래하며 학교에 가요. - I go to school singing.

6. 날을 **세는 단어**들을 연습해 보세요. Learn some words for counting days.

예) **하루** (1 day) **이틀** (2 days) **사흘** (3 days) **나흘** (4 days)

본문해설 친구와 파티해요 Explanation

1. 정중한 의문문인 **'~세요?'**를 연습해 보세요.
Practice polite questions with 세요?.

3권 4쪽

예) **누구세요?** - Who is it?

누구세요? 어디세요? - Who's calling?

그거 아세요? - Do you know that?

언제 오세요? - When will you be here?

어디 가세요? - Where are you going to?

2. **'~지?'**는 궁금하다는 표현이에요. **'~지!'**는 생각이 떠올랐을 때 써요.
Use 지? when you are not sure about something, and use 지! when you realize something.

예) **이게 뭐지?** - What is this?

아, 그 친구 사진이지! - Oh, the picture of that friend.

이게 언제지? - When was it?

그래, 작년 크리스마스지! - Oh, yes! It was last Christmas.

3. 깨달았을 때 쓰는 **'아!' '아하!' '오호!' '오호라!'** 같은 **감탄의 표현**을 연습해 보세요.
Practice some exclamations that are used when you realize something.

4. **'나야.'**를 존댓말로 바꾸어 연습해 보세요. Practice saying 'It's me' in various forms.

(반말) (존댓말)

예) **나야 - 저예요 - 접니다** - It's me.

5. **'어서 와!'**는 친구나 나보다 어린 상대에게 쓰는 말입니다. 존댓말을 연습해 보세요.
Practice saying 'Welcome' and 'Come on in' in formal ways.

(반말) (존댓말)

예) **어서 와. - 어서 오세요. - 어서 오십시오.** - Welcome.

들어와. - 들어오세요. - 들어오십시오. - Come in please.

6. 동사에 **'는'**을 붙여 명사를 묘사해 보세요.
A verb with 는 at the end acts like an adjective. It describes the present action of the following noun.

예) **두드리다 - 문 두드리는 소리 - 똑똑** - the sound of the knock

뛰다 - 뛰는 소리 - 타다다닥, 우다다다 - the sound of running

소리지르다 - 소리지르는 소리 - 꺄, 꽥, 악, 으악 - the sound of screaming

7. 발음에 유의하여 축하하는 말들을 연습해 보세요. ㄱ과 ㅎ이 만나면 ㅋ소리가 됩니다.
Practice congratulatory words. When ㄱ meets ㅎ, it is pronounced ㅋ.

예) **축하해! [추카해]** - Congrats! **잘 됐다!** - Good for you!

축하해요! - 축하합니다! - 축하드려요! - 축하드립니다! - Congratulations!

8. **'~하다'**로 된 동사들을 연습해 보세요. 반말은 **'~해'**이고 반말에 **'요'**를 붙이면 존댓말이 됩니다. 'noun + 하다 (do)' makes a lot of verbs. 하다 turns into 해 as its informal form. Adding 요 makes it formal.

예) **도착하다 (arrive) - 도착해 - 도착해요**

시작하다 (begin) - 시작해 - 시작해요

안내하다 (guide) - 안내해 - 안내해요

인사하다 (greet) - 인사해 - 인사해요

주문하다 (order) - 주문해 - 주문해요

3권 5쪽

9. **'치다'**를 사용하는 표현을 연습해 보세요.
Practice the expressions that are used with 치다.

예)				
기타 치다	**손뼉 치다**	**커튼 치다**	**테니스 치다**	**피아노 치다**
play the guitar	clap	draw the curtains	play tennis	play the piano

10. **ㄴ 받침 의태어**를 연습해 보세요. Practice mimetic words with ㄴ bottom consonant.

예) **가만가만 고분고분 깐족깐족 군데군데 끈적끈적 도란도란 두근두근 두런두런 두리번두리번 드문드문 따끈따끈 뜨끈뜨끈 미끈미끈 매끈매끈 반드르르 반짝 반짝반짝 번드르르 번뜩 번쩍 번쩍번쩍 삐까뻔쩍 사근사근 사뿐사뿐 소곤소곤 수군수군 수군덕수군덕 시원시원 시큰시큰 쌔근쌔근 오순도순 옥신각신 우지끈 욱신욱신 자근자근 조곤조곤 지근지근 지근덕지근덕 지끈지끈 지분지분 짜잔 짠 쫀득쫀득 찐득찐득 차근차근 추근추근 치근덕치근덕 폭신폭신 푹신푹신 후끈후끈 희번덕희번덕 화끈화끈** 등

본문해설 **돋보기** Explanation

1. **지시어**와 그 **줄임말**을 연습해 보세요.
Practice 'this, that, the' in Korean and their shortened forms.

예1) **이것 (this) - 이것이 - 이거가 - 이게**
- 이것은 - 이거는 - 이건

저것 (that) - 저것이 - 저거가 - 저게
- 저것은 - 저거는 - 저건

그것 (the) - 그것이 - 그거가 - 그게
- 그것은 - 그거는 - 그건

3권 6쪽

예2) **이건가요?** - Is this it?
그게 아니라 - That's not it.
너 먹는 게 이거야? - Is this what you eat?
이건 내 거고, 저건 누구 거야? - This is mine, and whose is that?

2. **'뭐'**는 **'무엇'**을 줄인 말입니다. '무엇'의 줄인 형태를 연습해 보세요.
Practice the usage of 무엇 (what) and the shortened forms.

예1) **뭐 - 무엇** **뭐가 - 무엇이** **뭐는 - 무엇은**
뭘 - 뭐를 - 무엇을 **뭣 땜에 - 무엇 때문에**

예2) **뭐?** - What? **이게 뭐예요?** - What is this?
뭐가 어때서 그래? - What's wrong with it?
뭐는 되고, 뭐는 안 돼요? - Which is okay and which is not?
뭘 보니? - What are you looking at?
뭣 땜에 바빠? - What are you busy with?

3. 수단을 나타내는 **'~(으)로'**를 연습해 보세요. 받침 뒤에는 '으'를 붙입니다.
(으)로 after a noun shows that the noun is a means or a tool. It acts like 'by' or 'with'.

예) **숟가락으로 먹어야지.** - You should eat it with a spoon.
피아노로 연주해 보세요. - Try playing it on the piano.
손으로 테이프 뜯어도 돼요? - Can I remove the tape with my hands?

4. 동사로 명사를 꾸며 보세요. **명사 앞**에서 **'는'**은 현재를 나타내고, **'ㄴ'**(받침없는 동사) 혹은 **'은'**(받침있는 동사)은 과거를 나타냅니다.

Describe a noun with a verb. Before a noun, 는 means the present action, while ㄴ and 은 means the past action. 은 is for words with bottom consonants.

예1)

	(현재)	(과거)
보다 (see)	**보는**	**본**
사다 (buy)	**사는**	**산**
하다 (do)	**하는**	**한**

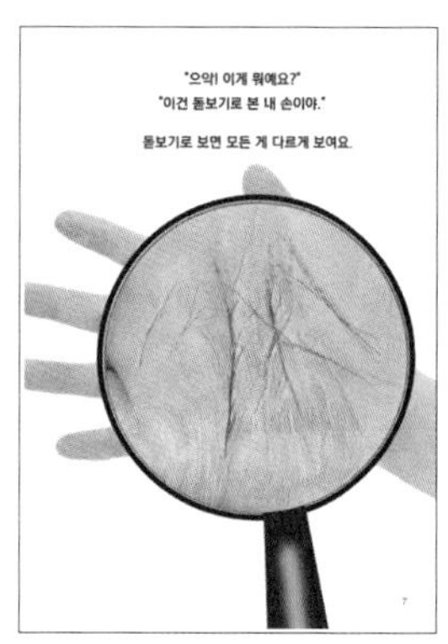

3권 7쪽

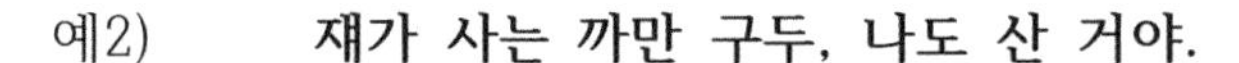
예2) **재가 사는 까만 구두, 나도 산 거야.**

- The black shoes she is buying,
  I bought them, too.

다 한 친구는 가고, 아직 하는 친구는 계속하세요.

- If you're done, leave.
  If you're still doing it, keep going.

이게 내가 만든 숟가락이야. - This is the spoon I made.

5. '~(으)면'을 붙여서 조건과 가정을 표현해 보세요. 받침 뒤에는 '으'를 넣습니다.

(으)면 makes 'if' clause. Practice conditional sentences with (으)면.

예1) **가다 - 가면** **오다 - 오면** **먹다 - 먹으면** **닫다 - 닫으면**

예2) **지금 오면 돼.** - It's okay if you come now.

그거 닫으면 더워. - It's hot if you close it.

커튼 걷으면 환해. - It's bright if you open the curtains.

거기 가면 안부 전해 줘. - Say hello when you get there.

본문해설 **비 오는 날** Explanation

1. 명사 앞 동사의 시제를 연습해 보세요.

'는'은 현재, '(으)ㄴ'은 과거, '(으)ㄹ'은 미래를 나타냅니다.

Practice the tense of verbs before a noun.
는 is for the present tense while ㄴ and 은 are for the past.
Use ㄹ and 을 for the future.

3권 8쪽

		(현재) present		(과거) past		(미래) future
예1)	**오다 (come) -**	**오는**	**-**	**온**	**-**	**올**
	주다 (give) -	**주는**	**-**	**준**	**-**	**줄**
	먹다 (eat) -	**먹는[멍는]**	**-**	**먹은**	**-**	**먹을**
	받다 (receive) -	**받는[반는]**	**-**	**받은**	**-**	**받을**

예2) **비 오는 날 (the day when rains) - 비 온 날 (rained) - 비 올 날 (will rain)**

선물 받는 곳 (where to receive the gift) - 선물 받은 곳 (received) - 선물 받을 곳 (will receive)

2. ㅗ, ㅜ로 된 동사의 활용을 복습해 보세요. 밝은 모음 'ㅗ'에는 밝은 소리인 '아'를 붙이고, 어두운 소리 'ㅜ'에는 어두운 소리인 '어'를 붙이는데, 줄여서 'ㅘ' 혹은 'ㅝ'가 됩니다. Practice the usage of verbs with ㅗ or ㅜ root. To make informal forms, add 아 to ㅗ since both are bright-sound vowels. Dark-sound 어 is added to ㅜ which is also a dark-sound vowel. They are shortened as 'ㅘ' or 'ㅝ'.

예1) **꼬다 꾸다 누다 두다 보다 배우다 쏘다 쑤다 오다 주다** 등

보다 - 보아 - 봐 - 봐서 - 봤어요 - 봤습니다

주다 - 주어 - 줘 - 줘서 - 줬어요 - 줬습니다

예2) **와 줘서 고마워.** - Thank you for coming.

한국어 배워서 한국으로 유학 갈래. - I want to study in Korea after learning Korean.

3. '~하다' 형용사를 연습해 보세요. Practice the usage of 하다 adjectives.

예) **가득하다** (be full) - 가득하고 - 가득하니까 - 가득하세요 - 가득한 (명사 앞) - 가득합니다 - 가득해 (반말) - 가득해서 - 가득했다 - 가득했습니다

행복하다 (be happy) - 행복하고 - 행복하니까 - 행복하세요 - 행복한 (명사 앞) - 행복합니다 - 행복해 (반말) - 행복해서 - 행복했다 - 행복했습니다

4. **'쓰다'**와 함께 사용하는 명사를 연습해 보세요. Practice some nouns which are used with 쓰다.

예1) **가면** mask **가발** wig **고글** goggle **모자** hat **선글라스** sunglasses **안경** glasses **양산** parasol **우산** umbrella **왕관** crown

예2) **이 모자 쓰세요.** - Put on this hat.

둘이 우산을 쓰고 걸어요. - The two walk under an umbrella.

5. 조건문을 만드는 **'~(으)면'**을 연습해 보세요. Practice conditional sentences with (으)면.

예) **밀면 열려.** - If you push it, it will open.

아프면 쉬어도 돼. - If you are sick, you can rest.

모르면 나한테 물어봐. - If you are not sure, ask me.

6. **'안 ~'**을 써서 **부정문**을 만들어 보세요. Practice using 안 which means 'not'.

예) **나 안 가도 돼요?** - Can I not go?

난 그거 안 할 거야. - I'm not gonna do that.

걔 오늘 학교 안 간대. - He (or She) says he (or she) won't go to school today.

7. **복수형** **'들'**을 연습해 보세요. 한국어에서는 복수형을 자주 생략합니다.
Practice plural suffix of 들. 들 is often omitted.

예) **친구 - 친구들** **아이 - 아이들 - 애들 - 어린이** **물건 - 물건들**

8. **의지 미래**인 **'(으)ㄹ래'**를 연습해 보세요.
앞 글자에 받침이 있으면 **'~을래'**를 쓰고, 받침이 없으면 **'ㄹ래'**를 씁니다.
To show speaker's plan or decision, put ㄹ래 or 을래 after the root of the verb.
을래 comes after a bottom consonant.

예1) **가다** (go) - **갈래** - **갈래요** - I will go.

배우다 (learn) - **배울래** - **배울래요** - I will learn.

쓰다 (use, write) - **쓸래** - **쓸래요** - I will write.

먹다 (eat) - **먹을래** - **먹을래요** - I am gonna eat.

받다 (receive) - **받을래** - **받을래요** - I will receive.

3권 9쪽

예2) **나도 한국어 배울래요.** - I am going to learn Korean, too.

오늘은 불고기 먹을래요. - I am going to eat bulgogi today.

친구들과 만들어 볼래요. - I'll try making it with my friends.

9. **ㄷ 규칙 동사**를 연습해 보세요. Practice the rules of ㄷ regular verbs.

예) **굳다 닫다 받다** (커튼을) **걷다** (돈을) **걷다 뻗다**
얻다 돋다 (손에, 땅에) **묻다 쏟다 뜯다 믿다**

> **반말·도·라·서·야·주세요·과거형**의 경우, ㅏ ㅗ 뒤에는 **'아'**를, ㅓ ㅜ ㅡ ㅣ 뒤에는 **'어'**를 붙입니다.
> **니까·라고·러·려·며·면·세요**(존대의 시)의 경우에는 **'으'**를 넣어야 합니다.
> ㄷ 받침 뒤에 ㄱ ㅅ ㅈ이 오면 ㄲ ㄸ ㅉ로 발음이 세지며, ㄴ이 오면 ㄷ 받침이 ㄴ 소리로 동화됩니다. ㅇ이 오면 받침은 연음됩니다.
> (예: 닫고 [닫꼬] 닫는다 [단는다] 닫습니다 [닫씀니다] 닫아 [다다])
>
> For 반말·도·라·서·야·주세요·과거형, put 아 after ㅏ ㅗ and put 어 after ㅓ ㅜ ㅡ ㅣ.
> For 니까·라고·러·려·며·면·세요 (formal 시), you should put 으 after the root.
> After ㄷ bottom consonant, ㄱ, ㅅ, ㅈ are pronounced as ㄲ, ㄸ, ㅉ.
> And ㄴ assimilates ㄷ into ㄴ sound.

예) **닫다** (close)

닫 : 닫고 - 닫겠다 - 닫는다 (현재형) - 닫니 - 닫네 - 닫습니다 - 닫자 - 닫지
닫아 : 닫아 (반말) - 닫아도 - 닫아라 - 닫아서 - 닫아야 - 닫아 주세요 - 닫았다 (과거형) - 닫았습니다
닫으 : 닫으니까 - 닫으라고 - 닫으러 - 닫으려 - 닫으며 - 닫으면 - 닫으세요
명사 앞 : 닫는 (현재) - 닫은 (과거) - 닫던, 닫았던 (과거의 습관, 경험) - 닫을 (미래)

얻다 (get)

얻 : 얻고 - 얻겠다 - 얻는다 (현재형) - 얻니 - 얻네 - 얻습니다 - 얻자 - 얻지
얻어 : 얻어 (반말) - 얻어도 - 얻어라 - 얻어서 - 얻어야 - 얻어 주세요 - 얻었다 (과거형) - 얻었습니다
얻으 : 얻으니까 - 얻으라고 - 얻으러 - 얻으려 - 얻으며 - 얻으면 - 얻으세요
명사 앞 : 얻는 (현재) - 얻은 (과거) - 얻던, 얻었던 (과거의 습관, 경험) - 얻을 (미래)

10. 동사와 형용사는 쓰임에 따라 수많은 **어미 변화**를 합니다. 방언과 신조어까지 합치면 더욱 다양한 어미 변화가 가능합니다. 다음은 그 **활용**의 예입니다.

There are numerous changes in the ending of a verb or an adjective depending on its different rules and uses. There are even more changes if you add dialects and newly coined words. The following are the examples. Bold ones are frequently used changes.

예1) **하다** (do)

하거나-하거늘-하거니-하거니와-하거던-하거든-하거들랑-하거라-하건대-하겄냐-하겄네-하
겄다-하겄어-**하고**-하고 나다-**하고는**-**하고도**-하고라도-하고만-**하고말고**-하고부터-**하고서**-하
고서는-하고서도-하고서야-하고야-하고에-**하고 있다**-하고자-하고저-하고파-하고파라-하고
프다-하고픈-하곤-**하구**-하구나-하구려-하구마-하구먼-**하기**-**하기가**-하기나-**하기는**-**하기도**-
하기라도-하기를-**하기만**-하기만이라도-하기보다-하기부터-하기야-**하기에**-하기조차-하긴-하
길-**하길래**-**하게**-하게끔-하게나-하겠거나-하겠거늘-하겠거니-하겠거니와-하겠거던-하겠거든
-하겠거들랑-**하겠고**-하겠구-**하겠구나**-하겠구려-하겠구마-하겠구먼-**하겠군**-하겠기-하겠기가
-하겠기나-하겠기는-하겠기도-하겠기라도-하겠기를-하겠기만-하겠기보다-하겠기부터-하겠
기야-하겠기에-하겠기조차-하겠긴-하겠길-하겠길래-하겠게-하겠게끔-**하겠나**-하겠나가-하겠
나니-하겠나를-하겠나만-하겠나보다-하겠나부터-하겠나야-하겠나이다-**하겠냐**-하겠냐가-하
겠냐는-하겠냐니-하겠냐니까-하겠냐라도-하겠냐를-하겠냐마는-하겠냐만-하겠냐에-하겠노니
-하겠노라-하겠느냐-하겠느뇨-하겠느니-하겠느니라-**하겠는**-하겠는가-하겠는가가-하겠는가
는-하겠는가도-하겠는가라도-하겠는가를-하겠는가야-하겠는가에-하겠는감-하겠는걸-하겠는
고-하겠는들-하겠는데-**하겠는지**-하겠는지가-하겠는지나-하겠는지는-하겠는지도-하겠는지라
도-하겠는지를-하겠는지만-하겠는지만이라도-하겠는지보다-하겠는지부터-하겠는지야-**하겠
니**-하겠네-하겠네만-**하겠다**-하겠다가-하겠다가는-하겠다거나-**하겠다고**-하겠다고나-하겠다
고는-하겠다고도-하겠다구-하겠다나-하겠다냐-하겠다느냐-하겠다느니-**하겠다는**-하겠다는가
-하겠다는걸-하겠다는고-**하겠다는데**-하겠다는데도-하겠다는지-하겠다는지가-하겠다는지도-
하겠다는지만-하겠다니-하겠다니까-하겠다네-하겠다네만-하겠다더구나-하겠다더구려-하겠
다더구마-하겠다더구먼-하겠다더군-하겠다더냐-하겠다더니-하겠다더니라-하겠다더니만-하
겠다더라-하겠다더라냐-하겠다더라도-하겠다더라만-하겠다더만-**하겠다던**-하겠다던가-하겠
다던고-하겠다던들-하겠다던데-하겠다던지라-하겠다드니-하겠다드라-하겠다든-하겠다든가-
하겠다든데-**하겠다든지**-하겠다마는-하겠다만-하겠다며-**하겠다면**-하겠다면서-하겠다면야-하
겠다매-하겠다오-하겠다오만-하겠다우-하겠다잖나-하겠다잖냐-하겠다잖니-하겠다잖소-하겠
다잖습니까-하겠다잖아-하겠다죠-하겠다지-하겠다지마는-**하겠다지만**-하겠다지만도-하겠다
지야-하겠다 한다-**하겠단**-**하겠단다**-하겠단다고-하겠단들-하겠달-하겠달까-하겠달껴-하겠달
꼬-하겠달지-하겠답니까-**하겠답니다**-하겠답디까-하겠답디다-하겠답시고-하겠더구나-하겠더

구려-하겠더구마-하겠더구먼-하겠더군-하겠더냐-하겠더냐고-하겠더냐니까-하겠더니-하겠더
니라-**하겠더라**-하겠더라고-하겠더라나-하겠더라니-하겠더라니까-하겠더라네-하겠더라도-하
30 겠더라며-하겠더라면-하겠더라면서-하겠더래-하겠더래고-하겠더래도-하겠더래니까-하겠더
래서-하겠더만-하겠더이다-하겠던-하겠던가-하겠던고-하겠던들-**하겠던데**-하겠던지-하겠던
지라-하겠던지라도-하겠던지야-하겠도다-하겠도록-하겠드나-하겠드냐-하겠드니-하겠드니라
-하겠드라-하겠든-하겠든가-하겠든데-하겠든지-하겠디-하겠디까-하겠디다-**하겠대**-하겠대고
-하겠대나-하겠대니까-하겠대도-하겠대며-하겠대서-하겠대서야-하겠대지-하겠댄다-하겠댄
35 다고-하겠댄달-하겠댄달까-하겠댄달껴-하겠댄달꼬-하겠댄달지-하겠댄들-하겠댔거나-하겠댔
고-하겠댔구나-하겠댔구려-하겠댔구먼-하겠댔군-하겠댔다-하겠댔다가-하겠댔다고-하겠댔다
구나-하겠댔다구려-하겠댔다구마-하겠댔다구먼-하겠댔다군-하겠댔다며-하겠댔다면-하겠댔
다면서-하겠댔더구나-하겠댔더구려-하겠댔더구마-하겠댔더구먼-하겠댔더군-하겠댔더만-하
겠댔더이다-하겠댔소-하겠댔수-하겠댔습니까-하겠댔습니다-하겠댔습디까-하겠댔습디다-하
40 겠댔어-하겠댔어도-하겠댔어서-하겠댔오-하겠댔우-하겠댔으니-하겠댔으니까-하겠댔으며-하
겠댔으면-하겠댔으면서-하겠댔으면야-하겠댔으므로-하겠댔잖나-하겠댔잖냐-하겠댔잖니-하
겠댔잖소-하겠댔잖습니까-하겠댔잖아-하겠댔죠-하겠댔지-하겠댔지만-하겠댔지만도-하겠데-
하겠데니까-하겠데도-하겠데서-하겠사오나-하겠사오니-하겠사옵니다-하겠소-하겠소냐-하겠
소냐만-하겠소만-하겠소이다-하겠습니까-**하겠습니다**-하겠습디까-하겠습디다-**하겠어**-하겠어
45 도-하겠어서-하겠어서라기보다-하겠어야-하겠어야만-하겠었거나-하겠었거늘-하겠었거니-하
겠었거니와-하겠었고-하겠었구나-하겠었구려-하겠었구마-하겠었구먼-하겠었군-하겠었기-하
겠었기가-하겠었기나-하겠었기에-하겠었길래-하겠었나-하겠었냐-하겠었느냐-하겠었느뇨-하
겠었느니-하겠었는-하겠었는가-하겠었는감-하겠었는걸-하겠었는데-하겠었는지-하겠었니-하
겠었네-하겠었다는-하겠었다는데-하겠었다는데도-하겠었단-하겠었단다-하겠었답니까-하겠
50 었답니다-하겠었답디까-하겠었답디다-하겠었답시고-하겠었더구나-하겠었더구려-하겠었더구
마-하겠었더구먼-하겠었더군-하겠었더냐-하겠었더니-하겠었더니라-하겠었더라-하겠었더라
나-하겠었더라니-하겠었더라니까-하겠었더라네-하겠었더라도-하겠었더만-하겠었더라며-하
겠었더라면-하겠었더라면서-하겠었더래-하겠었더래도-하겠었더래서-하겠었더이다-하겠었더
만-하겠었던-하겠었던가-하겠었던고-하겠었던들-하겠었던데-하겠었던지-하겠었도다-하겠었
55 드라-하겠었든-하겠었든가-하겠었든데-하겠었든지-하겠었디-하겠었디까-하겠었디다-하겠었
대-하겠었대고-하겠었대나-하겠었대니까-하겠었대다가-하겠었대도-하겠었대며-하겠었대서-
하겠었대서야-하겠었대지-하겠었댄다-하겠었댔다-하겠었댔다가-하겠었댔소-하겠었댔소만-
하겠었댔습니까-하겠었댔습니다-하겠었댔습디까-하겠었댔습디다-하겠었댔어-하겠었댔어도-
하겠었데-하겠었데니까-하겠었데도-하겠었데서-하겠었사오나-하겠었사오니-하겠었사옵니다
60 -하겠었소-하겠었소만-하겠었우-하겠었습니까-하겠었습니다-하겠었습디까-하겠었습디다-하

겠었어-하겠었어도-하겠었어서-하겠었으나-하겠었으니-하겠었으니까-하겠었으며-하겠었으면-하겠었으면야-하겠었으므로-하겠었으매-하겠었음-하겠오-하겠우-하겠으나-하겠으니-하겠으니까-하겠으라-하겠으라고-하겠으랄-하겠으랄까-하겠으랄껴-하겠으랄꼬-하겠으랄지-하겠으리-하겠으리니-하겠으리다-하겠으리오-하겠으며-하겠으면-하겠으면서-하겠으면서도-하

65 겠으면야-하겠으면은-**하겠으므로**-하겠으믄-하겠으매-하겠을-하겠을걸-하겠을까-하겠을껴-하겠을꼬-하겠을라-하겠을라고-하겠을라구-하겠을려고-하겠을려구-하겠을려나-하겠을려니-하겠을려면-하겠을려면야-하겠을지-하겠을지라-하겠을지라도-하겠을진대-하겠음-하겠잖나-하겠잖냐-하겠잖니-하겠잖소-하겠잖습니까-하겠잖습디까-하겠잖아-하겠죠-하겠지-하겠지마는-하겠지만-하겠지만도-하겠지만서도-하겠지야-**하나**-하나가-하나니-하나를-하나만-하나보

70 다-하나부터-하나에-하나이다-**하냐**-하냐가-하냐고-하냐구-하냐느니-하냐는-하냐니까-하냐도-하냐를-하냐마는-하냐만-하냐며-**하냐면**-하냐면서-하냐면은-하냐보다-하냐부터-하냐야-하냐에-하냐조차-하노-하노니-하노니라-하노라-**하느냐**-하느냐가-하느냐고-하느냐느니-하느냐는-하느냐니-하느냐니까-하느냐도-하느냐를-하느냐만-하느냐며-하느냐면-하느냐보다-하느냐부터-하느냐면서-하느냐야-하느냐에-하느냐에서-하느냐조차-하느뇨-**하느니**-하느니라-

75 하느라-**하느라고**-**하는**-**하는가**-하는가가-하는가까지-하는가나-하는가는-하는가도-하는가라도-하는가를-하는가만-하는가만이라도-하는가보다-하는가부터-하는가야-하는가에-하는가조차-하는감-하는걸-하는고-**하는구나**-하는구려-하는구마-하는구먼-하는군-**하는데**-하는데다가-**하는데도**-하는뎁쇼-**하는지**-하는지가-하는지나-하는지는-하는지도-하는지라-하는지라도-하는지를-하는지만-하는지만이라도-하는지보다-하는지부터-하는지야-하는지에-하는지조차-**하**

80 **니**-**하니까**-**하네**-하네만-**하다**-하다가-**하다가는**-하다가도-하다니-하다마다-하다만-하다시피-하더구나-하더구려-하더구마-하더구먼-하더군-하더나-하더냐-하더냐고-**하더니**-하더니라-하더니마는-하더니만-**하더라**-하더라고-하더라나-하더라니-하더라니까-하더라니만-하더라네-하더라네만-**하더라도**-하더라만-하더라며-하더라면-하더라면서-하더라면서도-하더라면야-하더래-하더래니까-하더래도-하더래서-하더만-하더이다-**하던**-하던가-하던고-하던들-**하던데**

85 -**하던지**-하던지나-하던지도-하던지라도-하던지를-하던지만-하던지만이라도-하던지보다-하던지부터-하던지야-하던지에-하던지조차-하도다-**하도록**-하드냐-하드니-하드라-하드라고-**하든**-**하든가**-**하든데**-**하든지**-**하디**-하대-하데-**하라**-하라거나-**하라고**-하라구-하라기-하라기가-하라기나-하라기는-하라기도-하라기라도-하라기만-하라기보다-하라기부터-하라기야-하라기에-하라나-하라느냐-하라느니-**하라는**-하라는가-하라는대-하라는대도-**하라는데**

90 -**하라는데도**-**하라는지**-하라는지는-하라는지도-하라는지만-하라는지야-**하라니**-**하라니까**-하라네-하라더구나-하라더구려-하라더구마-하라더구먼-하라더군-**하라던**-하라던가-하라던고-**하라던데**-하라던지-하라든-하라든가-하라든데-하라든지-하라디-하라대-**하라며**-**하라면**-**하라면서**-하라매-하라지-**하란**-

하란다-하란다고-하란단다-하란단다고-하란답니까-하란답니다-하란답니까-하란답디다-하란
95 답시고-하란들-하랄-하랄까-하랄껴-하랄꼬-하랄 거다-**하랄지**-하랄지도-하랄 테다-**하러**-하려
거나-**하려고**-하려구-**하려나**-**하려니**-하려니까-**하려면**-하려무나-하렴-**하래**-**하래도**-하래서-
하랜다-하랜단다-하랜단다고-하랜단들-하랬나-하랬냐-하랬냐고-하랬느냐-하랬느니-하랬다-
하랬다고-하랬다나-하랬다냐-하랬다느냐-하랬다느니-하랬다더구나-하랬다더냐-하랬다더라-
하랬다더이다-하랬다던-하랬다잖나-하랬다잖냐-하랬다잖니-하랬다잖습니까-하랬다잖습디까
100 -하랬다죠-하랬다지-하랬단다-하랬단다고-하랬답니까-하랬답니다-하랬답디까-하랬답디다-
하랬답시고-하랬더구나-하랬더구려-하랬더구마-하랬더구먼-하랬더군-하랬더라-하랬더라니-
하랬더라니까-하랬더라도-하랬더라면-하랬더래서-하랬대-하랬대고-하랬대니까-하랬대도-하
랬대면-하랬대서-하랬대서야-하랬데-하랬데니까-하랬데도-하랬데서-하랬데지-**하랬어**-하랬
어도-하랬어서-하랬어야-하랬으나-하랬으니-**하랬으니까**-**하랬으며**-**하랬으면**-하랬으면서-하
105 랬으면야-하랬잖나-하랬잖냐-하랬잖니-하랬잖습니까-하랬잖습니까-**하랬잖아**-하랬죠-**하랬지**
-하랬지만는-하랬지만-**하며**-**하면**-**하면서**-하면서도-하면야-**하면은**-하믄-하삼-**하셔(하시어**의
준말)-하셔도-**하셔서**-하셔서는-하셔서도-**하셔야**-하셔야만-하셔야잖나-하셔야잖냐-하셔야잖
니-하셔야잖소-하셔야잖습니까-하셔야잖습디까-하셔야잖아-**하셔야죠**-**하셔야지**-하셔야지마
는-하셔야지만-하셔야지만도-하셔야지만은-**하셨거나**-**하셨고**-**하셨구나**-하셨구려-하셨구마-
110 하셨군-**하셨기**-하셨기나-하셨기도-하셨기라도-하셨기를-하셨기만-하셨기야-하셨기에-하셨
길-**하셨길래**-하셨게-하셨게끔-하셨겠거나-**하셨겠고**-**하셨겠구나**-하셨겠구려-하셨겠구마-하
셨겠군-하셨겠나-**하셨겠냐**-하셨겠느냐-하셨겠느뇨-하셨겠느니-하셨겠느니라-하셨겠는-하셨
겠는가-하셨겠는감-하셨겠는걸-하셨겠는고-하셨겠는들-**하셨겠는데**-하셨겠는데도-하셨겠는
지-하셨겠는지라-하셨겠는지라도-하셨겠니-하셨겠네-하셨겠네만-**하셨겠다**-하셨겠다거나-하
115 셨겠다거든-하셨겠다거들랑-하셨겠다고-하셨겠다니-하셨겠다니까-하셨겠다더구나-하셨겠다
더구려-하셨겠다더구마-하셨겠다더구먼-하셨겠다더군-하셨겠다마다-하셨겠다며-**하셨겠다면**
-하셨겠다면서-하셨겠다면서도-하셨겠다면야-하셨겠다면은-하셨겠다오-하셨겠단다-하셨겠
단다고-하셨겠달-하셨겠달까-하셨겠달지-하셨겠더구나-하셨겠더구려-하셨겠더구마-하셨겠
더구먼-하셨겠더군-하셨겠더냐-하셨겠더니-하셨겠더니라-**하셨겠더라**-하셨겠더라고-하셨겠
120 더라니-하셨겠더라니까-하셨겠더라도-하셨겠더라며-하셨겠더라면-하셨겠더라서-하셨겠더래
-하셨겠더래니까-하셨겠더래도-하셨겠더래서-하셨겠더래서야-하셨겠더만-하셨겠더이다-**하
셨겠던**-하셨겠던가-하셨겠던고-하셨겠던들-하셨겠던데-하셨겠던지-하셨겠도다-하셨겠도록-
하셨겠드나-하셨겠드냐-하셨겠드라-하셨겠든-하셨겠든가-하셨겠든데-하셨겠든지-하셨겠대-
하셨겠대고-하셨겠대니-하셨겠대도-하셨겠대며-하셨겠대서-하셨겠대서야-하셨겠데-하셨겠
125 데니까-하셨겠데도-하셨겠데서-하셨겠소-하셨겠소만-**하셨겠습니까**-하셨겠습니다-하셨겠습
디까-하셨겠습디다-**하셨겠어**-하셨겠어도-하셨겠어서-하셨겠우-**하셨겠으나**-하셨겠으니까-

하셨겠으며-하셨겠으면-하셨겠으므로-하셨겠을-하셨겠을걸-하셨겠을까-하셨겠을껴-하셨겠을꼬-하셨겠을라-하셨겠을라고-하셨겠을라구-하셨겠을라나-하셨겠을려고-하셨겠을려구-하셨겠을려니-하셨겠을려면-하셨겠을려면야-하셨겠음-하셨겠잖나-하셨겠잖냐-하셨겠잖니-하

130 셨겠잖소-하셨겠잖습니까-하셨겠잖습디까-하셨겠잖아-**하셨겠죠**-하셨겠지-하셨겠지마는-**하셨겠지만**-하셨겠지만도-**하셨기**-하셨기가-하셨기나-하셨기는-하셨기도-하셨기라도-하셨기를-하셨기만-하셨기보다-하셨기부터-하셨기야-하셨기에-하셨기조차-하셨긴-하셨길-**하셨길래**-**하셨나**-하셨냐-하셨느냐-하셨느뇨-하셨느니-하셨느니라-**하셨는**-하셨는가-하셨는감-하셨는걸-하셨는고-**하셨는데**-하셨는데도-**하셨는지**-하셨는지가-하셨는지도-하셨는지라도-하셨는지

135 만-하셨는지야-하셨는지에-**하셨니**-하셨네-하셨네만-**하셨다**-하셨다거나-하셨다고-하셨다니-하셨다니까-하셨다더구나-하셨다더구려-하셨다더구마-하셨다더구먼-하셨다더군-하셨다마는-하셨다마다-하셨다만-하셨다시피-하셨다며-**하셨다면**-하셨다면서-하셨다면서도-하셨다면야-하셨다면은-하셨다매-하셨다잖나-하셨다잖냐-하셨다잖니-하셨다잖소-하셨다잖습니까-하셨다잖아-**하셨다죠**-하셨다지-하셨다지마는-하셨다지만-하셨다지만은-하셨다지야-하셨다 한다-

140 **하셨단**-하셨단다-하셨단다고-하셨단들-하셨달-하셨달까-하셨달지-하셨답니까-**하셨답니다**-하셨답디까-하셨답디다-하셨답시고-하셨더구나-하셨더구려-하셨더구마-하셨더구먼-하셨더군-하셨더냐-하셨더니-하셨더니라-하셨더니만-**하셨더라**-하셨더라도-하셨더래-하셨더래도-하셨더만-하셨더이다-**하셨던**-하셨던가-하셨던고-하셨던들-**하셨던데**-하셨던지-하셨도다-하셨드나-하셨드냐-하셨드라-**하셨든**-하셨든가-하셨든데-하셨든지-**하셨대**-하셨대니까-하셨대

145 고-하셨대도-하셨대며-하셨대서-하셨대서야-하셨댄다-하셨댔거나-하셨댔고-하셨댔구나-하셨댔구려-하셨댔구먼-하셨댔군-하셨댔다-하셨댔다가-하셨댔다고-하셨댔다구나-하셨댔다구려-하셨댔다구마-하셨댔다구먼-하셨댔다군-하셨댔다며-하셨댔다면-하셨댔다면서-하셨댔소-하셨댔습니까-하셨댔습니다-하셨댔습디까-하셨댔습디다-**하셨댔어**-하셨댔어도-하셨댔어서-하셨댔오-하셨댔우-하셨댔으니-하셨댔으니까-하셨댔으며-하셨댔으면-하셨댔으면서-하셨댔

150 으면야-하셨댔으므로-하셨댔잖나-하셨댔잖냐-하셨댔잖니-하셨댔잖소-하셨댔잖습니까-하셨댔잖아-하셨댔죠-하셨댔지-하셨댔지만-하셨댔지만도-하셨데-하셨데니까-하셨데도-하셨데면-하셨데서-하셨소-하셨소이까-하셨소이다-하셨습니까-**하셨습니다**-하셨습디까-**하셨습디다**-**하셨어**-하셨어도-하셨어서-**하셨어야**-하셨어야만-하셨어야지-하셨어야지만-**하셨었거나**-하셨었거늘-하셨었거던-하셨었거든-하셨었거들랑-**하셨었고**-하셨었구나-하셨었구려-하셨었구마-

155 하셨었구먼-하셨었군-하셨었길-하셨었길래-하셨었게-하셨었겠거나-하셨었겠고-하셨었겠나-**하셨었겠냐**-하셨었겠는-하셨었겠는가-하셨었겠는감-하셨었겠는걸-하셨었겠는고-하셨었겠는들-하셨었겠는지-하셨었겠니-하셨었겠네-하셨었겠네만-하셨었겠다-하셨었겠다고-하셨었겠다며-**하셨었겠**

160 **다면**-하셨었겠다면서-하었겠다면은-하셨었겠다지-하셨었겠다지만-하셨었겠다 한다-하셨었겠더구나-하셨었겠더구려-하셨었겠더구마-하셨었겠더구먼-하셨었겠더군-하셨었겠더냐-하셨었겠더라-하셨었겠더라도-하셨었겠더만-하셨었겠던-하셨었겠던데-하셨었겠던지-하셨었겠느라-하셨었겠든-하셨었겠든가-하셨었겠든데-하셨었겠든지-하셨었겠소-하셨었겠습니까-하셨었겠습니다-하셨었겠습디까-하셨었겠습디다-하셨었겠어-하셨었겠어서-하셨었겠으나-하셨었겠

165 으니-하셨었겠으니까-하셨었겠으며-하셨었겠으면-하셨었겠으므로-하셨었겠잖나-하셨었겠잖냐-하셨었겠잖니-하셨었겠잖소-하셨었겠잖습니까-하셨었겠잖아-**하셨었겠죠**-하셨었겠지-하셨었겠지마는-**하셨었겠지만**-하셨었겠지만도-**하셨었나**-하셨었나도-하셨었나라도-하셨었나만도-하셨었나보다도-하셨었나야-하셨었는-하셨었는가-하셨었는감-하셨었는걸-하셨었는고-하셨었는들-**하셨었는데**-**하셨었니**-하셨었네-**하셨었다**-**하셨었다니**-하셨었다니까-하셨었다며-**하**

170 **셨었다면**-하셨었다면서-하셨었다면야-하셨었다시피-하셨었다잖나-하셨었다잖냐-하셨었다잖니-하셨었다잖소-하셨었다잖습니까-하셨었다잖아-하셨었다죠-하셨었다지-하셨었다지만-하셨었다 한다-하셨었단-하셨었단다-하셨었단다고-하셨었단들-하셨었달-하셨었달까-하셨었달지-하셨었답니까-하셨었답니다-하셨었답디까-하셨었답디다-하셨었더구나-하셨었더구려-하셨었더구마-하셨었더구먼-하셨었더군-하셨었더라-하셨었더라고-하셨었더라니-하셨었더라니

175 까-하셨었더라만-하셨었더라면-하셨었더란-하셨었더란다-하셨었더랍니까-하셨었더랍니다-하셨었더래-하셨었더래도-하셨었더래서-하셨었더만-하셨었더이다-**하셨었던**-하셨었던가-하셨었던고-하셨었던들-**하셨었던데**-하셨었던데도-하셨었던지-하셨었던지도-하셨었던지라-하셨었던지라도-하셨었던지만-하셨었던지야-하셨었도다-하셨었드나-하셨었드냐-하셨었드라-하셨었든-하셨었든데-하셨었든지-**하셨었대**-하셨었대고-하셨었대도-하셨었대며-하셨었대서-

180 하셨었대서야-하셨었댄다-하셨었댔다-하셨었댔다가-하셨었댔다니까-하셨었댔다며-하셨었댔으니까-하셨었댔으면-하셨었댔지만-**하셨었데**-하셨었데니-하셨었데니까-하셨었데도-하셨었데서-하셨었소-하셨었습니까-**하셨었습니다**-하셨었습디까-하셨었습디다-**하셨었어**-하셨었어도-하셨었어서-하셨었어야-하셨었어야만-**하셨어야지**-하셨어야지만-하셨었오-하셨었오만-하셨었우-하셨었으나-하셨었으니-하셨었으니까-하셨었으며-**하셨었으면**

185 -하셨었으므로-하셨었음-하셨었잖나-하셨었잖냐-하셨었잖니-하셨었잖소-하셨었잖습니까-하셨었잖습디까-하셨었잖아-**하셨었죠**-하셨었지-하셨었지마는-하셨었지만-하셨었지만도-하셨우-**하셨으나**-하셨으니-**하셨으니까**-**하셨으며**-**하셨으면**-하셨으면서-하셨으면서도-**하셨으므로**-하셨으매-**하셨을**-하셨을 거다-**하셨을걸**-**하셨을까**-

190 하셨을껴-하셨을꼬-하셨을까나-하셨었을라-하셨었을라고-하셨었을라구-하셨었을라나-하셨었을려고-하셨었을려구-하셨었을려면-하셨었을려면야-**하셨을지**-하셨을지가-하셨을지도-하셨을지라-하셨을지라도-하셨을지를-하셨을지야-하셨을 테다-하셨음-하셨잖나-하셨잖냐-하셨

잖니-하셨잖소-**하셨잖습니까**-하셨잖습디까-하셨잖아-**하셨죠**-하셨지-하셨지마는-**하셨지만**-
하셨지만도-하셨지만은-하소-하소서-하쇼-하슈-**하시거나**-하시거니-하시거니와-하시거던-하
195 시거든-하시거들랑-하시겄냐-하시겄네-하시겄다-하시겄어-**하시고**-하시고는-하시고도-**하시**
고말고-하시고부터-하시고서-하시고서는-하시고서도-하시고서야-하시고야-하시고에-**하시고**
있다-**하시고자**-하시고저-하시고파-하시고파라-하시고프다-하시고픈-하시구-하시구나-하시
구려-하시구마-하시구먼-하시군-**하시기**-하시기가-하시기나-하시기도-하시기라도-하시기를-
하시기만-하시기보다-하시기부터-하시기야-하시기에-하시기조차-**하시긴**-**하시길**-**하시길래**-
200 하시게-**하시게끔**-하시게나-하시겠거나-하시겠거늘-**하시겠거니**-하시겠거니와-하시겠고-하시
겠구나-하시겠구려-하시겠구마-하시겠군-하시겠기-하시겠기가-하시겠기나-하시겠기도-하시
겠기라도-하시겠기를-하시겠기만-하시겠기보다-하시겠기부터-하시겠기야-하시겠기에-하시
겠기조차-하시겠긴-하시겠길-하시겠길래-하시겠게끔-**하시겠나**-하시겠냐-하시겠노니-하시겠
노라-**하시겠는**-하시겠는걸-**하시겠는데**-**하시겠는지**-하시겠니-하시겠네-하시겠네만-**하시겠다**
205 -하시겠다거나-하시겠다고-하시겠다고는-하시겠다나-하시겠다냐-하시겠다느냐-하시겠다느
니-하시겠다는-하시겠다는가-하시겠다는걸-하시겠다는고-하시겠다는데-하시겠다는데도-하
시겠다는지-하시겠다는지가-하시겠다는지도-하시겠다는지만-하시겠다니-하시겠다니까-하시
겠다네-하시겠다네만-하시겠다더구나-하시겠다더구려-하시겠다더구마-하시겠다더구먼-하시
겠다더군-하시겠다더냐-하시겠다더니-하시겠다더라-하시겠다더라도-하시겠다더만-하시겠다
210 던-하시겠다던가-하시겠다던고-하시겠다던들-**하시겠다던데**-하시겠다던지-하시겠다드라-하
시겠다든-하시겠다든가-하시겠다든데-하시겠다든지-하시겠다만-하시겠다며-하시겠다면-**하**
시겠다면서-하시겠다면야-하시겠다매-하시겠다오-하시겠다오만-하시겠다잖나-하시겠다잖냐
-하시겠다잖니-하시겠다잖소-하시겠다잖습니까-하시겠다잖아-하시겠다죠-하시겠다지-하시
겠다지마는-하시겠다지만-하시겠다지만도-**하시겠단**-하시겠단다-하시겠단다고-하시겠단들-
215 하시겠달-하시겠달까-하시겠달껴-하시겠달꼬-하시겠달지-하시겠달지도-하시겠답니까-**하시**
겠답니다-하시겠답디까-하시겠답디다-하시겠답시고-하시겠더구나-하시겠더구려-하시겠더구
마-하시겠더구먼-하시겠더군-하시겠더냐-하시겠더니-하시겠더니라-하시겠더네만-**하시겠더**
라-하시겠더라니-하시겠더라니까-하시겠더라네-하시겠더라네만-하시겠더라며-하시겠더라면
-하시겠더라면서-하시겠더만-하시겠더이다-하시겠던-하시겠던가-하시겠던데-하시겠던지-하
220 시겠도다-하시겠드나-하시겠드라-하시겠든-하시겠든가-하시겠든데-하시겠든지-하시겠디-하
시겠대-하시겠대고-하시겠대나-하시겠대니까-하시겠대도-하시겠대며-하시겠대서-하시겠대
서야-하시겠대지-하시겠댄다-하시겠댄들-하시겠댔다-하시겠댔다가-하시겠댔어-하시겠댔어
도-하시겠댔어서-하시겠댔으니-하시겠댔으니까-하시겠댔으며-
하시겠댔으면-하시겠댔으므로-하시겠데-하시겠데니까-하시겠데
225 도-하시겠데서-**하시겠소**-하시겠소냐-하시겠소냐만-하시겠소만-

하시겠소이다-**하시겠습니까**-하시겠습니다-하시겠습디까-하시겠습디다-하시겠어-하시겠어도-하시겠어서-하시겠어서라기보다-하시겠어야-하시겠었거나-하시겠었거늘-하시겠었거니-하시겠었거니와-하시겠었고-하시겠었구나-하시겠었구려-하시겠었구마-하시겠었군-하시겠었기-하시겠었기에-하시겠었긴-하시겠었길래-하시겠었게끔-하시겠었나-**하시겠었냐**-하시겠었는-

230 하시겠었는가-하시겠었는감-하시겠었는걸-하시겠었는고-하시겠었는들-하시겠었는데-하시겠었는지-하시겠었는지라-하시겠었는지야-하시겠었니-하시겠었다-하시겠었다거나-하시겠었다고-하시겠었다나-하시겠었다냐-하시겠었다는-하시겠었다는데-하시겠었다니-하시겠었다니까-하시겠었다네-하시겠었다더구나-하시겠었다더구려-하시겠었다더구마-하시겠었다더구먼-하시겠었다더군-하시겠었다더냐-하시겠었다더라도-하시겠었다더만-하시겠었다던-하시겠었다

235 던가-하시겠었다던고-하시겠었다던들-하시겠었다던데-하시겠었다던지-하시겠었다드라-하시겠었다든-하시겠었다만-하시겠었다며-하시겠었다면-하시겠었다면서-하시겠었다면서도-하시겠었다면야-하시겠었다면은-하시겠었다매-하시겠었다잖아-하시겠었다죠-하시겠었다지-하시겠었다지마는-하시겠었다지만-하시겠었단-하시겠었단다-하시겠었단다고-하시겠었단들-하시겠었달-하시겠었달까-하시겠었달껴-하시겠었달꼬-하시겠었달지-하시겠었답니까-하시겠었답

240 니다-하시겠었더구나-하시겠었더구려-하시겠었더구마-하시겠었더구먼-하시겠었더군-하시겠었더냐-하시겠었더라-하시겠었더라니-하시겠었더라니까-하시겠었더라네-하시겠었더라도-하시겠었더만-하시겠었더라며-하시겠었더라면-하시겠었더라면서-하시겠었더래-하시겠었던-하시겠었던가-하시겠었던데-하시겠었던지-하시겠었도다-하시겠었드라-하시겠었든-하시겠었든가-하시겠었든데-하시겠었든지-하시겠었디-하시겠었디까-하시겠었디다-하시겠었대-하시겠

245 었데-하시겠었소-하시겠었소만-하시겠었수-하시겠었습니까-하시겠었습니다-하시겠었습디까-하시겠었습디다-하시겠었어-**하시겠었어도**-하시겠었어서-하시겠었으나-하시겠었지-하시겠었지마는-하시겠었지만-하시겠우-**하시겠으나**-하시겠으니-**하시겠으니까**-하시겠으라-하시겠으라고-하시겠으랄-하시겠으랄까-하시겠으랄껴-하시겠으랄꼬-하시겠으랄지-하시겠으랴-하시겠으리-하시겠으리니-하시겠으리오-**하시겠으며**-**하시겠으면**-하시겠으면서-하시겠으면서도

250 -하시겠으면은-**하시겠으므로**-하시겠으매-하시겠을-하시겠을걸-하시겠을까-하시겠을껴-하시겠을꼬-하시겠을라나-하시겠을라고-하시겠을라구-하시겠을려고-하시겠을려구-하시겠을려면-하시겠을려면야-하시겠을지-하시겠을지가-하시겠을지라-하시겠을지라도-하시겠을진대-하시겠음-하시겠잖나-하시겠잖냐-하시겠잖니-하시겠잖소-하시겠잖습니까-하시겠잖습디까-**하시겠잖아**-**하시겠죠**-하시겠지-하시겠지마는-**하시겠지만**-하시겠지만도-하시겠지야-**하시나**-하

255 시나니-하시나이까-하시나이다-하시냐-**하시냐고**-하시냐구-하시냐느니-하시냐는-하시냐도-하시냐며-**하시냐면**-하시냐보다-하시냐부터-하시냐야-하시냐조차-하시냐지-하시노니-하시노니라-하시노라-하시느냐-하시느냐고-하시느냐느니-하시느냐며-하시느냐면-하시느뇨-하시느니-하시느니라-**하시느라**-하시느라고-**하시는**-하시는가-하시는감-하시는걸-하시는고-하시는

구려-하시는구마-하시는구먼-하시는군-**하시는데**-하시는데다-하시는데다가-하시는데도-**하시**
260 **는지**-하시는지가-하시는지나-하시는지도-하시는지라-하시는지라도-하시는지만-하시는지만
이라도-하시는지보다-하시는지부터-하시는지야-하시는지에-하시니-**하시니까**-하시니라-하시
네-하시네만-하시다-하시다가-하시다가는-하시다가도-하시다니-**하시다마다**-하시다만-**하시**
다시피-하시더구나-하시더구려-하시더구마-하시더구먼-하시더군-하시더냐-하시더냐고-하시
더니-하시더니라-하시더니만-하시더라-하시더라고-하시더라니-하시더라니까-하시더라니만-
265 하시더라만-하시더라며-하시더라면-하시더라면서-하시더라면서도-하시더라면야-하시더래-
하시더래도-하시더래서-하시더만-하시더이다-**하시던**-하시던가-**하시던데**-하시던데도-**하시던**
지-하시던지나-하시던지는-하시던지도-하시던지만-하시던지보다-하시던지부터-하시던지야-
하시던지에-하시던지조차-하시도다-**하시도록**-하시드나-하시드냐-하시드니-하시드라-하시든
-**하시든가**-하시든데-하시든지-**하시디**-하시대-하시데-하시라-하시라거나-**하시라고**-하시라구
270 -하시라나-하시라냐-하시라느냐-하시라느뇨-하시라느니-하시라는-하시라는가-하시라는대-
하시라는대도-하시라는데-하시라는데도-하시라는지-하시라는지는-하시라는지도-하시라는지
만-하시라는지야-하시라니-**하시라니까**-하시라네-하시라더구나-하시라더구려-하시라더구마-
하시라더구먼-하시라더군-**하시라며**-**하시라면**-하시라면서-하시라매-하시라잖나-하시라잖냐-
하시라잖니-하시라잖소-하시라잖습니까-하시라잖습디까-하시라잖아-하시라죠-하시라지-하
275 시란-하시랄-하시랄까-하시랄껴-하시랄꼬-하시랄 거다-하시랄 테다-하시랄지-하시랄지도-하
시러-하시려거나-**하시려고**-하시려구-하시려나-하시려느냐-**하시려는**-하시려는데-하시려는데
도-하시려니-하시려니까-하시려며-**하시려면**-하시려면서-하시려면서도-하시려무나-하시려믄
-하시렴-하시래-하시래도-**하시래서**-하시랜다-하시랬나-하시랬냐-하시랬느냐-하시랬다-하시
랬다거나-하시랬다고-하시랬다더구나-하시랬다더냐-하시랬다더라-하시랬다더이다-하시랬다
280 던-하시랬다던데-하시랬다던지-하시랬다드라-하시랬다든-하시랬다든가-하시랬다든데-하시
랬다잖나-하시랬다잖냐-하시랬다잖니-하시랬다잖습니까-하시랬다잖습디까-하시랬다죠-하시
랬다지-하시랬단다-하시랬단다고-하시랬답니까-하시랬답니다-하시랬답디까-하시랬답디다-
하시랬답시고-하시랬더구나-하시랬더구려-하시랬더구마-하시랬더구먼-하시랬더군-하시랬더
라-하시랬더라니-하시랬더라니까-하시랬더라도-하시랬더라면-하시랬더래서-하시랬대-하시
285 랬대고-하시랬대니까-하시랬대도-하시랬대면-하시랬대서-하시랬데-하시랬데니까-하시랬데
도-하시랬데서-하시랬데지-**하시랬어**-하시랬어도-하시랬어서-하시랬어야-하시랬으나-하시랬
으니-하시랬으니까-하시랬으며-하시랬으면-하시랬으면서-하시랬으면야-하시랬잖나-하시랬
잖냐-하시랬잖니-하시랬잖습니까-하시랬잖습니까-하시랬잖아-하시랬죠-하시랬지-하시랬지
마는-하시랬지만-**하시며**-**하시면**-**하시면서**-하시면서도-하시면야-하시면은-**하시므로**-하시믄-
290 하시매-하시삼-**하시오**-하시옵니까-하시옵니다-하시옵소서-하시우-하시자-하시자거나-하시
자거던-하시자거들랑-**하시자고**-하시자기-하시자기가-하시자기도-하시자기라도-하시자기만-

하시자기야-하시자기에-하시자느냐-하시자느니-하시자는-하시자는가-하시자는고-**하시자는**
데-하시자는지-하시자니-하시자니까-하시자더구나-하시자더구려-하시자더구마-하시자더구
먼-하시자더군-하시자더라-하시자더라니-하시자더라니까-하시자더래-하시자던-하시자던가-
295 하시자던고-하시자던데-하시자던지-하시자드나-하시자드냐-하시자드라-하시자든-하시자든
가-하시자든데-하시자든지-하시자디-하시자대-**하시자마자**-하시자며-**하시자면**-하시자면서-
하시자면서도-하시자면야-하시자매-하시잖나-하시잖냐-하시잖니-하시잖습니까-하시잖습디
까-하시잖아-**하시죠**-**하시지**-하시지나-하시지는-**하시지도**-하시지를-하시지마는-하시지만-하
시지만도-하시지 말다-하시지야-**하신**-**하신다**-하신다거나-하신다고-하신다고나-하신다구-하
300 신다기가-하신다기나-하신다기는-하신다기도-하신다기라도-하신다기를-하신다기만-하신다
기보다-하신다기부터-하신다기야-하신다기에-하신다나-하신다냐-**하신다는**-하신다는가-하신
다는고-하신다는구나-하신다는구려-하신다는구마-하신다는구먼-하신다는군-하신다는데-하
신다는데도-하신다는지-하신다는지나-하신다는지는-하신다는지도-하신다는지를-하신다는지
만-하신다는지야-**하신다니**-하신다니까-하신다네-하신다네만-하신다더구나-하신다더구려-하
305 신다더구마-하신다더구먼-하신다더군-하신다더냐-하신다더니-하신다더니까-하신다더라-하
신다더라고-하신다더라니-하신다며-**하신다면**-**하신다면서**-하신다면서도-하신다면야-하신다
매-하신단다-하신단다고-하신단들-하신단달까-하신단달지-하신답니까-**하신답니다**-하신답디
까-하신답디다-하신답시고-**하신대**-하신대고-하신대냐-하신대도-하신대며-하신대서-하신대
서야-하신댄다-하신댔거나-하신댔고-하신댔구-하신댔구나-하신댔구려-하신댔구먼-하신댔군
310 -하신댔나-하신댔냐-하신댔느냐-하신댔니-하신댔다-하신댔다가-하신댔다면-하신댔어-하신
댔어도-하신댔었어-하신댔으나-하신댔으니-하신댔으니까-하신댔으며-하신댔으면-하신댔으
므로-하신댔잖나-하신댔잖냐-하신댔잖니-하신댔잖습니까-하신댔잖아-하신댔죠-하신댔지-하
신댔지만-**하신데**-하신데나-하신데니까-하신데다가-하신데도-하신데서-하신데지-**하신지**-하
신지도-**하실**-하실 거다-**하실걸**-**하실까**-하실껴-하실꼬-하실께-**하실는지**-하실라-하실라고-하
315 실라나-하실라니-하실라니까-하실라면-하실라믄-하실락말락-하실런지-하실런지도-하실려-
하실려거나-**하실려고**-하실려구-하실려나-하실려니-하실려니까-하실려면-하실려면야-하실래
-하실래나-하실래니-하실래니까-하실래도-하실래면-**하실래야**-**하실망정**-**하실수록**-**하실지**-하
실지나-하실지는-**하실지도**-하실지라-하실지라도-하실지를-**하실지만**-하실지만이라도-하실지
보다-하실지부터-하실지야-하실지에-하실지조차-하실 테다-하심-**하십니까**-**하십니다**-하십디
320 까-하십디다-하십사-**하십시다**-**하십시오**-**하세요**-**하여**-하여도-하여만-하여서-하여야-하오-
하오나-하오니-하오리니-하오리다-하오만-하옵니까-하옵니다-하옵소서-**하자**-하자거나-**하자**
고-하자고는-하자구-하자꾸나-**하자기**-하자기가-하자기도-하자기를-하자기라도-하자기만-하
자기야-하자기에-하자냐-하자느냐-하사느니-히자느니라-하자는-하자는가-하자는걸-하자는
고-하자는구나-하자는구려-하자는구마-하자는구먼-**하자는데**-**하자는데도**-하자니-**하자니까**-

325 하자더구나-하자더구려-하자더구마-하자더구먼-하자더군-하자더니-하자더니만-**하자더라**-하자더라니-하자더라니까-**하자더란**-하자더란다-하자더랍니까-하자더랍니다-하자더래-하자더랜다-**하자던**-하자던가-하자던고-하자던데-하자던지-하자드나-하자드냐-하자드라-하자든-하자든가-하자든고-하자든들-**하자든데**-하자든지-하자디-**하자마자**-**하자며**-하자면-**하자면서**-하자면서도-하자면야-하자매-하잔-하잘-하잘까-하잘꺼-하잘꼬-하잡니까-하잡니다-하잡디까-

330 하잡디다-**하죠**-**하지**-하지나-**하지도**-하지롱-하지마는-**하지만**-하지만도-하지야-하지에-**하지마**-**하지 말다**-하질랑-하재-하재나-하재냐-하재니-하재도-하재서-하재서야-하재야-**한**-**한다**-**한다거나**-**한다고**-한다고나-한다고는-한다고만-한다고야-한다구-한다기-한다기가-한다기나-한다기는-한다기라도-한다기를-한다기만-한다기보다-한다기부터-한다기야-한다기에-한다나-한다느냐-한다느니-**한다는**-한다는가-한다는고-한다는구나-한다는구려-한다는구마-한다는

335 구먼-한다는군-**한다는데**-한다는데도-한다는지-**한다니**-**한다니까**-한다네-한다네만-한다더구나-한다더구려-한다더구마-한다더구먼-**한다더군**-한다더냐-한다더니-한다더니까-한다더라-한다더라고-한다더라니-한다더라니까-**한다며**-**한다면**-**한다면서**-한다면서도-한다면야-한다매-**한단다**-한단다고-한단들-한단달까-한단달지-한답니까-**한답니다**-한답디까-한답디다-**한답시고**-**한대**-한대고-한대나-한대니까-한대다가-한대도-한대며-한대면-한대서-한대서야-한댄다

340 -한댄다고-한댔고-한댔나-한댔냐-한댔니-한댔다-한댔다가-**한댔어**-한댔어도-한댔었어-한댔었으니까-한댔으나-한댔으니-한댔으니까-한댔으며-한댔으면-한댔으면서-한댔으므로-한댔잖나-한댔잖냐-한댔잖니-한댔잖습니까-한댔잖아-한댔죠-한댔지-한댔지만-**한데**-한데나-한데니까-한데다가-한데도-한데서-한데지-**할**-**할 거다**-**할게**-할께-할는지-**할라고**-**할라면**-할라믄-할락말락-할랑가-할런지-할려-**할려고**-할려나-할려니-할려니까-할려면-할련지-**할래**-**할래도**-

345 **할래야**-**할망정**-**할수록**-**할지**-할지가-할지나-할지는-할지도-할지라-**할지라도**-할지만-할지보다-할지부터-할지야-할지에-할지조차-**할 테다**-**함**-**합니까**-**합니다**-합디까-**합디다**-**합시다**

해 **해(하여, + 가다·드리다·대다·버리다·보다·오다·주다 등)**-**해도**-**해라**-**해서**-**해서는**-**해서도**-해서라도-**해서야**-해서잖나-해서잖냐-해서잖니-해서잖소-해서잖습니까-해서잖아-해서지-**해야**-**해야만**-**해야지**-해야지마는-해야지만-해야지만도-**했거나**-했거늘-**했거니**-했거니와-했거던-했거든

350 -했거들랑-했겄냐-했겄네-했겄다-했겄어-**했고**-**했긴**-**했길**-했길래-했게-했겠거나-했겠거늘-했겠거니-했겠거니와-했겠고-했겠구나-했겠구려-했겠구마-했겠군-했겠기-했겠기가-했겠기나-했겠기도-했겠기라도-했겠기를-했겠기만-했겠기보다-했겠기부터-했겠기야-했겠기에-했겠기조차-했겠긴-했겠길-했겠길래-했겠나-했겠나는-했겠나도-했겠나만-했겠나야-**했겠냐**-했겠냐는-했겠냐니-했겠냐니까-했겠냐느니-했겠냐는-했겠냐는데-했겠냐니-했겠냐도-했겠냐만

355 -했겠노니-했겠노라-했겠는-했겠는가-했겠는가가-했겠는가는-했겠는가도-했겠는가야-했겠는걸-**했겠는데**-했겠는지-**했겠니**-했겠네-했겠네만-**했겠다**-했겠다거나-했겠다고-했겠다나-겠다냐-했겠다느냐-했겠다느니-했겠다는-했겠다는가-했겠다는걸-했겠다는고-했겠다는데-했겠

다는데도-했겠다는지-했겠다니-했겠다니까-했겠다네-했겠다네만-했겠다더구나-했겠다더구
려-했겠다더구마-했겠다더구먼-했겠다더군-했겠다더냐-했겠다더니-했겠다더라-했겠다더라
360 도-했겠다더만-**했겠다만**-했겠다며-했겠다면-했겠다면서-했겠다면야-했겠다매-했겠다오-했
겠다오만-했겠다잖나-했겠다잖냐-했겠다잖니-했겠다잖소-했겠다잖습니까-했겠다잖아-했겠
다죠-했겠다지-했겠다지마는-**했겠다지만**-했겠다던-했겠다던가-했겠다던고-했겠다던들-했겠
다던데-했겠다던지-했겠다든-했겠다든가-했겠다든데-했겠다든지-했겠단-했겠단다-했겠단다
고-했겠단들-했겠달-했겠달까-했겠달껴-했겠달꼬-했겠달지-했겠달지나-했겠달지도-했겠달
365 지야-했겠답니까-했겠답니다-했겠답디까-했겠답디다-했겠답시고-**했겠더구나**-했겠더구려-했
겠더구마-했겠더구먼-했겠더군-했겠더냐-했겠더니-했겠더니라-했겠더니만-했겠더라-했겠더
라니-했겠더라니까-했겠더라네-했겠더라네만-했겠더라며-했겠더라면-했겠더라면서-했겠더
이다-했겠더만-했겠던-했겠던가-**했겠던데**-했겠던지-했겠도다-했겠드나-했겠드냐-했겠드라-
했겠든-했겠든가-했겠든고-했겠든데-했겠든지-**했겠디**-했겠디까-했겠디다-했겠대-했겠대고-
370 했겠대나-했겠대니까-했겠대도-했겠대며-했겠대면-했겠대서-했겠대서야-했겠댄다-했겠댄다
고-했겠답니까-했겠답니다-했겠답디까-했겠답디다-했겠답시고-했겠데-했겠데니까-했겠데도
-했겠데서-했겠소-했겠소냐-했겠소냐만-했겠소만-했겠소이까-했겠소이다-했겠습니까-**했겠**
습니다-했겠습니다만-했겠습디까-했겠습디다-**했겠어**-했겠어도-했겠어서-했겠어서라기보다-
했겠어야-했겠어야만-했겠우-**했겠으나**-**했겠으니**-했겠으니까-했겠으며-**했겠으면**-했겠으면서
375 -했겠으면야-했겠으므로-했겠을-했겠을까-했겠을껴-했겠을꼬-했겠잖나-했겠잖냐-했겠잖니-
했겠잖소-했겠잖습니까-했겠잖아-**했겠죠**-했겠지-**했겠지만**-**했나**-**했냐**-했냐가-했냐고-했냐는
-했냐도-했냐를-했냐마는-했냐만-했냐보다-했냐야-했느냐-했느냐고-했느냐니-했느냐니까-
했느니-했느니라-했노니-했노라-했노라만-**했는**-했는가-했는고-했는들-**했는데**-**했는지**-했는
지나-했는지는-**했는지도**-했는지라-했는지라도-했는지만-했는지만이라도-했는지보다-했는지
380 야-했는지에-했는지조차-**했니**-했네-**했다**-했다거나-**했다고**-했다기-했다기가-했다기나-했다
기는-했다기도-했다기라도-했다기만-했다기보다-했다기부터-했다기야-했다기에-했다나-했
다냐-**했다니**-**했다니까**-했다더구나-했다더구려-했다더구마-했다더구먼-했다더군-했다더냐-
했다더니-했다더니까-했다더니만-했다더라-했다더라고-했다더라니-했다더라니까-했다더래-
했다더만-**했다던**-했다던가-했다던데-했다던지-했다던지도-했다드나-했다드냐-했다드니-했
385 다드라-했다든-했다든가-했다든고-했다든데-했다든지-했다마는-**했다만**-했다만도-했다며-**했**
다면-**했다면서**-했다면서도-했다면은-했다매-했다시피-**했단**-**했단다**-했단다고-했단들-했달-
했달까-했달껴-했달꼬-했달지-했답니까-**했답니다**-했답니다만
-했답디까-했답디다-했답시고-**했더구나**-했더구려-했더구마
-했더구먼-했더군-했더냐-**했더니**-했더니라-**했더라**-했너라고
390 -했더라고도-했더라나-했더라니-했더라니까-했더라네-했더

라네만-했더라며-**했더라면**-했더라면서-했더라면은-했더라지만-했더래-했더래도-했더래서-했더만-했더이다-**했던**-했던가-했던고-했던들-**했던데**-했던들-했던지-했던지도-했던지를-했던지만-했도다-**했도록**-했드나-했드냐-했드라-**했든**-했든가-했든데-했든데도-**했든지**-했든지라-**했대**-했대고-했대도-했대며-**했대서**-했대서야-했대지-했대지만-했댄다-했댔거나-했댔고

395 -했댔나-했댔냐-했댔느냐-했댔느니-했댔니-했댔다-했댔다가-했댔습니까-했댔습니다-**했댔어**-했댔어도-했댔어서-했댔으니-했댔으니까-했댔으며-했댔으면-했댔으면서-했댔으면야-했댔잖나-했댔잖냐-했댔잖니-했댔잖소-했댔잖습니까-했댔잖아-했댔죠-**했댔지**-했댔지만-**했데**-했데니까-했데도-했데서-했소-했소만-**했습니까**-**했습니다**-했습니다만-했습디까-했습디다-**했어**-**했어도**-**했어서**-했어서라기보다-**했어야**-했어야만-했어야지-**했었거나**-했었거늘-했었거니-했

400 었거니와-했었거던-**했었거든**-했었거들랑-**했었고**-했었구나-했었구려-했었구마-했었구먼-했었군-했었긴-했었길-했었길래-**했었게**-했었게끔-했었겠거나-했었겠거늘-했었겠거니-했었겠거니와-**했었겠고**-했었겠구나-했었겠구려-했었겠구마-했었겠구먼-했었겠군-했었겠기-했었겠기나-했었겠기는-했었겠기도-했었겠기만-했었겠기에-했었겠기야-했었겠길래-했었겠나-했었겠냐-했었겠느냐-했었겠느뇨-**했었겠느니**-했었겠느니라-했었겠는-했었겠는가-했었겠는감-했

405 었겠는걸-했었겠는고-했었겠는데-했었겠는데도-했었겠는지-했었겠는지는-했었겠는지라-했었겠는지라도-했었겠는지야-**했었겠니**-했었겠네-했었겠네만-**했었겠다**-했었겠다고-했었겠다냐-했었겠다느냐-했었겠다느니-했었겠다니-했었겠다니까-했었겠다더구나-했었겠다더구려-했었겠다더구마-했었겠다더구먼-했었겠다더군-했었겠다마다-했었겠다며-했었겠다면-했었겠다면서-했었겠다면서도-했었겠다면야-했었겠다면은-했었겠다오-했었겠단다-했었겠단다고-

410 했었겠단들-했었겠달-했었겠달까-했었겠달껴-했었겠달꼬-했었겠달지-했었겠더구나-했었겠더구려-했었겠더구마-했었겠더구먼-했었겠더군-했었겠더냐-했었겠더니-했었겠더니라-했었겠더라-했었겠더라고-했었겠더라나-했었겠더라냐-했었겠더라니-했었겠더라니까-**했었겠더라도**-했었겠더라며-했었겠더라면-했었겠더라서-했었겠더래-했었겠더래니까-했었겠더래도-했었겠더래면-했었겠더래서-했었겠더래서야-했었겠더만-했었겠더이다-**했었겠던**-했었겠던가-

415 했었겠던고-했었겠던들-**했었겠던데**-했었겠던지-했었겠도다-했었겠도록-했었겠드나-했었겠드니-했었겠드라-했었겠든-했었겠든가-**했었겠든데**-했었겠든지-했었겠대-했었겠대고-했었겠대나-했었겠대도-했었겠대면-했었겠대면서-했었겠대서-했었겠댄다-했었겠댄다고-했었겠댔나-했었겠댔냐-했었겠댔니-했었겠댔다-했었겠댔다가-했었겠댔어-했었겠댔어도-했었겠소-**했었겠습니까**-했었겠습니다-했었겠습디까-했었겠습디다-했었겠어-했었겠어도-했었겠어서-했

420 었겠오-했었겠오만-했었겠우-했었겠으나-했었겠으니-**했었겠으니까**-했었겠으며-했었겠으면-했었겠으므로-했었겠음-했었겠잖나-했었겠잖냐-했었겠잖니-했었겠잖소-했었겠잖습니까-했었겠잖습디까-했었겠잖아-했었겠지-했었겠지마는-했었겠지만-했었겠지만도-**했었나**-**했었냐**-했었느냐-했었느뇨-**했었느니**-했었느니라-**했었니**-했었네-했었네만-**했었다**-**했었다가**-했었다

거나-**했었다고**-했었다냐-했었다느냐-했었다느니-했었다는-**했었다는데**-했었다는지-했었다니
425 -했었다니까-했었다더구나-했었다더구려-했었다더구마-했었다더구먼-했었다더군-했었다더
라-했었다더라니-했었다더라니까-했었다더라며-했었다더라면-했었다더라면서-했었다더래-
했었다더래도-했었다더래서-했었다마다-했었다며-했었다면-했었다면서-했었다시피-했었다
오-**했었단**-했었단다-했었단다고-했었단들-했었달-했었달까-했었달껴-했었달꼬-했었달지-했
었더구나-했었더구려-했었더구마-했었더구먼-했었더군-했었더냐-했었더니-했었더니라-했었
430 더라-했었더라고-했었더라니-했었더라니까-했었더라도-했었더라며-**했었더라면**-했었더라서-
했었더란-했었더란다-했었더랍니까-했었더랍니다-했었더랍디까-했었더랍디다-했었더래-했
었더래니까-**했었더래도**-했었더래서-했었더래서야-했었더만-했었더이다-**했었던**-했었던가-했
었던고-했었던들-했었던데-**했었던지**-했었던지는-했었던지도-했었던지라-했었던지라도-했었
던지만-했었던지만이라도-했었던지야-했었도다-했었도록-했었드나-했었드냐-했었드니-했었
435 드라-했었든-했었든가-했었든데-했었든지-했었든지라-했었디-했었디다-했었디까-**했었대**-했
었대고-했었대니까-했었대도-했었대며-했었대서-했었대서야-**했었데**-했었데니까-했었데도-
했었데서-했었소-했었소냐-했었소만-했었소이까-했었소이다-**했었습니까**-**했었습니다**-했었습
디까-했었습디다-**했었어**-**했었어도**-했었어라-**했었어야**-했었어야만-**했었어야지**-했었어야지마
는-했었어야지만-했었어야지만도-했었어야지만은-했었었거나-했었었거늘-했었었거던-했었
440 었거든-했었었거들랑-**했었었고**-했었었길-했었었길래-했었었게-했었었게끔-했었었겠거나-했
었었겠거늘-했었었겠거던-했었었겠거든-했었었겠거들랑-**했었었겠고**-했었었겠나-했었었겠냐
-했었었겠냐고-했었었겠냐니-했었었겠냐니까-했었었겠느냐-했었었겠느뇨-했었었겠느니-했
었었겠느니라-했었었겠는가-했었었겠는감-했었었겠는걸-했었었겠는고-했었었겠는들-했었었
겠는데-했었었겠는지-**했었었겠니**-했었었겠네-**했었었겠다**-했었었겠다냐-했었었겠다느냐-했
445 었었겠다느니-했었었겠다니-했었었겠다니까-했었었겠단-했었었겠단다-했었었겠단다고-했었
었겠단들-했었었겠달-했었었겠달까-했었었겠달껴-하였었겠달꼬-했었었겠달지-했었었겠답니
까-했었었겠답니다-했었었겠답디까-했었었겠답디다-했었었겠더구나-했었었겠더구려-했었었
겠더구마-했었었겠더구먼-했었었겠더군-했었었겠더냐-했었었겠더라-했었었겠더라고-했었었
겠더라니-했었었겠더라니까-했었었겠더라도-했었었겠더라며-했었었겠더라면-했었었겠더라
450 서-했었었겠더란-했었었겠더란다-했었었겠더랍니까-했었었겠더랍니다-했었었겠더랍디까-했
었었겠더랍디다-했었었겠더래-했었었겠더래니까-했었었겠더래도-했었었겠더래서-했었었겠
더만-했었었겠더이다-했었었겠던-했었었겠던가-했었었겠던고-했었었겠던들-했었었겠던데-
했었었겠던데도-했었었겠던지-했었었겠던지도-했었었겠던지야-했었었겠도다-했었었겠도록-
했었었겠드라-했었었겠든-했었었겠든가-했었었겠든데-했었었겠든지-했었었겠대-했었었겠대
455 고-했었었겠대도-했었었겠대며-했었었겠대서-했있있겠대서야-했었었겠댄다-했었었겠댔다-
했었었겠댔다가-했었었겠데-했었었겠데니-했었었겠데니까-했었었겠데도-했었었겠데서-했었

었겠으나-했었었겠으니-했었었겠으니까-했었었겠으며-했었었겠으면-했었었겠을-했었었겠을
지-했었었겠소-했었었겠습니까-했었었겠습니다-했었었겠습디까-했었었겠습디다-했었었겠어
-했었었겠어서-했었었겠오-했었었겠오만-했었었겠우-했었었겠으나-했었었겠으니-했었었겠
460 으니까-했었었겠으며-했었었겠으면-했었었겠으므로-했었었겠음-했었었겠잖나-했었었겠잖냐
-했었었겠잖니-했었었겠잖소-했었었겠잖습니까-했었었겠잖습디까-했었었겠잖아-**했었었겠죠**
-했었었겠지-했었었겠지마는-했었었겠지만-했었었겠지만도-**했었었나**-했었었냐-했었었냐고-
했었었냐니-했었었냐니까-했었었냐더라-했었었냐더라니까-했었었냐더란다-했었었느냐-했었
었느냐고-했었었느냐니까-했었었느뇨-했었었느니-했었었느니라-했었었는가-했었었는감-했
465 었었는걸-했었었는고-했었었는들-**했었었는데**-**했었었는지**-했었었는지나-했었었는지는-했었
었는지도-했었었는지라-했었었는지를-했었었는지만-했었었는지보다-했었었는지부터-했었었
는지야-했었었는지에-했었었는지야-했었었니-했었었네-**했었었다**-했었었다거나-했었었다고-
했었었다고나-했었었다나-했었었다느냐-했었었다느니-했었었다는-했었었다는데-했었었다는
데도-했었었다네-했었었다네만-했었었다니-했었었다니까-했었었다더구나-했었었다더구려-
470 했었었다더구마-했었었다더구먼-했었었다더군-했었었다더냐-했었었다더냐고-했었었다더니-
했었었다더니라-했었었다더라-했었었다더라고-했었었다더라나-했었었다더라니-했었었다더
라니까-했었었다더라도-했었었다더라며-했었었다더라면-했었었다더란-했었었다시피-했었었
단-했었었단다-했었었단다고-했었었단들-했었었달-했었었달까-했었었달껴-하였었달꼬-했었
었달지-했었었답니까-했었었답니다-했었었답디까-했었었답디다-했었었더구나-했었었더구려
475 -했었었더구마-했었었더구먼-했었었더군-했었었더냐-했었었더니-했었었더니라-했었었더라-
했었었더라고-했었었더라나-했었었더라니-했었었더라니까-했었었더라도-했었었더라며-했었
었더라면-했었었더라서-했었었더란-했었었더란다-했었었더랍니까-했었었더랍니다-했었었더
랍디까-했었었더랍디다-했었었더래-했었었더래니까-했었었더래도-했었었더래서-했었었더만
-했었었더이다-**했었었던**-했었었던가-했었었던고-했었었던들-했었었던데-했었었던데도-했었
480 었던지-했었었던지도-했었었던지야-했었었도다-했었었도록-했었었드나-했었었드냐-했었었
드라-했었었든-했었었든가-했었었든데-했었었든지-했었었대-했었었대고-했었었대다가-했었
었대도-했었었대며-했었었대서-했었었대서야-했었었댄다-했었었댔다-했었었댔다가-했었었
댔다가도-했었었데-했었었데니-했었었데니까-했었었데도-했었었데며-했었었데서-했었었소-
했었었소만-했었었습니까-**했었었습니다**-했었었습디까-했었었습디다-**했었었어**-했었었어도-
485 했었었어서-했었었오-했었었오만-했었었우-했었었으나-했었었으니-했었었으니까-했었었으
며-**했었었으면**-했었었으면서-했었었으므로-했었었을-했었었을 거다-했었었을걸-했었었을까-
했었었을껴-했었었을꼬-했었었을지-**했었었을지도**-했었었음-했었었잖나-했었었잖냐-했었었
잖니-했었었잖소-했었었잖습니까-했었었잖습디까-했었었잖아-했었었죠-**했었었지**-했었었지
마는-**했었었지만**-했었었지만도-했었오-했었오만-했었우-**했었으나**-했었으니-**했었으니까**-했

490 **었으며**-**했었으면**-**했었으므로**-했었으매-**했었을**-**했었을걸**-했었을까-했었을까나-했었을꺼-했었을꼬-했었을라-했었을라고-했었을라구-했었을려고-했었을려구-**했었을려나**-했었을려니-했었을려면-했었을려면야-했었을수록-했었을지-**했었을지도**-했었을지라-**했었을지라도**-했었을지라서-했었을지야-했었음-했었잖나-했었잖냐-했었잖니-했었잖소-했었잖습니까-했었잖습디까-**했었잖아**-**했었죠**-**했었지**-했었지나-했었지마는-**했었지만**-했었지만도-했우-**했으나**-**했으니**

495 -**했으니까**-했으려-**했으려나**-**했으려니**-했으리-**했으며**-**했으면**-**했으면서**-했으면야-**했으므로**-했으매-**했을**-**했을 거다**-**했을걸**-**했을까**-했을꺼-했을꼬-**했을라**-했을라고-했을라구-했을라나-했을라니-했을려-했을려고-했을려구-**했을려나**-했을려니-했을려니까-**했을려면**-했을려면야-했을래니-했을래도-했을래야-했을수록-**했을지**-했을지나-했을지는-했을지니-했을지니라-**했을지도**-했을지라-했을지라도-했을지라서-했을지만-했을지보다-했을지부터-했을지야-했을진

500 대-했음-했잖나-했잖냐-했잖니-했잖소-했잖습니까-했잖습디까-**했잖아**-**했죠**-**했지**-했지는-했지도-**했지만**-했지만도-했지야

예2) **믿다** (believe)

믿 **믿거나**-믿거늘-믿거니-믿거니와-믿거던-믿거든-믿거들랑-믿거라-믿건대-믿겄냐-믿겄네-믿겄다-믿겄어-**믿고**-믿고 나다-믿고는-믿고도-믿고라도-믿고만-**믿고말고**-믿고부터-**믿고서**-믿고서는-믿고서도-믿고서야-믿고야-믿고에-**믿고 있다**-믿고자-믿고저-믿고파-믿고파라-믿고프다-믿고픈-믿곤-믿구-믿구나-믿구려-믿구마-믿구먼-**믿기**-믿기가-믿기나-믿기는-믿기도-믿기라도-믿기를-믿기만-믿기만이라도-믿기보다-믿기보다는-믿기부터-믿기야-**믿기에**-믿기조차-믿긴-**믿길**-믿길래-**믿게**-믿게끔-믿게나-믿겠거나-믿겠거늘-믿겠거니-믿겠거니와-믿겠거던-믿겠거든-믿겠거들랑-**믿겠고**-믿겠구-**믿겠구나**-믿겠구려-믿겠구마-믿겠구먼-믿겠군-믿겠기-믿겠기가-믿겠기나-믿겠기는-믿겠기도-믿겠기라도-믿겠기를-믿겠기만-믿겠기보다-믿겠기부터-믿겠기야-믿겠기에-믿겠긴-믿겠길-믿겠길래-믿겠게-믿겠게끔-**믿겠나**-믿겠나가-믿겠나니-믿겠나를-믿겠나만-믿겠나보다-믿겠나부터-믿겠나야-믿겠나이다-**믿겠냐**-믿겠냐가-믿겠냐는-믿겠냐니-믿겠냐니까-믿겠냐라도-믿겠냐를-믿겠냐마는-믿겠냐만-믿겠냐에-믿겠노니-믿겠노라-믿겠느냐-믿겠느뇨-믿겠느니-믿겠느니라-**믿겠는**-믿겠는가-믿겠는가가-믿겠는가는-믿겠는가도-믿겠는가라도-믿겠는가를-믿겠는가야-믿겠는가에-믿겠는감-믿겠는걸-믿겠는고-믿겠는들-**믿겠는데**-**믿겠는지**-믿겠는지가-믿겠는지는-믿겠는지도-믿겠는지라도-믿겠는지를-믿겠는지만-믿겠는지만이라도-믿겠는지보다-믿겠는지부터-믿겠는지야-**믿겠니**-믿겠네-믿겠네만-**믿겠다**-믿겠다가-믿겠다가는-믿겠다거나-믿겠다고-믿겠다고는-믿겠다고도-믿겠다고야-믿겠다구-믿겠다나-믿겠다냐-믿겠다느냐-믿겠다느니-**믿겠다는**-믿겠다는가-믿겠다는걸-믿겠다는고-믿겠다는데-믿겠다는데도-믿겠다는지-믿겠다는지가-믿겠다는지도-믿겠다는지만-**믿겠다니**-믿겠다니까-믿겠다네-믿겠다네만-믿겠다더구나-믿겠다더구려-믿겠다더마-믿겠다더구먼-믿겠다더군-믿겠다더냐-믿겠다더니-믿겠다더니라-믿겠다더니만-믿겠다더라-믿겠다더라니까-믿겠다더라도-믿겠다더라만-믿겠다더만-**믿겠다던**-믿겠다던가-믿겠다던고-믿겠다던데-믿겠다던지-믿겠다드라-믿겠다든-믿겠다든가-믿겠다든데-**믿겠다든지**-믿겠다마는-믿겠다만-믿겠다며-**믿겠다면**-믿겠다면서-믿겠다면야-믿겠다매-믿겠다오-믿겠다오만-믿겠다우-믿겠다잖나-믿겠다잖냐-믿겠다잖니-믿겠다잖소-믿겠다잖습니까-믿겠다잖아-믿겠다죠-믿겠다지-믿겠다지마는-믿겠다지만-믿겠다지만도-믿겠다지야-**믿겠다 한다**-**믿겠단**-**믿겠단다**-믿겠단다고-믿겠단들-믿겠달-믿겠달까-믿겠달껴-믿겠달꼬-믿겠달지-믿겠답니까-**믿겠답니다**-믿겠답디까-믿겠답디다-믿겠답시고-믿겠더구나-믿겠더구려-믿겠더구마-믿겠더구먼-믿겠더군-믿겠더냐-믿겠더냐고-믿겠더냐니까-믿겠더니-믿겠더니라-믿겠더니만-**믿겠더라**-믿겠더라고-믿겠더라나-믿겠더라니-믿겠더라니까-믿겠더라네-믿겠더라도-믿겠더라며-믿겠더라면-믿겠더라면서-믿겠더래-믿겠더래도-믿겠더래니까-믿겠더래서-믿겠더만-믿겠더이다-믿겠던-믿겠던가-믿겠던고-믿겠던들-믿겠던데-믿겠던지-믿겠던지라-믿겠던지라도-믿겠던지야-믿겠도다-믿겠도록-믿겠드나-믿겠드냐-믿겠드니-믿겠드니라-**믿겠드라**-**믿겠든**-믿겠든가-믿겠든데-믿

겠든지-믿겠디-믿겠디까-믿겠디다-**믿겠대**-믿겠대고-믿겠대나-믿겠대니까-믿겠대도-믿겠대
며-믿겠대서-믿겠대서야-믿겠대지-믿겠댄다-믿겠댄다고-믿겠댄달-믿겠댄달까-믿겠댄달껴-
35 믿겠댄달꼬-믿겠댄달지-믿겠댄들-믿겠댔다-믿겠댔다가-믿겠댔나-믿겠댔냐-믿겠댔니-믿겠댔
다-믿겠댔다고-믿겠댔다며-믿겠댔다면-믿겠댔다면서-**믿겠댔어**-믿겠댔어도-믿겠댔어서-믿겠
댔오-믿겠댔우-믿겠댔으니까-믿겠댔으면-믿겠댔으면서-믿겠댔으면야-믿겠댔지-믿겠댔지만-
믿겠데-믿겠데니까-믿겠데도-믿겠데서-믿겠사오나-믿겠사오니-믿겠사옵니다-믿겠소-믿겠소
냐-믿겠소냐만-믿겠소만-믿겠소이다-믿겠습니까-**믿겠습니다**-믿겠습니다만-믿겠습디까-믿겠
40 습디다-믿겠습디다만-**믿겠어**-믿겠어도-**믿겠어서**-믿겠어서라기보다-믿겠어야-믿겠어야만-믿
겠었거나-믿겠었거늘-믿겠었거니-믿겠었거니와-믿겠었고-믿겠었구나-믿겠었구려-믿겠었구
마-믿겠었구먼-믿겠었군-믿겠었기-믿겠었기가-믿겠었기나-믿겠었기에-믿겠었길래-믿겠었나
-믿겠었냐-믿겠었느니-믿겠었는-믿겠었는가-믿겠었는감-믿겠었는걸-믿겠었는데-믿겠었는지
-믿겠었니-믿겠었다는데-믿겠었다더라-믿겠었다더라도-믿겠었단-믿겠었단다-믿겠었답니다-
45 믿겠었답디까-믿겠었답디다-믿겠었답시고-믿겠었더구나-믿겠었더구려-믿겠었더구마-믿겠었
더구먼-믿겠었더군-믿겠었더라-믿겠었더라구-믿겠었더라도-믿겠었더라며-믿겠었더라면-믿
겠었더라면서-믿겠었더래-믿겠었더래도-믿겠었더래서-믿겠었더이다-믿겠었더만-믿겠었던-
믿겠었던가-믿겠었던고-믿겠었던들-믿겠었던데-믿겠었던지-믿겠었도다-믿겠었드라-믿겠었
드라구-믿겠었든-믿겠었든가-믿겠었든데-믿겠었든지-믿겠었디-믿겠었대-믿겠었대고-믿겠었
50 대나-믿겠었대니까-믿겠었대다가-믿겠었대도-믿겠었대며-믿겠었대서-믿겠었대서야-믿겠었
대지-믿겠었댄다-믿겠었댔다-믿겠었댔다가-믿겠었댔소-믿겠었댔소만-믿겠었댔습니까-믿겠
었댔습니다-믿겠었댔습디까-믿겠었댔습디다-믿겠었댔어-믿겠었댔어도-믿겠었데-믿겠었데니
까-믿겠었데도-믿겠었데서-믿겠었사오나-믿겠었사오니-믿겠었사옵니다-믿겠었소-믿겠었소
만-믿겠었수-**믿겠었습니까**-믿겠었습니다-믿겠었습디까-믿겠었습디다-**믿겠었어**-믿겠었어도-
55 믿겠었어서-믿겠었으나-믿겠었으니-**믿겠었으니까**-믿겠었으며-믿겠었으면-믿겠었으면야-믿
겠었으므로-믿겠었으매-믿겠었음-믿겠오-믿겠우-**믿겠으나**-믿겠으니-믿겠으니까-믿겠으리-
믿겠으리니-믿겠으리다-믿겠으리오-**믿겠으며**-**믿겠으면**-믿겠으면서-믿겠으면서도-믿겠으면
야-믿겠으면은-**믿겠으므로**-믿겠으믄-믿겠으매-믿겠을-믿겠을걸-믿겠을까-믿겠을껴-믿겠을
꼬-믿겠을라-믿겠을라고-믿겠을라구-믿겠을려고
60 -믿겠을려구-믿겠을려면-믿겠을려면야-믿겠을지
-믿겠을지라-믿겠을지라도-믿겠을진대-믿겠음-
믿겠잖나-믿겠잖냐-믿겠잖니-믿겠잖소-믿겠잖습니까
-믿겠잖아-**믿겠죠**-**믿겠지**-믿겠지나-믿겠지마는-**믿겠지만**-믿겠지만도-믿겠지야-믿겠지에-**믿**
나-믿나가-믿나니-믿나를-믿나만-믿나보다도-믿나부터-믿나에-믿나이다-**믿냐**-믿냐가-믿냐
65 고-믿냐구-믿냐느니-믿냐는-믿냐니-믿냐니까-믿냐도-믿냐를-믿냐마는-믿냐만-믿냐며-믿냐

면-믿냐면서-믿냐보다-믿냐부터-믿냐야-믿냐에-믿냐조차-믿노니-믿노니라-믿노라-**믿느냐**-
믿느냐가-믿느냐고-믿느냐는-믿느냐니-믿느냐니까-믿느냐도-믿느냐를-믿느냐만-믿느냐며-
믿느냐면-믿느냐보다-믿느냐부터-믿느냐야-믿느냐에-믿느냐에서-믿느냐조차-믿느뇨-**믿느니**
-믿느니라-믿느라-믿느라고-**믿는**-믿는가-믿는가가-믿는가까지-믿는가나-믿는가는-믿는가도
70 -믿는가라도-믿는가를-믿는가만-믿는가만이라도-믿는가보다-믿는가부터-믿는가야-믿는가에
-믿는가조차-믿는감-**믿는걸**-믿는고-믿는구나-믿는구려-믿는구마-믿는구먼-믿는군-**믿는다**-
믿는다거나-믿는다고-믿는다고도-믿는다고만-믿는다구-믿는다기-믿는다기가-믿는다기까지-
믿는다기나-믿는다기는-믿는다기도-믿는다기라도-믿는다기를-믿는다기만-믿는다기보다-믿
는다기부터-믿는다기야-믿는다기에-믿는다길-믿는다길래-믿는다나-믿는다냐-**믿는다는**-믿는
75 다는구나-믿는다는구려-믿는다는구먼-믿는다는군-믿는다는데-믿는다는데도-믿는다니-믿는
다니까-믿는다네-믿는다네만-믿는다더구나-믿는다더구려-믿는다더구먼-믿는다더군-믿는다
더냐-믿는다더니-믿는다더니만-믿는다더라-믿는다더라니-믿는다더라니까-믿는다더라만-**믿**
는다던-믿는다던가-믿는다던고-믿는다던들-믿는다던데-믿는다던지-믿는다든-믿는다든가-믿
는다든지-믿는다며-**믿는다면**-**믿는다면서**-믿는다면야-믿는다매-믿는다오-믿는다우-믿는다잖
80 나-믿는다잖냐-믿는다잖니-믿는다잖소-믿는다잖습니까-믿는다잖아-**믿는다죠**-믿는다지-믿는
다지나-믿는다지만-믿는다 한다-**믿는단**-믿는단다-믿는단다고-믿는달-믿는달까-믿는달지-믿
는답니까-믿는답니다-믿는답니다만-믿는답디까-믿는답디다-믿는답시고-믿는들-**믿는대**-믿는
대다가-믿는대고-믿는대도-믿는대며-믿는대서-믿는대서야-믿는댄다-믿는댄다거나-믿는댄다
고-믿는댔거나-믿는댔고-믿는댔구나-믿는댔구려-믿는댔구먼-믿는댔군-믿는댔다-믿는댔다가
85 -믿는댔다고-믿는댔다구나-믿는댔다구려-믿는댔다구마-믿는댔다구먼-믿는댔다군-믿는댔다
며-믿는댔다면-믿는댔다면서-믿는댔더구나-믿는댔더구려-믿는댔더구마-믿는댔더구먼-믿는
댔더군-믿는댔더이다-믿는댔소-믿는댔습니까-믿는댔습니다-믿는댔습디까-믿는댔습디다-**믿**
는댔어-믿는댔어도-믿는댔어서-믿는댔오-믿는댔우-믿는댔으니-**믿는댔으니까**-믿는댔으며-믿
는댔으면-믿는댔으면서-믿는댔으면야-믿는댔잖나-믿는댔잖냐-믿는댔잖니-믿는댔잖소-믿는
90 댔잖습니까-**믿는댔잖아**-믿는댔죠-믿는댔지-**믿는댔지만**-믿는댔지만도-**믿는데**-믿는데냐-믿는
데니까-믿는데다-믿는데다가-**믿는데도**-믿는데서-믿는뎁쇼-**믿는지**-믿는지가-믿는지나-믿는
지는-믿는지도-믿는지라-믿는지라도-믿는지를-믿는지만-믿는지만이라도-믿는지보다-믿는지
부터-믿는지야-믿는지에-믿는지조차-**믿니**-믿네-믿네만-**믿다**-믿다가-**믿다가는**-믿다가도-믿
다니-믿다마다-믿다만-믿다시피-믿더구나-믿더구려-믿더구마-믿더구먼-**믿더군**-믿더나-믿더
95 냐-믿더냐고-**믿더니**-믿더니라-믿더니마는-믿더니만-**믿더라**-믿더라고-믿더라나-믿더라니-믿
더라니까-믿더라니만-믿더라네-믿더라도-믿더라만-믿더라며-믿더라면-믿더라면서-믿더라면
서도-믿더라면야-**믿더래**-믿더래도-믿더래서-믿더만-믿더만도-믿더이다-**믿던**-믿던가-믿던고
-믿던들-**믿던데**-**믿던지**-믿던지라-믿던지라도-믿던지만-믿던지야-믿던지가-믿던지는-믿던지

도-믿던지를-믿던지만-믿던지만이라도-믿던지보다-믿던지부터-믿던지야-믿던지에-믿던지조
100 차-믿도다-**믿도록**-믿드나-믿드냐-믿드니-믿드라-믿드라고-**믿든**-**믿든가**-믿든데-**믿든지**-믿
디-믿데-믿사오나-믿사오니-믿사오리다-믿사옵니다-믿소-믿소냐-믿소냐만-믿소만-믿소이다
-믿수-믿습니까-**믿습니다**-믿습니다만-믿습디까-믿습디다-**믿자**-믿자거나-믿자고-믿자고나-
믿자고는-믿자고도-믿자고만-믿자구-믿자꾸나-믿자기-믿자기가-믿자기나-믿자기는-믿자기
도-믿자기라도-믿자기를-믿자기야-믿자기에-**믿자니**-믿자니까-믿자더니-믿자더니만-**믿자마**
105 **자**-믿자며-믿자면-믿자면서-믿자면야-믿잖고-믿잖나-믿잖냐-믿잖니-믿잖소-믿잖습니까-**믿**
잖아-**믿죠**-**믿지**-믿지나-믿지는-믿지도-믿지롱-믿지를-**믿지 마**-믿지마는-**믿지만**-믿지만도-
믿지만서도-믿지만은-믿지야-믿지조차-믿질-믿질랑-**믿재**-믿재니-믿재도-믿재서-믿재서야

믿어 **믿어(+가다·드리다·대다·버리다·보다·오다·주다** 등)-믿어나-**믿어도**-**믿어라**-믿어라도-믿어만-
믿어서-믿어서가-믿어서고-**믿어서는**-믿어서도-믿어서라기보다-믿어서야-**믿어야**-믿어야겠거
110 늘-믿어야겠거던-믿어야겠거든-믿어야겠거들랑-믿어야겠고-믿어야겠구-믿어야겠구나-믿어
야겠구려-믿어야겠구먼-믿어야겠군-믿어야겠나-믿어야겠냐-믿어야겠냐마는-믿어야겠냐만-
믿어야겠노라-믿어야겠느니-믿어야겠느냐-믿어야겠느냐마는-믿어야겠는-믿어야겠는가-믿어
야겠는감-믿어야겠는고-믿어야겠는들-믿어야겠는데-**믿어야겠는지**-믿어야겠는지는-믿어야겠
는지도-믿어야겠는지라-믿어야겠는지만-믿어야겠는지야-**믿어야겠니**-믿어야겠네-**믿어야겠다**
115 -믿어야겠다고-믿어야겠다나-믿어야겠다는-**믿어야겠다니**-믿어야겠다니까-믿어야겠다네-믿
어야겠다더구나-믿어야겠다더구려-믿어야겠다더구먼-믿어야겠다더군-믿어야겠다더니-믿어
야겠다더니만-믿어야겠다더라-믿어야겠다던가-믿어야겠다던데-믿어야겠다던지-믿어야겠단
다-믿어야겠단다고-믿어야겠달-믿어야겠달까-믿어야겠달지-믿어야겠답니까-**믿어야겠답니다**
-믿어야겠답디까-믿어야겠답디다-믿어야겠답시고-믿어야겠더구나-믿어야겠더구려-믿어야겠
120 더구마-믿어야겠더구먼-믿어야겠더군-믿어야겠더냐-믿어야겠더니-믿어야겠더니라-믿어야겠
더니만-믿어야겠더라-믿어야겠더라고-믿어야겠더라니-믿어야겠더라니까-믿어야겠더라도-믿
어야겠더라만-**믿어야겠더래**-믿어야겠더래도-믿어야겠더만-믿어야겠더이다-**믿어야겠던**-믿어
야겠던가-믿어야겠던고-믿어야겠던들-믿어야겠던데-믿어야겠던지-믿어야겠도다-믿어야겠도
록-믿어야겠드나-믿어야겠드냐-믿어야겠드라-믿어야겠든-믿어야겠든가-믿어야겠든데-믿어
125 야겠든지-**믿어야겠대**-믿어야겠대고-믿어야겠대도-믿어야겠대며-믿어야겠대서-믿어야겠대서
야-믿어야겠댄다-믿어야겠댔나-믿어야겠댔냐-믿어야겠댔니-믿어야겠댔다-믿어야겠댔다가-
믿어야겠댔어-믿어야겠댔어서-믿어야겠댔으니까-믿어야겠댔으면-믿어야겠댔으면서-믿어야
겠댔지만-믿어야겠데-믿어야겠데니까-믿어야겠데도-믿어야겠데면-믿어야겠데서-**믿어야겠어**
-믿어야겠어도-믿어야겠어서-믿어야겠으나-믿어야겠으니-믿어야겠으니까-믿어야겠으며-**믿**
130 **어야겠으면**-믿어야겠으면서-믿어야겠으면서도-믿어야겠으므로-믿어야겠을-믿어야겠을까-믿
어야겠을껴-믿어야겠을꼬-믿어야겠을지-믿어야겠잖나-믿어야겠잖냐-믿어야겠잖니-믿어야

겠잖소-믿어야겠잖습니까-믿어야겠잖아-믿어야겠죠-믿어야겠지-믿어겠지마는-**믿어야겠지만**
-믿어야겠지만도-믿어야겠지만은-**믿어야만**-믿어야잖나-믿어야잖냐-믿어야잖니-믿어야잖소-
믿어야잖습니까-믿어야잖아-**믿어야죠**-믿어야지-믿어야지만-**믿어야 하다**-믿었거나-믿었거늘-
135 믿었거니-믿었거니와-믿었거던-믿었거든-믿었거들랑-믿었건-**믿었건만**-**믿었고**-믿었구-믿었
구나-믿었구려-믿었구마-믿었구먼-믿었군-**믿었기**-믿었기가-믿었기나-믿었기는-믿었기도-믿
었기라도-믿었기를-믿었기만-믿었기보다-믿었기야-**믿었기에**-믿었긴-**믿었길**-믿었길래-믿었
게-믿었겠거나-믿었겠거늘-믿었겠거니-믿었겠거니와-믿었겠거든-믿었겠거들랑-믿었겠구-믿
었겠구나-믿었겠구려-믿었겠구먼-믿었겠군-믿었겠나-믿었겠냐-믿었겠냐마는-믿었겠냐만-믿
140 었겠느냐-믿었겠느뇨-믿었겠는-믿었겠는가-믿었겠는걸-믿었겠는고-**믿었겠는데**-믿었겠는지-
믿었겠니-믿었겠네-**믿었겠다**-믿었겠다거나-믿었겠다고-믿었겠다나-믿었겠다는-믿었겠다니-
믿었겠다니까-믿었겠다더구나-믿었겠다더구려-믿었겠다더구먼-믿었겠다더군-믿었겠다더라-
믿었겠단다-믿었겠단다고-믿었겠단들-믿었겠달-믿었겠달까-믿었겠달꺼-믿었겠달꼬-믿었겠
달지-믿었겠답니까-믿었겠답니다-믿었겠답디까-믿었겠답디다-믿었겠답시고-믿었겠더라-믿
145 었겠더라고-믿었겠더라나-믿었겠더라니-믿었겠더라니까-믿었겠더래-믿었겠더래도-믿었겠더
래서-믿었겠더만-믿었겠더이다-믿었겠던-믿었겠던가-믿었겠던고-믿었겠던들-믿었겠던데-믿
었겠드나-믿었겠드냐-믿었겠드나-믿었겠드라-믿었겠드라고-믿었겠든-믿었겠든가-믿었겠든
데-믿었겠든지-믿었겠대-믿었겠대다가-믿었겠대도-믿었겠대면-믿었겠대서-믿었겠대서야-믿
었겠댄다-믿었겠댔고-믿었겠댔나-믿었겠댔냐-믿었겠댔니-믿었겠댔다-믿었겠댔다가-믿었겠
150 댔어-믿었겠댔어도-믿었겠댔으니까-믿었겠댔으면-믿었겠댔잖나-믿었겠댔잖냐-믿었겠댔잖니
-믿었겠댔잖소-믿었겠댔잖습니까-믿었겠댔잖아-**믿었겠어**-믿었겠어도-믿었겠어서-믿었겠으
나-믿었겠으니-믿었겠으니까-믿었겠으며-믿었겠으면-믿었겠으면서-믿었겠으면야-믿었겠으
면은-믿었겠으므로-믿었겠을-믿었겠을걸-믿었겠을까-믿었겠을꺼-믿었겠을꼬-믿었겠을라-믿
었겠을라고-믿었겠을라구-믿었겠을라나-믿었겠을려고-믿었겠을려구-믿었겠을려니-믿었겠을
155 려면-믿었겠을려면야-믿었겠을지-믿었겠을지나-믿었겠을지도-믿었겠을지만-믿었겠을지를-
믿었겠을지보다-믿었겠을지야-믿었겠을지조차-믿었겠을지에-믿었겠잖나-믿었겠잖냐-믿었겠
잖니-믿었겠잖소-믿었겠잖습니까-믿었겠잖습디까-믿었겠잖아-**믿었겠죠**-믿었겠지-믿었겠지
마는-**믿었겠지만**-믿었겠지만도-믿었겠지만은-믿었겠지야-**믿었나**-믿었나가-믿었나니-믿었나
를-믿었나만-믿었나보다-믿었나부터-믿었나에-**믿었냐**-믿었냐가-믿었냐고-믿었냐는-믿었냐
160 니-믿었냐니까-믿었냐도-믿었냐를-믿었냐만-믿었냐에-믿었노니-믿었노니라-믿었노라-믿었
느냐-믿었느뇨-믿었느니-믿었느니라-**믿었는**-**믿었는가**-믿었는가가-믿었는가는-믿었는가도-
믿었는가라도-믿었는가를-믿었는가만-믿었는가만이라도-믿었는가보다-믿었는가부터-믿었는
가야-믿었는가에-믿었는가에서-믿었는가조차-믿었는걸-믿었는고-믿었는들-**믿었는데**-믿었는
데다가-믿었는데도-**믿었는지**-믿었는지가-믿었는지나-믿었는지는-믿었는지도-믿었는지라-믿

165 었는지라도-믿었는지를-믿었는지만-믿었는지만이라도-믿었는지보다
-믿었는지부터-믿었는지야-믿었지에-믿었는지조차-**믿었니**-믿었네-
-**믿었다**-믿었다가-믿었다가는-믿었다가도-믿었다거나-믿었네만
-믿었다고-믿었다고나-믿었다고는-믿었다고도-믿었다고야-믿었
다구-믿었다기-믿었다기가-믿었다기는-믿었다기도-믿었다기만-
170 믿었다기보다-믿었다기야-믿었다기에-믿었다길-**믿었다길래**-믿었
다나-믿었다냐-**믿었다는**-믿었다니-믿었다니까-믿었다네-믿었다더
구나-믿었다더구려-믿었다더구먼-믿었다더군-믿었다더냐-믿었다더니
-믿었다더니만-**믿었다더라**-믿었다더라고-믿었다더라니-믿었다더라만-
믿었다던-믿었다던가-믿었다던데-믿었다던지-믿었다드라-믿었다든-**믿었다든가**-믿었다든데-
175 믿었다든지-믿었다마는-**믿었다마다**-믿었다만-믿었다만은-믿었다며-**믿었다면**-믿었다면서-믿
었다면서도-믿었다면야-믿었다면은-**믿었다매**-믿었다시피-믿었다오-믿었다우-믿었다잖나-믿
었다잖냐-믿었다잖니-믿었다잖소-믿었다잖습니까-믿었다잖아-믿었다죠-**믿었다지**-믿었다지
를-믿었다지마는-믿었다지만-믿었다지만서도-믿었다지만은-믿었다질-믿었다 한다-**믿었단**-믿
었단다-믿었단다고-믿었단들-믿었달-믿었달까-믿었답니까-**믿었답니다**-믿었답니다만-믿었답
180 디까-**믿었답디다**-믿었답시고-**믿었더구나**-믿었더구려-믿었더구마-믿었더구먼-믿었더군-믿었
더냐-믿었더냐고-**믿었더니**-믿었더니라-믿었더니만-믿었더라-**믿었더라고**-믿었더라니-믿었더
라니까-**믿었더라도**-**믿었더라면**-**믿었더래**-믿었더래도-믿었더래서-믿었더만-믿었더이다-**믿었
던**-믿었던가-믿었던고-믿었던들-**믿었던데**-**믿었던지**-믿었던지라-믿었도다-믿었도록-믿었드
라-**믿었든**-믿었든가-믿었든지-믿었디-**믿었대**-믿었대고-믿었대다가-믿었대도-믿었대며-**믿었
185 대서**-믿었대서야-믿었댔거나-믿었댔고-믿었댔구나-믿었댔구려-믿었댔구먼-믿었댔군-믿었댔
다-믿었댔다가-믿었댔다고-믿었댔다며-믿었댔다면-믿었댔다면서-믿었댔소-믿었댔습니까-믿
었댔습니다-믿었댔습디까-믿었댔습디다-**믿었댔어**-믿었댔어도-믿었댔어서-믿었댔오-믿었댔
우-믿었댔으니-믿었댔으니까-믿었댔으며-**믿었댔으면**-믿었댔으면서-믿었댔으면서도-믿었댔
으면야-믿었댔으므로-믿었댔잖나-믿었댔잖냐-믿었댔잖니-믿었댔잖소-믿었댔잖습니까-믿었
190 댔잖아-믿었댔죠-믿었댔지-**믿었댔지만**-믿었댔지만도-믿었데-믿었데냐-믿었데니-믿었데니까
-믿었데도-믿었데서-믿었사오나-믿었사오니-믿었사옵니다-**믿었소**-믿었소냐-믿었소냐만-믿
었소만-믿었소이다-믿었습니까-**믿었습니다**-믿었습니다만-믿었습디까-믿었습디다-**믿었어**-**믿
었어도**-**믿었어서**-**믿었어야**-믿었어야만-**믿었어야지**-믿었어야지만-**믿었었거나**-믿었었거늘-믿
었었거니-믿었었거니와-믿었었거던-믿었었거든-믿었었거들랑-**믿었었고**-믿었었구-믿었었구
195 나-믿었었구려-믿었었구마-믿었었구먼-믿었었군-믿었었기-믿었었기나-믿었었기는-믿었었기
도-믿었었기라도-믿었었기만-믿었었기보다-믿었었기부터-믿었었기야-**믿었었기에**-믿었었긴-
믿었었길-믿었었길래-믿었었게-믿었었겠거나-믿었었겠거니-믿었었겠고-믿었었겠나-**믿었었**

겠냐-믿었었겠는-믿었었겠는가-믿었었겠는감-믿었었겠는걸-믿었었겠는고-믿었었겠는들-믿
었었겠는데-믿었었겠는지-믿었었겠니-믿었었겠네-믿었었겠네만-**믿었었겠다**-믿었었겠다고-
200 믿었었겠다니-믿었었겠다니까-믿었었겠다며-믿었었겠다면-믿었었겠다면서-믿었었겠다면서
도-믿었었겠다면야-믿었었겠더냐-**믿었었겠더라**-믿었었겠더라도-믿었었겠더라만-믿었었겠더
만-믿었었겠더이다-믿었었겠던-믿었었겠던가-믿었었겠던고-믿었었겠던들-믿었었겠던데-믿
었었겠던지-믿었었겠도다-믿었었겠드라-믿었었겠든-믿었었겠든가-믿었었겠든데-믿었었겠든
지-믿었었겠대-믿었었겠대고-믿었었겠대며-믿었었겠대서-믿었었겠대서야-믿었었겠소-믿었
205 었겠수-믿었었겠습니까-믿었었겠습니다-믿었었겠습니다만-믿었었겠습디까-믿었었겠습디다-
믿었었겠어-믿었었겠어서-믿었었겠으나-믿었었겠으니-믿었었겠으니까-믿었었겠으며-믿었었
겠으면-믿었었겠으므로-믿었었겠잖나-믿었었겠잖냐-믿었었겠잖니-믿었었겠잖소-믿었었겠잖
습니까-믿었었겠잖아-믿었었겠죠-믿었었겠지-믿었었겠지마는-믿었었겠지만-믿었었겠지만도
-믿었었겠지야-**믿었었나**-믿었었냐-믿었었노라-믿었었느냐-믿었었는가-믿었었는고-믿었었는
210 들-**믿었었는데**-믿었었는지-믿었었는지도-믿었었는지라-믿었었는지를-믿었었는지야-믿었었
는질-**믿었었니**-**믿었었네**-**믿었었다**-믿었었다거나-**믿었었다고**-믿었었다구-**믿었었다가**-믿었었
다기-믿었었다기가-믿었었다기라도-믿었었다기만-믿었었다기보다-믿었었다기야-**믿었었다기
에**-믿었었다나-믿었었다냐-믿었었다느니-믿었었다느냐-**믿었었다니**-믿었었다니까-믿었었다
네-믿었었다네만-믿었었다더구나-믿었었다더구려-믿었었다더구마-믿었었다더구먼-믿었었다
215 더군-믿었었다더니-믿었었다더니까-믿었었다더니만-믿었었다더냐-믿었었다더라-믿었었다더
라니-믿었었다더라도-믿었었다며-**믿었었다면**-믿었었다면서-믿었었다면야-믿었었다면은-믿
었었다매-믿었었다 한다-믿었었단-**믿었었단다**-믿었었단다고-믿었었단들-믿었었달-믿었었달
까-믿었었달껴-믿었었달꼬-믿었었달지-믿었었답니까-믿었었답니다-믿었었답디까-믿었었답
디다-믿었었답시고-믿었었더구나-믿었었더구려-믿었었더구마-믿었었더구먼-믿었었더군-믿
220 었었더냐-믿었었더라-**믿었었더라도**-믿었었더라며-믿었었더라면-믿었었더라면서-믿었었더라
면야-믿었었더래-믿었었더래도-믿었었더래서-믿었었더만-믿었었더이다-**믿었었던**-믿었었던
가-믿었었던고-믿었었던들-믿었었던데-믿었었던지-믿었었던지도-믿었었던지라-믿었었던지
야-믿었었도다-믿었었도록-믿었었드나-믿었었드냐-믿었었드니-믿었었드라-믿었었든-믿었었
든가-믿었었든데-믿었었든지-**믿었었대**-믿었었대고-믿었었대다가-믿었었대도-믿었었대며-믿
225 었었대서-믿었었대서야-믿었었댄다-믿었었댔나-믿었었댔냐-믿었었댔니-믿었었댔다-믿었었
댔다가-믿었었댔어-믿었었댔어도-믿었었댔어서-믿었었댔으니-믿었었댔으니까-믿었었댔으며
-믿었었댔으면-믿었었댔잖아-믿었었댔지-믿었었댔지만-믿었었데-믿었었데냐-믿었었데니까-
믿었었데도-믿었었데서-믿었었데지만-믿었었소-**믿었었습니까**-**믿었었습니다**-믿었었습니다만
-믿었었습디까-믿었었습디다-**믿었었어**-믿었었어도-믿었었어야-믿었었어야만-**믿었었어야지**-
230 믿었었어야지만-믿었었우-**믿었었으나**-**믿었었으니**-믿었었으니까-믿었었으며-**믿었었으면**-

믿었었으면서-믿었었으면야-믿었었으므로-**믿었었을**-**믿었었을 거다**-믿었었을걸-**믿었었을까**-믿었었을껴-믿었었을꼬-믿었었을라-믿었었을라고-믿었었을라구-믿었었을려고-믿었었을려구-믿었었을려니-**믿었었을지**-믿었었을지도-믿었었을 테다-믿었었잖나-믿었었잖냐-믿었었잖니-믿었었잖소-믿었었잖습니까-믿었었잖아-믿었었죠-**믿었었지**-믿었었지나-믿었었지만-믿었었지야-**믿었으나**-믿었으니-**믿었으니까**-믿었으랴-믿었으려고-믿었으려나-믿었으려니-믿었으리-믿었으리니-믿었으리다-믿었으리라-**믿었으며**-**믿었으면**-믿었으면서-**믿었으면서도**-믿었으면야-믿었으면은-**믿었으므로**-**믿었을**-믿었을 거다-**믿었을걸**-**믿었을까**-믿었을까가-믿었을까나-믿었을까는-믿었을까도-믿었을까를-믿었을까마는-믿었을까보다-믿었을까보냐-믿었을까부터-믿었을까야-믿었을까에-믿었을까조차-믿었을껴-믿었을꼬-**믿었을라**-믿었을라고-믿었을라구-믿었을라나-믿었을랑가-믿었을런지-믿었을려-믿었을려고-믿었을려구-**믿었을려나**-믿었을려니-믿었을려니까-믿었을려면-믿었을려면야-믿었을망정-**믿었을수록**-**믿었을지**-믿었을지가-믿었을지도-믿었을지나-믿었을지는-믿었을지라도-믿었을지를-믿었을지만-믿었을지만이라도-믿었을지보다-믿었을지부터-믿었을지야-믿었을지에-믿었을지조차-믿었을 테다-믿었잖나-믿었잖냐-믿었잖니-믿었잖소-**믿었잖습니까**-믿었잖아-**믿었죠**-**믿었지**-믿었지도-믿었지나-믿었지는-믿었지랑-믿었지롱-믿었지마는-**믿었지만**-믿었지만도-믿었지야-믿었지에

믿으 **믿으나**-믿으나는-믿으나도-믿으나니-믿으나마나-믿으니-**믿으니까**-**믿으라**-믿으라거나-**믿으라고**-믿으라구-**믿으라기**-믿으라기가-믿으라기나-믿으라기는-믿으라기도-믿으라기라도-믿으라기만-믿으라기보다-믿으라기부터-믿으라길-**믿으라길래**-믿으라나-믿으라냐-믿으라는-믿으라는가-믿으라는고-**믿으라는데**-믿으라는지-믿으라니-믿으라니까-믿으라네-믿으라네만-믿으라더구나-믿으라더구려-믿으라더구마-믿으라더구먼-믿으라더군-믿으라더냐-믿으라더니-믿으라더니만-믿으라더라-믿으라더라니까-믿으라더만-믿으라더이다-믿으라던-믿으라던가-믿으라던고-믿으라던들-믿으라던데-믿으라던지-믿으라든-믿으라든가-믿으라든데-믿으라든지-믿으라대-**믿으라며**-**믿으라면**-**믿으라면서**-믿으라면서도-믿으라면야-믿으라면은-믿으라매-믿으라잖나-믿으라잖냐-믿으라잖니-믿으라잖소-믿으라잖습니까-믿으라잖아-믿으라죠-믿으라지-**믿으란**-믿으란다-믿으란다고-믿으랄-믿으랄걸-믿으랄까-믿으랄껴-믿으랄꼬-믿으랄지-믿으랄지도-믿으랍니까-믿으랍니다-믿으랍디까-믿으랍디다-믿으랴-**믿으러**-**믿으려**-믿으려거나-믿으려거든-**믿으려고**-믿으려고나-믿으려고도-믿으려고를-믿으려구-믿으려나-믿으려느냐-**믿으려는**-믿으려는가-믿으려는고-믿으려는데-믿으려는데는-믿으려는데도-믿으려는지-믿으려는지나-믿으려는지는-믿으려는지도-믿으려는지라-믿으려는지라도-믿으려는지만-믿으려는지야-믿으려는지에-**믿으려니**-믿으려니까-믿으려다-**믿으려다가**-믿으려다가도-믿으려더라-**믿으려던**-믿으려던가-믿으려던고-**믿으려면**-믿으려면은-믿으려무나-믿으려믄-**믿으려 한다**-믿으련다-믿으렴-믿으렵니까-믿으렵니다-믿

으리-믿으리니-믿으리다-믿으리라-**믿으래**-믿으래도-믿으래며-믿으래서-믿으래서야-**믿으며**-
265 **믿으면**-믿으면서-**믿으면서도**-**믿으므로**-믿으믄-믿으삼-**믿으셔**-**믿으셔도**-**믿으셔서**-믿으셔서
라기보다-**믿으셔야**-믿으셔야겠거나-믿으셔야겠고-믿으셔야겠나-**믿으셔야겠냐**-믿으셔야겠는
-믿으셔야겠는가-믿으셔야겠는감-믿으셔야겠는걸-믿으셔야겠는고-믿으셔야겠는들-믿으셔야
겠는데-믿으셔야겠는데도-믿으셔야겠는지-믿으셔야겠니-믿으셔야겠네-믿으셔야겠네만-**믿으
셔야겠다**-믿으셔야겠다고-믿으셔야겠다니-믿으셔야겠다니까-믿으셔야겠다더구나-믿으셔야
270 겠다더구려-믿으셔야겠다더구마-믿으셔야겠다더구먼-믿으셔야겠다더군-믿으셔야겠다며-믿
으셔야겠다면-믿으셔야겠다면서-믿으셔야겠다면서도-믿으셔야겠다면야-믿으셔야겠다면은-
믿으셔야겠단다-믿으셔야겠단다고-믿으셔야겠달-믿으셔야겠달까-믿으셔야겠달지-믿으셔야
겠답니까-**믿으셔야겠답니다**-믿으셔야겠답디까-믿으셔야겠답디다-믿으셔야겠답시고-믿으셔
야겠더구나-믿으셔야겠더구려-믿으셔야겠더구마-믿으셔야겠더구먼-믿으셔야겠더군-믿으셔
275 야겠더냐-믿으셔야겠더니-믿으셔야겠더니만-믿으셔야겠더라-믿으셔야겠더라니까-믿으셔야
겠더라도-믿으셔야겠더라서-믿으셔야겠더만-믿으셔야겠더이다-믿으셔야겠던-믿으셔야겠던
가-믿으셔야겠던고-믿으셔야겠던들-믿으셔야겠던데-**믿으셔야겠던지**-믿으셔야겠도다-믿으셔
야겠드냐-믿으셔야겠드라-믿으셔야겠든-믿으셔야겠든가-믿으셔야겠든데-믿으셔야겠든데도-
믿으셔야겠든지-믿으셔야겠소-믿으셔야겠소만-믿으셔야겠소이다-**믿으셔야겠습니까**-믿으셔
280 야겠습니다-믿으셔야겠습디까-믿으셔야겠습디다-믿으셔야겠어-**믿으셔야겠어도**-믿으셔야겠
어서-믿으셔야겠우-믿으셔야겠으나-믿으셔야겠으니-믿으셔야겠으니까-믿으셔야겠으며-믿으
셔야겠으면-믿으셔야겠으면서-믿으셔야겠으면야-믿으셔야겠으므로-믿으셔야겠잖나-믿으셔
야겠잖냐-믿으셔야겠잖니-믿으셔야겠잖소-믿으셔야겠잖습니까-믿으셔야겠잖아-믿으셔야겠
죠-믿으셔야겠지-믿으셔야겠지마는-**믿으셔야겠지만**-믿으셔야겠지만도-**믿으셔야죠**-믿으셔야
285 지-믿으셔야지마는-**믿으셔야지만**-**믿으셨거나**-믿으셨거니-믿으셨거니와-믿으셨거던-믿으셨
거든-믿으셨거들랑-믿으셨겄네-믿으셨겄어-**믿으셨고**-**믿으셨구나**-믿으셨구려-믿으셨구마-믿
으셨구먼-믿으셨군-믿으셨기-믿으셨기가-믿으셨기는-믿으셨기도-**믿으셨기라도**-믿으셨기만-
믿으셨기보다-믿으셨기야-**믿으셨기에**-**믿으셨긴**-**믿으셨길**-믿으셨게-믿으셨게끔-믿으셨겠고-
믿으셨겠구-믿으셨겠구나-믿으셨겠구려-믿으셨겠구마-믿으셨겠구먼-믿으셨겠군-믿으셨겠나
290 -**믿으셨겠냐**-믿으셨겠는-믿으셨겠는가-믿으셨겠는감-믿으셨겠는걸-믿으셨겠는고-믿으셨겠
는들-믿으셨겠는데-믿으셨겠는지-믿으셨겠는지라-믿으셨겠는지만-믿으셨겠는지보다-믿으셨
겠는지야-**믿으셨겠니**-믿으셨겠네-믿으셨겠네만-**믿으셨겠다**-믿으셨겠다고-믿으셨겠다구-믿
으셨겠다니-믿으셨겠다니까-믿으셨겠다더구나-믿으셨겠다더구먼-믿으셨겠다더군-믿으셨겠
다던-믿으셨겠다던가-믿으셨겠다던고-믿으셨겠다던데-믿으셨겠다던지-믿으셨겠다드라-믿으
295 셨겠다든-믿으셨겠다든가-믿으셨겠다든데-믿으셨겠다든지-**믿으셨겠다며**-**믿으셨겠다면**-믿으
셨겠다면서-믿으셨겠다면서도-믿으셨겠다면야-믿으셨겠다면은-믿으셨겠다잖나-믿으셨겠다

잖냐-믿으셨겠다잖니-믿으셨겠다잖소-믿으셨겠다잖습니까-믿으셨겠다잖아-믿으셨겠다죠-믿으셨겠다지-믿으셨겠다지마는-믿으셨겠다지만-믿으셨겠다지만은-믿으셨겠다질-믿으셨겠다 한다-믿으셨겠단다-믿으셨겠단다고-믿으셨겠단들-믿으셨겠달-믿으셨겠달까-믿으셨겠달지-
300 믿으셨겠달지도-믿으셨겠답니까-믿으셨겠답니다-믿으셨겠답니다만-믿으셨겠답디까-믿으셨겠답디다-믿으셨겠답시고-믿으셨겠더구나-믿으셨겠더구려-믿으셨겠더구마-믿으셨겠더구먼-믿으셨겠더군-믿으셨겠더냐-믿으셨겠더니-믿으셨겠더니만-**믿으셨겠더라**-믿으셨겠더라니-믿으셨겠더라니까-믿으셨겠더라도-믿으셨겠더라서-믿으셨겠더래-믿으셨겠더래도-믿으셨겠더래서-믿으셨겠더만-믿으셨겠더이다-믿으셨겠던-믿으셨겠던가-믿으셨겠던고-믿으셨겠던들-
305 **믿으셨겠던데**-믿으셨겠던데도-믿으셨겠던지-믿으셨겠도다-믿으셨겠드나-믿으셨겠드냐-믿으셨겠드니-믿으셨겠드라-믿으셨겠든-믿으셨겠든가-믿으셨겠든데-믿으셨겠든지-믿으셨겠디-믿으셨겠디까-믿으셨겠디다-믿으셨겠대-믿으셨겠대고-믿으셨겠대도-믿으셨겠대며-믿으셨겠대서-믿으셨겠댄다-믿으셨겠댔나-믿으셨겠댔냐-믿으셨겠댔느냐-믿으셨겠댔니-믿으셨겠데-믿으셨겠데니까-믿으셨겠데도-믿으셨겠데서-믿으셨겠데지-믿으셨겠소-**믿으셨겠습니까**-믿으
310 셨겠습니다-**믿으셨겠습니다만**-믿으셨겠습디까-믿으셨겠습디다-믿으셨겠어-믿으셨겠어도-**믿으셨겠어서**-믿으셨겠오-믿으셨겠우-**믿으셨겠으나**-믿으셨겠으니-믿으셨겠으니까-믿으셨겠으며-믿으셨겠으면-믿으셨겠으면서-믿으셨겠으면야-믿으셨겠으면은-믿으셨겠으므로-믿으셨겠을-믿으셨겠을걸-믿으셨겠을까-믿으셨겠을꺼-믿으셨겠을꼬-믿으셨겠을라-믿으셨겠을라고-믿으셨겠을라구-믿으셨겠을라나-믿으셨겠을려고-믿으셨겠을려구-믿으셨겠잖나-믿으셨겠잖냐-믿
315 으셨겠잖니-믿으셨겠잖소-믿으셨겠잖습니까-믿으셨겠잖아-믿으셨겠죠-믿으셨겠지-믿으셨겠지마는-믿으셨겠지만-믿으셨겠지만도-믿으셨겠지만은-믿으셨겠지야-**믿으셨나**-믿으셨나니-믿으셨나이까-믿으셨나이다-**믿으셨냐**-믿으셨냐고-믿으셨냐니-믿으셨냐니까-믿으셨노니-믿으셨노라-믿으셨느냐-믿으셨느니-믿으셨느니라-믿으셨느라-믿으셨느라고-믿으셨는-믿으셨는가-믿으셨는감-믿으셨는걸-믿으셨는고-**믿으셨는데**-믿으셨는데다가-믿으셨는데도-믿으셨는지-믿으셨
320 는지도-믿으셨는지라-믿으셨는지라도-믿으셨는지만-믿으셨는지야-믿으셨니-믿으셨네-믿으셨네만-**믿으셨다**-믿으셨다가-믿으셨다가는-믿으셨다가도-믿으셨다거나-믿으셨다고-믿으셨다고나-믿으셨다구-**믿으셨다기**-믿으셨다기가-믿으셨다기는-믿으셨다기라도-믿으셨다기만-믿으셨다기보다-**믿으셨다기보다는**-믿으셨다기부터-믿으셨다기야-믿으셨다기에-믿으셨다나-믿으셨다느냐-믿으셨다느냐고-믿으셨다느냐니까-믿으셨다느니-**믿으셨다니**-**믿으셨다니까**-믿으셨다네-
325 믿으셨다네만-믿으셨다더구나-믿으셨다더구려-믿으셨다더구마-믿으셨다더구먼-믿으셨다더군-믿으셨다마는-믿으셨다만-믿으셨다며-**믿으셨다면**-믿으셨다면서-믿으셨다면서도-믿으셨다면야-믿으셨다면은-**믿으셨다매**-믿으셨다시피-믿으셨다잖나-믿으셨다잖냐-믿으셨다잖니-믿으셨다잖소-믿으셨다잖습니까-믿으셨다잖아-믿으셨다죠-믿으셨다지-믿으셨다지나-믿으셨다지를-믿으셨다지마는-**믿으셨다지만**-믿으셨다지만은-믿으셨다지야-믿으셨다질-믿으셨다 한다-**믿으셨
330 단**-믿으셨단다-믿으셨단다고-믿으셨달-믿으셨달까-믿으셨달꺼-믿으셨달꼬-믿으셨달지-

믿으셨답니까-**믿으셨답니다**-믿으셨답디까-믿으셨답디다-믿으셨답시고-**믿으셨더구나**-믿으셨더
구려-믿으셨더구마-믿으셨더구먼-믿으셨더군-믿으셨더냐-믿으셨더니-믿으셨더니라-믿으셨더
니만-**믿으셨더라**-믿으셨더라고-믿으셨더라구-믿으셨더라도-믿으셨더라며-**믿으셨더라면**-믿으
셨더라면서-믿으셨더래-믿으셨더래도-믿으셨더만-믿으셨더이다-**믿으셨던**-믿으셨던가-믿으셨
335 던고-믿으셨던들-믿으셨던데-믿으셨던데도-믿으셨던지-믿으셨던지는-**믿으셨던지도**-믿으셨던
지만-믿으셨던지야-믿으셨던지에-믿으셨도다-믿으셨도록-믿으셨드나-믿으셨드냐-믿으셨드니-
믿으셨드라-믿으셨든-믿으셨든가-믿으셨든데-믿으셨든지-**믿으셨대**-믿으셨대고-믿으셨대다가-
믿으셨대도-믿으셨대며-믿으셨대서-믿으셨댄다-믿으셨댄다고-믿으셨댔거나-**믿으셨댔고**-믿으
셨댔구-믿으셨댔구나-믿으셨댔구려-믿으셨댔구먼-믿으셨댔군-믿으셨댔나-믿으셨댔냐-믿으셨
340 댔느냐-믿으셨댔니-믿으셨댔네-믿으셨댔다-믿으셨댔다가-믿으셨댔소-믿으셨댔습니까-믿으셨
댔습니다-믿으셨댔어-믿으셨댔어도-믿으셨댔어서-믿으셨댔으니-믿으셨댔으니까-믿으셨댔으면
-믿으셨댔으므로-믿으셨댔잖나-믿으셨댔잖냐-믿으셨댔잖니-믿으셨댔잖습니까-믿으셨댔잖소-
믿으셨댔잖아-믿으셨댔죠-믿으셨댔지-믿으셨댔지만-**믿으셨데**-믿으셨데니까-믿으셨데도-믿으
셨데서-믿으셨소-믿으셨소이까-믿으셨소이다-믿으셨습니까-**믿으셨습니다**-믿으셨습니다만-
345 믿으셨습디까-믿으셨습디다-**믿으셨어**-**믿으셨어도**-믿으셨어서-**믿으셨어야**-믿으셨어야만-믿
으셨어야지-믿으셨어야지만-믿으셨었거나-믿으셨었거늘-믿으셨었거던-**믿으셨었거든**-믿으셨
었거들랑-**믿으셨었고**-믿으셨었구-믿으셨었구나-믿으셨었구려-믿으셨었구마-믿으셨었구먼-
믿으셨었군-믿으셨었기-믿으셨었기가-믿으셨었기나-믿으셨었기는-믿으셨었기도-**믿으셨었기**
라도-믿으셨었기를-믿으셨었기만-믿었셨었기보다-믿으셨었기부터-믿으셨었기야-**믿으셨었기**
350 **에**-믿으셨었긴-믿으셨었길-믿으셨었길래-믿으셨었게-믿으셨었게끔-믿으셨었겠거나-믿으셨었
겠고-믿으셨었겠나-믿으셨었겠냐-믿으셨었겠는-믿으셨었겠는가-믿으셨었겠는감-믿으셨었겠는
걸-믿으셨었겠는고-믿으셨었겠는지-믿으셨었겠는지도-**믿으셨었겠니**-믿으셨었겠네-믿으셨었겠
네만-**믿으셨었겠다**-믿으셨었겠다니-믿으셨었겠다며-믿으셨었겠다면-믿으셨었겠다면서-믿으셨
었겠다면은-믿으셨었겠다지만-믿으셨었겠더구나-믿으셨었겠더구려-믿으셨었겠더구마-믿으셨
355 었겠더구먼-믿으셨었겠더군-믿으셨었겠더냐-믿으셨었겠더라-믿으셨었겠더라도-믿으셨었겠더
만-믿으셨었겠던-믿으셨었겠던가-믿으셨었겠던데-믿으셨었겠던지-믿으셨었겠드나-믿으셨었겠
드냐-믿으셨었겠드니-믿으셨었겠드라-믿으셨었겠든-믿으셨었겠든가-믿으셨었겠든데-믿으셨었
겠든지-믿으셨었겠소-**믿으셨었겠습니까**-믿으셨었겠습니다-믿으셨었겠습디까-믿으셨었겠습디
다-믿으셨었겠어-믿으셨었겠어도-믿으셨었겠어서-믿으셨었겠우-**믿으셨었겠으나**
360 -믿으셨었겠으니-**믿으셨었겠으니까**-믿으셨었겠으며-믿으셨었겠으면-믿으셨
었겠으므로-믿으셨었겠잖나-믿으셨었겠잖냐-믿으셨었겠잖니-믿으셨었겠잖
소-믿으셨었겠잖습니까-믿으셨었겠잖아-믿으셨었겠죠-**믿으셨었겠지**-믿으셨
었겠지마는-**믿으셨었겠지만**-믿으셨었겠지만도-**믿으셨었나**-믿으셨었나도-믿으셨
었나라도-믿으셨었나를-믿으셨었나만-믿으셨었나보다도-믿으셨었나야-믿으셨었느냐-믿으셨

365 었느니-믿으셨었느니라-믿으셨었는-믿으셨었는가-믿으셨었는고-믿으셨었는들-**믿으셨었는데**
-믿으셨었는데도-**믿으셨었는지**-믿으셨었는지가-믿으셨었는지나-믿으셨었는지는-**믿으셨었는
지도**-믿으셨었는지라도-믿으셨었는지를-믿으셨었는지만-믿으셨었는지야-**믿으셨었니**-믿으셨
었네-**믿으셨었다**-믿으셨었다나-믿으셨었다냐-믿으셨었다느냐-믿으셨었다느니-믿으셨었다는
-**믿으셨었다는데**-**믿으셨었다니**-**믿으셨었다니까**-믿으셨었다며-**믿으셨었다면**-믿으셨었다면서
370 -믿으셨었다면야-믿으셨었다잖나-믿으셨었다잖냐-믿으셨었다잖니-믿으셨었다잖소-믿으셨었
다잖습니까-믿으셨었다잖아-믿으셨었다죠-믿으셨었다지-**믿으셨었다지만**-믿으셨었다 한다-믿
으셨었단-믿으셨었단다-믿으셨었단다고-믿으셨었달-믿으셨었달까-믿으셨었달꺼-믿으셨었달
꼬-믿으셨었달지-믿으셨었답니까-**믿으셨었답니다**-믿으셨었답디까-믿으셨었답디다-믿으셨었
더구나-믿으셨었더구려-믿으셨었더구마-믿으셨었더구먼-믿으셨었더군-믿으셨었더라-믿으셨
375 었더라고-믿으셨었더라니-믿으셨었더라니까-믿으셨었더라도-믿으셨었더라만-믿으셨었더라
며-**믿으셨었더라면**-믿으셨었더라면서-믿으셨었더래-믿으셨었더래도-믿으셨었더래서-믿으셨
었더만-믿으셨었더이다-**믿으셨었던**-믿으셨었던가-믿으셨었던고-**믿으셨었던데**-믿으셨었던지
-믿으셨었던지라-믿으셨었던지라도-믿으셨었던지만-믿으셨었던지야-믿으셨었도다-믿으셨었
도록-믿으셨었드나-믿으셨었드냐-믿으셨었드니-믿으셨었드라-믿으셨었든-**믿으셨었든가**-믿
380 으셨었든데-믿으셨었든지-**믿으셨었대**-믿으셨었대고-믿으셨었대다가-믿으셨었대도-믿으셨었
대며-믿으셨었대서-믿으셨었대서야-믿으셨었댄다-믿으셨었댔고-믿으셨었댔나-믿으셨었댔냐
-믿으셨었댔니-믿으셨었댔다-믿으셨었댔다가-믿으셨었댔다니까-믿으셨었댔다며-믿으셨었댔
어-믿으셨었댔어도-믿으셨었댔어서-믿으셨었댔으니까-믿으셨었댔으면-믿으셨었댔지만-믿으
셨었데-믿으셨었데니-믿으셨었데니까-믿으셨었데도-믿으셨었데서-믿으셨었소-**믿으셨었습니
385 까**-**믿으셨었습니다**-믿으셨었습디까-믿으셨었습디다-**믿으셨었어**-믿으셨었어도-믿으셨었어서
-믿으셨었어야-믿으셨었어야만-믿으셨었우-**믿으셨었으나**-믿으셨었으니-**믿으셨었으니까**-믿
으셨었으라고-믿으셨었으라구-믿으셨었으려고-믿으셨었으려구-믿으셨었으려니-믿으셨었으
려면-믿으셨었으려면야-믿으셨었으며-믿으셨었으면-믿으셨었으면서도-믿으셨었으면야-믿으
셨었으면은-**믿으셨었을**-믿으셨었을 거다-믿으셨었을까-믿으셨었을꺼-믿으셨었을꼬-믿으셨었
390 을라-믿으셨었을라나-믿으셨었을지-믿으셨었을지도-믿으셨었을 테다-믿으셨었잖나-믿으셨었
잖냐-믿으셨었잖니-믿으셨었잖소-믿으셨었잖습니까-믿으셨었잖아-**믿으셨었죠**-믿으셨었지-
믿으셨었지나-믿으셨었지도-믿으셨었지를-**믿으셨었지만**-믿으셨었지야-**믿으셨으나**-믿으셨으
니-**믿으셨으니까**-믿으셨으려-**믿으셨으려고**-믿으셨으려나-믿으셨으려니-**믿으셨으며**-**믿으셨
으면**-**믿으셨으면서**-믿으셨으면서도-믿으셨으면야-믿으셨으면은-**믿으셨으므로**-믿으셨으믄-
395 **믿으셨을**-믿으셨을 거다-**믿으셨을걸**-**믿으셨을까**-믿으셨을까도-믿으셨을까마는-믿으셨을꺼-
믿으셨을꼬-**믿으셨을라**-믿으셨을라나-믿으셨을라믄-믿으셨을수록-**믿으셨을지**-믿으셨을지가
-믿으셨을지는-**믿으셨을지도**-믿으셨을지라도-믿으셨을지만-믿으셨을지만이라도-믿으셨을지

야-믿으셨을 테다-믿으셨음-믿으셨잖나-믿으셨잖냐-믿으셨잖니-믿으셨잖소-**믿으셨잖습니까**-
믿으셨잖아-**믿으셨죠**-믿으셨지-믿으셨지는-믿으셨지도-믿으셨지마는-**믿으셨지만**-믿으소-믿
으소서-믿으쇼-믿으슈-**믿으시거나**-믿으시거늘-믿으시거니-믿으시거니와-믿으시거던-믿으시
거든-믿으시거들랑-**믿으시고**-믿으시고는-믿으시고도-**믿으시고서**-믿으시고서야-믿으시고야-
믿으시고자-믿으시고저-믿으시고파-믿으시고픈-믿으시구-믿으시구나-믿으시구려-믿으시구
먼-믿으시군-**믿으시기**-믿으시기가-믿으시기나-믿으시기는-믿으시기도-믿으시기라도-**믿으시
기를**-믿으시기만-믿으시기만이라도-믿으시기보다-믿으시기부터-믿으시기야-**믿으시기에**-믿
으시긴-**믿으시길**-믿으시길래-믿으시게-믿으시게끔-믿으시게나-믿으시겠거나-믿으시겠거늘-
믿으시겠거니-믿으시겠거니와-믿으시겠고-믿으시겠구-믿으시겠구나-믿으시겠구려-믿으시겠구
먼-믿으시겠군-믿으시겠기-믿으시겠기나-믿으시겠기는-믿으시겠기도-믿으시겠기야-**믿으시겠
기에**-**믿으시겠나**-믿으시겠냐-믿으시겠냐고-믿으시겠냐니-믿으시겠냐니까-믿으시겠노라-믿으
시겠느냐-믿으시겠느뇨-믿으시겠느니-믿으시겠느니라-믿으시겠는-믿으시겠는가-**믿으시겠는걸**
-믿으시겠는고-믿으시겠는들-**믿으시겠는데**-믿으시겠는데다가-믿으시겠는데도-믿으시겠는지-
믿으시겠니-믿으시겠네-**믿으시겠다**-믿으시겠다가-믿으시겠다가는-믿으시겠다가도-믿으시겠다
거나-믿으시겠다고-믿으시겠다구-믿으시겠다나-믿으시겠다냐-믿으시겠다느냐-믿으시겠다느니
-믿으시겠다는-믿으시겠다는가-믿으시겠다는걸-믿으시겠다는고-**믿으시겠다는데**-믿으시겠다는
데도-믿으시겠다는지-믿으시겠다니-믿으시겠다니까-믿으시겠다네-믿으시겠다네만-믿으시겠다
더구나-믿으시겠다더구려-믿으시겠다더구마-믿으시겠다더구먼-믿으시겠다더군-믿으시겠다더
냐-믿으시겠다더니-믿으시겠다더니만-믿으시겠다더라-믿으시겠다더라고-믿으시겠다더라구-믿
으시겠다더라니-믿으시겠다더라니까-믿으시겠다더라도-믿으시겠다더라며-믿으시겠다더라면-
믿으시겠다며-**믿으시겠다면**-믿으시겠다면서-믿으시겠다면야-믿으시겠다면은-믿으시겠다매-믿
으시겠다 한다-**믿으시겠단**-믿으시겠단다-믿으시겠단다고-믿으시겠단들-믿으시겠달-믿으시겠
달까-믿으시겠달껴-믿으시겠달꼬-믿으시겠달지-**믿으시겠답니까**-**믿으시겠답니다**-믿으시겠답디
까-믿으시겠답디다-믿으시겠답시고-믿으시겠더구나-믿으시겠더구려-믿으시겠더구마-믿으시겠
더구먼-믿으시겠더군-믿으시겠더냐-믿으시겠더냐고-믿으시겠더냐니까-믿으시겠더니-믿으시겠
더니만-믿으시겠더라-믿으시겠더라고-믿으시겠더라구-믿으시겠더라니-믿으시겠더라니까-믿으
시겠더라도-믿으시겠더라며-믿으시겠더라면-믿으시겠더라면서-믿으시겠더라면야-믿으시겠더
래-믿으시겠더래냐-믿으시겠더래도-믿으시겠더만-믿으시겠더이다-믿으시겠던-믿으시겠던가-
믿으시겠던고-믿으시겠던들-**믿으시겠던데**-믿으시겠도다-믿으시겠도록-믿으시겠드나-믿으시겠
드냐-믿으시겠드니-믿으시겠드라-**믿으시겠든**-믿으시겠든가-믿으시겠든데-믿으시겠든데도-믿
으시겠든지-믿으시겠대-믿으시겠대고-믿으시겠대도-믿으시겠대며-믿으시겠
대서-믿으시겠대서야-**믿으시겠데**-믿으시겠데니까-믿으시겠데도-믿으시겠
데서-믿으시겠데지-**믿으시겠소**-**믿으시겠습니까**-믿으시겠습니다-믿으시겠
습디까-믿으시겠습디다-**믿으시겠어**-믿으시겠어도-**믿으시겠어서**-믿으시겠

우-**믿으시겠으나**-믿으시겠으니-믿으시겠으니까-믿으시겠으며-믿으시겠으면-믿으시겠으면서도-믿으시겠으면은-믿으시겠으므로-믿으시겠을-믿으시겠을까-믿으시겠을껴-믿으시겠을꼬-믿으시겠을라-믿으시겠을라고-믿으시겠을라구-믿으시겠을라나-믿으시겠을려고-믿으시겠을려구-믿
435 으시겠을려니-믿으시겠을려면-믿으시겠을려면야-믿으시겠잖나-믿으시겠잖아-믿으시겠잖냐-믿으시겠잖니-믿으시겠잖소-믿으시겠잖습니까-믿으시겠잖아-**믿으시겠죠**-**믿으시겠지**-믿으시겠지마는-**믿으시겠지만**-믿으시겠지만은-**믿으시나**-믿으시나가-믿으시나는-믿으시나니-믿으시나도-믿으시나를-믿으시나마나-믿으시나만-믿으시나보다-믿으시나부터-믿으시나야-믿으시나이까-믿으시나이다-믿으시나에-믿으시나조차-**믿으시냐**-믿으시냐가-믿으시냐고-믿으시냐
440 는-믿으시냐니-믿으시냐니까-믿으시냐도-믿으시냐를-믿으시냐만-믿으시냐보다-믿으시냐부터-믿으시냐야-믿으시냐에-믿으시냐조차-믿으시노니-믿으시노라-**믿으시느니**-믿으시느라-**믿으시는**-믿으시는가-믿으시는가가-믿으시는가나-믿으시는가는-믿으시는가도-믿으시는가라도-믿으시는가를-믿으시는가보다-믿으시는가부터-믿으시는가야-믿으시는가에-믿으시는가조차-믿으시는걸-믿으시는고-믿으시는구나-믿으시는구려-믿으시는구먼-믿으시는군-**믿으시는데**-
445 믿으시는데도-**믿으시는지**-믿으시는지가-믿으시는지나-믿으시는지는-믿으시는지도-믿으시는지라-믿으시는지라도-믿으시는지를-믿으시는지만-믿으시는지보다-믿으시는지부터-믿으시는지야-믿으시는지에-믿으시는지조차-**믿으시니**-믿으시니까-믿으시니라-**믿으시네**-믿으시네만-**믿으시다**-믿으시다가-**믿으시다가는**-믿으시다가도-**믿으시다마다**-믿으시다시피-믿으시더구나-믿으시더구려-믿으시더구마-믿으시더구먼-믿으시더군-믿으시더냐-**믿으시더니**-믿으시더니
450 라-**믿으시더니만**-믿으시더라-믿으시더라고-믿으시더라는-믿으시더라니-믿으시더라니까-믿으시더라네-**믿으시더라도**-믿으시더라며-믿으시더라면-믿으시더라면서-믿으시더래-믿으시더래니까-믿으시더래도-믿으시더래며-믿으시더래서-믿으시더만-믿으시더이다-**믿으시던**-믿으시던가-믿으시던고-믿으시던들-**믿으시던데**-믿으시던지-믿으시던지라-믿으시던지라도-믿으시던지만-믿으시던지야-믿으시도다-**믿으시도록**-믿으시드라-**믿으시든**-믿으시든가-믿으시든
455 데-믿으시든지-믿으시디-믿으시대-믿으시데-믿으시라-믿으시라고-믿으시라나-믿으시라는-믿으시라니-**믿으시라니까**-믿으시라네-믿으시라며-믿으시라면-**믿으시라면서**-믿으시라면서도-믿으시라믄-믿으시라매-믿으시랄-믿으시랄까-믿으시랄껴-믿으시랄꼬-믿으시랄지-믿으시랴-믿으시러-믿으시려-**믿으시려고**-믿으시려구-믿으시려나-믿으시려는-믿으시려니-믿으시려니까-믿으시려면-믿으시려면서-믿으시려면서도-믿으시려면은-믿으시려 하다-믿으시리-믿으시
460 리니-믿으시리라-믿으시래-믿으시래니까-믿으시래도-믿으시래서-믿으시래서야-**믿으시며**-**믿으시면**-믿으시면서-믿으시면서도-믿으시면은-믿으시므로-믿으시믄-**믿으시오**-믿으시자-믿으시자고-믿으시자구-믿으시자기에-믿으시자마자-믿으시잖고-믿으시잖나-믿으시잖냐-믿으시잖니-믿으시잖소-믿으시잖습니까-믿으시잖아-믿으시죠-믿으시지-믿으시지는-믿으시지도-믿으시지를-믿으시지마는-**믿으시지만**-믿으시지야-**믿으신**-**믿으신다**-믿으신다거나-믿으신다고-
465 믿으신다고나-믿으신다구-믿으신다기-믿으신다기가-믿으신다기나-믿으신다기도-믿으신다기

라도-믿으신다기를-믿으신다기만-믿으신다기보다-믿으신다기부터-믿으신다기야-**믿으신다기
에**-믿으신다기조차-믿으신다긴-믿으신다길-믿으신다길래-믿으신다나-**믿으신다는**-**믿으신다
니**-믿으신다니까-믿으신다네-믿으신다네만-믿으신다더구나-믿으신다더구려-믿으신다더구먼
-믿으신다더군-믿으신다더니-믿으신다더니만-믿으신다더라-**믿으신다던**-믿으신다던가-**믿으
470 신다던데**-믿으신다던지-믿으신다드라-믿으신다든-믿으신다든가-믿으신다든데-믿으신다든지
-믿으신다며-**믿으신다면**-믿으신다면서-믿으신다면서도-믿으신다면야-믿으신다면은-**믿으신
다매**-믿으신다에-믿으신다잖나-믿으신다잖냐-믿으신다잖니-믿으신다잖소-믿으신다잖아-믿
으신다죠-믿으신다지-믿으신다지만-믿으신다 한다-**믿으신단**-믿으신단다-믿으신단다고-믿으
신단들-믿으신달-믿으신달까-믿으신달지-**믿으신답니까**-믿으신답니다-믿으신답디까-믿으신
475 답디다-믿으신답시고-믿으신들-믿으신대-믿으신대고-믿으신대도-믿으신대며-믿으신대서-믿
으신대서야-**믿으신데**-믿으신데니-믿으신데니까-믿으신데도-믿으신데서-믿으신데지-**믿으실**-
믿으실 거다-믿으실걸-믿으실까-믿으실까가-믿으실까나-믿으실까도-믿으실까를-믿으실까마
는-믿으실까만-믿으실까보다-믿으실까부터-믿으실까조차-믿으실까야-믿으실까에-믿으실껴-
믿으실꼬-믿으실라-믿으실라고-믿으실라나-믿으실라니-믿으실라니까-믿으실라면-믿으실라
480 면야-믿으실라면은-믿으실라믄-믿으실랑가-믿으실런지-믿으실려-믿으실려고-믿으실려나-믿
으실려니-믿으실려니까-믿으실려면-믿으실려면은-믿으실래-믿으실래나-믿으실래니-믿으실
래니까-믿으실래도-믿으실래야-**믿으실수록**-**믿으실지**-믿으실지가-믿으실지나-믿으실지는-믿
으실지도-믿으실지라-믿으실지라도-믿으실지를-믿으실지만-믿으실지만이라도-믿으실지보다
-믿으실지부터-믿으실지야-믿으실지에-믿으실지조차-믿으실 테다-믿으십니까-**믿으십니다**-믿
485 으십디까-**믿으십디다**-믿으십사-믿으십쇼-**믿으십시다**-**믿으십시오**-**믿으세요**-믿으오-믿으오나
-믿으오니-믿으오리-믿으오리까-믿으오리니-믿으오리다-믿으오만-믿으옵소서-믿으우-**믿은**-
믿을-**믿을 거다**-**믿을걸**-**믿을게**-**믿을까**-믿을까가-믿을까나-믿을까는-믿을까를-믿을까마는-
믿을까만-믿을까만이라도-믿을까보다-믿을까부터-믿을까야-믿을까에-믿을깝쇼-믿을껴-믿을
꼬-믿을께-**믿을는지**-**믿을라**-믿을라고-믿을라구-믿을라나-믿을라니-믿을라니까-**믿을라면**-믿
490 을라면야-믿을라면은-믿을라믄-믿을락말락-**믿을란다**-믿을란다고-믿을랍니다-믿을랑가-**믿을
런지**-믿을런지나-믿을런지는-믿을런지도-믿을려-**믿을려고**-믿을려고도-믿을려고조차-믿을려
구-**믿을려나**-믿을려니-믿을려니까-믿을려다-**믿을려다가**-믿을려다가도-믿을련다-믿을렵니다
-**믿을래**-믿을래나-믿을래니까-**믿을래도**-믿을래야-믿을소냐-믿을소냐만-**믿을수록**-믿을지-믿
을지가-믿을지까지-믿을지나-믿을지는-믿을지니-믿을지니라-**믿을지도**-믿을지라-믿을지라도
495 -믿을지를-믿을지만-믿을지만이라도-믿을지보다-믿을지부터-믿을지어다-**믿을지언정**-믿을지
야-믿을지에-믿을지조차-믿을진대-믿을 테다-믿음-**믿읍시다**

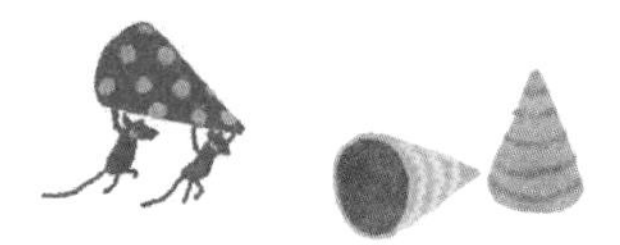

11. **ㄷ 불규칙 동사**를 연습해 보세요. Practice ㄷ irregular verbs.

예) **걷다** (질문을) **묻다** (국수가) **붇다** **듣다** **싣다** **일컫다** 등

어 (반말·도·라·서·야·주세요·과거형)와 **으 (니까·라고·러·려·며·면·세요)**가 올 때 **ㄷ이 ㄹ로** 변합니다. ㄷ turns into ㄹ when it is followed by **어** (for 반말·도·라·서·야·주세요·과거형) or **으** (for 니까·라고·려·며·면·세요).

걷다
(walk)

걷 : 걷고 - 걷겠다 - 걷는다 (현재형) - 걷니 - 걷네 - 걷습니다 - 걷자 - 걷지

걸어 : 걸어 (반말) - 걸어도 - 걸어라 - 걸어서 - 걸어야 - 걸어 주세요 - 걸었다 (과거형) - 걸었습니다

걸으 : 걸으니까 - 걸으라고 - 걸으러 - 걸으려 - 걸으며 - 걸으면 - 걸으세요

명사 앞 : 걷는 (현재) - 걸은 (과거) - 걷던, 걸었던 (과거의 습관, 경험) - 걸을 (미래)

듣다
(hear)

듣 : 듣고 - 듣겠다 - 듣는다 (현재형) - 듣니 - 듣네 - 듣습니다 - 듣자 - 듣지

들어 : 들어 (반말) - 들어도 - 들어라 - 들어서 - 들어야 - 들어 주세요 - 들었다 (과거형) - 들었습니다

들으 : 들으니까 - 들으라고 - 들으러 - 들으려 - 들으며 - 들으면 - 들으세요

명사 앞 : 듣는 (현재) - 들은 (과거) - 듣던, 들었던 (과거의 습관, 경험) - 들을 (미래)

본문해설 하늘 다람쥐의 사계절 Explanation

1. '은 · 는'으로 차이와 비교를 나타내는 연습을 해보세요.
은 and 는 are subject markers used to compare or to emphasize.
Use 은 when the preceding letter ends with a bottom consonant.

예) **엄마는 매운 걸 드시지만, 저는 매운 걸 안 먹어요.**
- Mom eats spicy food, but I don't eat spicy food.

우리 오빠는 얼굴은 작고 다리는 길어요. - My brother has a small face and long legs.

2. **'잘 익은'** (ripe) 의 반대말은 **'안 익은' '덜 익은'** (unripe) 이에요.
익은 것 같지만 아직 충분히 익지 않은 것은 **'설익은'** (not fully ripe) 입니다.
The opposite of 잘 익은 is 안 익은 or 덜 익은. There is 설익은 to mean 'not fully ripe'.

예) **설익은 과일은 먹지 마세요.** - Don't eat fruits which are not fully ripe.

3. '은'을 넣어 **ㄱ 받침 형용사**를 연습해 보세요. Practice adjectives with ㄱ bottom consonant.

예) **썩은** (rotten) **식은** (cooled) **익은** (cooked) **작은** (small) **적은** (little)

4. **계절**에 대한 문장을 만들어 보세요. Make sentences on four seasons.

예) **봄에 진달래가 피어요.** - Azaleas bloom in spring.
여름은 더워서 바다로 가요. - Because summer is hot, we go to the beach.
가을에는 나무들이 예뻐요. - In fall, trees are pretty.
겨울에는 눈이 와요. - In winter, it snows.

5. '목련'처럼 **ㄱ 받침이 ㅇ으로 발음**되는 단어를 연습해 보세요.
Practice the pronunciations of ㄱ bottom consonant which turn into ㅇ sound.

예1) ㄱ 받침이 **ㄴ**을 만나면 ㅇ으로 발음됩니다. ㄱ+ㄴ→[ㅇ+ㄴ]
막내 [망내] - the youngest child **학년 [항년]** - grade

예2) ㄱ 받침이 **ㄹ**을 만나면 ㅇ과 ㄴ으로 발음됩니다. ㄱ+ㄹ→[ㅇ+ㄴ]
목련 [몽년] - magnolia **독립 [동닙]** - independence

예3) ㄱ 받침이 **ㅁ**을 만나면 ㅇ으로 발음됩니다. ㄱ+ㅁ→[ㅇ+ㅁ]
식물 [싱물] - plant **국민 [궁민]** - people of a nation

6. ㄹ 받침 의태어 의성어를 연습해 보세요. Practice mimetic words and imitative words with ㄹ 받침.

예) ㄱ - 가물가물 간질간질 갈기갈기 거들먹거들먹 거칠거칠 건들건들 골골 구불구불 구질구질 근질근질 길쭉길쭉 개굴개굴 까불까불 까칠까칠 깔깔 깔짝깔짝 꺼칠꺼칠 껄껄 껄떡껄떡 꼬들꼬들 꼬물꼬물 꼬불꼬불 꼬질꼬질 꼴까닥 꼴깍 꼴깍꼴깍 꼴딱 꼼짝달싹 꾸물꾸물 꿀꺽 꿀꺽꿀꺽 꿀꿀 꿀떡 낄낄

ㄴ - 나풀나풀 날름 날름날름 너덜너덜 너풀너풀 널찍널찍 느글느글 니글니글

ㄷ - 달그닥 달달 덜그럭 덜덜 덜컥 돌돌 둘둘 둘레둘레 들들 들썩들썩 데굴데굴 딸꾹딸꾹 똘똘 뚤뚤 떼굴떼굴

ㄹ - 룰루랄라

ㅁ - 멀찍멀찍 미끌미끌 맨들맨들 맨질맨질

ㅂ - 바글바글 바들바들 반들반들 발그레 발딱 발발 발칵 버글버글 번들번들 벌떡 벌벌 벌컥 벌컥벌컥 보글보글 보들보들 보슬보슬 볼그레 볼록 볼록볼록 부글부글 부들부들 부슬부슬 불끈 불룩 불룩불룩 비슬비슬 비실비실 비틀비틀 빌빌 빠글빠글 빨빨 뻘뻘 뽀글뽀글 삐뚤삐뚤 삐뚤빼뚤 삐질삐질 뺀들뺀들 뺀질뺀질

3권 10쪽

ㅅ - 산들산들 살살 살짝살짝 샬라샬라 서글서글 설레설레 설설 솔솔 술술 스멀스멀 슬슬 슬쩍 슬쩍슬쩍 시끌벅적 시끌시끌 시들시들 시시콜콜 실떡실떡 실실 실쭉샐쭉 샐쭉 씰룩씰룩

ㅇ - 아슬아슬 아질아질 아찔아찔 어질어질 어찔어찔 안절부절 알뜰살뜰 알록달록 야들야들 얼기설기 얼룩덜룩 오글오글 오돌토돌 오들오들 오물오물 올록볼록 우글우글 우둘우둘 우둘투둘 우물우물 우물쭈물 울고불고 울룩불룩 유들유들 으슬으슬 이글이글 와글와글 와들와들 왁자지껄

ㅈ - 자글자글 잘근잘근 잘록잘록 절뚝절뚝 절룩절룩 절레절레 절절 조잘조잘 조몰락조몰락 조물조물 졸졸 주물럭주물럭 주절주절 줄줄 지글지글 질근질근 질끈 질질 질척질척 질퍽질퍽 재잘재잘 질퍼덕질퍼덕 짤깍 짤깍짤깍 쩔걱쩔걱 쪼글쪼글 쫄딱 쫄쫄 쭈글쭈글 찔꺽찔꺽 찔찔

ㅊ - 찰싸닥 찰싸닥찰싸닥 찰싹 찰싹찰싹 찰찰 찰칵 철썩 철썩철썩 철철

철커덕 철컥 철퍼덕 철퍼덕철퍼덕 철퍽 촐싹촐싹

ㅋ - 콜록콜록 쿨럭쿨럭 쿨쿨 킬킬 콸콸

ㅌ - 탈탈 터덜터덜 털썩 털컥 털털 털퍼덕 토실토실 투덜투덜 투실투실 툴툴

ㅍ - 파들파들 팔딱팔딱 팔짝 팔팔 펄떡펄떡 펄럭펄럭 펄쩍 펄펄 폴짝 폴폴 풀럭풀럭 풀썩 풀풀

ㅎ - 하늘하늘 한들한들 헐레벌떡 후들후들 후줄근 흐물흐물 흔들흔들 홀딱 훌떡 홀짝홀짝 홀쭉 훌쩍 훌쩍훌쩍 훌훌 헤벌쭉 화들짝 활짝 활활 훨훨 등

7. 형용사형과 **부사형**을 비교해 보세요.

Compare adjective forms and adverb forms.

			(형용사)		(부사)
예1)	**예쁘다** (pretty)	-	**예쁜**	-	**예쁘게**
	시원하다 (cool)	-	**시원한**	-	**시원하게**
	익다 (ripe)	-	**익은**	-	**익게**
	설레다 (excited)	-	**설레는**	-	**설레게**
	덥다 (hot)	-	**더운**	-	**덥게**
	뜨겁다 (hot)	-	**뜨거운**	-	**뜨겁게**
	차갑다 (cold)	-	**차가운**	-	**차갑게**
	춥다 (cold as weather)	-	**추운**	-	**춥게**

3권 11쪽

예2) **예쁜 그림을 샀어요.** - I bought a pretty painting.

따뜻한 봄날입니다. - It is a warm spring day.

뜨거운 목욕 하면 나을 거야. - You'll get better if you take a hot bath.

시원한 거 마시자. - Let's drink something cool.

추운 날에는 밖에 안 나가요. - I don't go outside on cold days.

예3) **따뜻하게 입어.** - Dress warm.

춥게 밖에 있지 마. - Don't stay out cold.

예쁘게 입고 쇼핑 가자. - Let's dress up pretty and go shopping.

그 망고, 익게 그냥 둬. - Leave the mango to ripen.

시원하게 에어컨 켜고 있자. - Let's turn on the AC and stay cool.

8. ㄹ **불규칙 동사**의 활용을 연습해 보세요. Practice the usage of ㄹ irregular verbs.

동사의 현재형은 앞이 모음이면 'ㄴ다', 앞이 받침이면 '는다'가 되는데, ㄹ 불규칙 동사의 현재형은 **ㄹ이 탈락되고 ㄴ**이 옵니다. (예: 알다 → 안다) **반말·도·라·서·야·주세요·과거형**의 경우 **ㅏ ㅗ**에는 **'아'**, **ㅓ ㅜ ㅡ ㅣ** 에는 **'어'**가 오며, ㄹ 받침이 **ㄴ, ㅅ,** 그리고 **ㅂ**을 만나면 원칙적으로 **ㄹ 받침이 사라지지만**, 구어체에서는 종종 **'으'**를 넣어 쓰기도 합니다.

The present forms of verbs are ended with ㄴ다 (behind a vowel) or 는다 (behind a consonant). However, ㄹ irregular verbs omit ㄹ bottom consonant to make a present form. (ex: 알다 → 안다) For 반말·도·라·서·야·주세요·과거형, '아' comes after ㅏ ㅗ, '어' comes after ㅓ ㅜ ㅡ ㅣ. Basically, ㄹ bottom consonant is omitted, when it meets ㄴ ㅅ ㅂ.
Also, 으 is wrongly used behind ㄹ bottom consonant in the spoken style.

예) **갈다 걸다 굴다 깔다 끌다 날다 놀다 널다 돌다 들다 말다 몰다 물다 밀다 벌다 불다 빌다 살다 썰다 쓸다 알다 얼다 열다 울다 절다 졸다 털다 팔다 풀다 헐다** 등

살다 (live)

살 : 살고 - 살겠다 - 살라고 - 살러 - 살려 - 살며 - 살면 - 살자 - 살지

살아 : 살아 (반말) - 살아도 - 살아라 - 살아서 - 살아야 - 살아 주세요 - 살았다 (과거형) - 살았습니다

사 : 사니 - 사니까 - 사네 - 사세요 - 산다 (현재형) - 삽니다

명사 앞 : 사는 (현재) - 산 (과거) - 살던, 살았던 (과거의 습관, 경험) - 살 (미래)

벌다 (earn)

벌 : 벌고 - 벌겠다 - 벌라고 - 벌러 - 벌려 - 벌며 - 벌면 - 벌자 - 벌지

벌어 : 벌어 (반말) - 벌어도 - 벌어라 - 벌어서 - 벌어야 - 벌어 주세요 - 벌었다 (과거형) - 벌었습니다

버 : 버니 - 버니까 - 버네 - 버세요 - 번다 (현재형) - 법니다

명사 앞 : 버는 (현재) - 번 (과거) - 벌던, 벌었던 (과거의 습관, 경험) - 벌 (미래)

놀다 (play)

놀 : 놀고 - 놀겠다 - 놀라고 - 놀러 - 놀려 - 놀며 - 놀면 - 놀자 - 놀지

놀아 : 놀아 (반말) - 놀아도 - 놀아라 - 놀아서 - 놀아야 - 놀아 주세요 - 놀았다 (과거형) - 놀았습니다

노 : 노니 - 노니까 - 노네 - 노세요 - 논다 (현재형) - 놉니다

명사 앞 : 노는 (현재) - 논 (과거) - 놀던, 놀았던 (과거의 습관, 경험) - 놀 (미래)

본문해설 어디에 사나요 Explanation

1. ㅂ 받침의 발음을 연습해 보세요. ㅂ 받침 뒤에서 ㄱ, ㅅ, ㅈ은 발음이 세져서 ㄲ, ㅆ, ㅉ로 발음됩니다. 또 ㅂ 받침이 ㄴ을 만나면 ㅁ 소리가 됩니다.
After ㅂ, ㄱ ㅅ ㅈ pronounce as ㄲ ㅆ ㅉ. And ㅂ bottom consonant becomes ㅁ sound when it meets ㄴ.

예) **춥고 - [춥꼬]** **춥지 - [춥찌]** **춥냐 - [춤냐]**
춥니 - [춤니] **춥네 - [춤네]** **춥습니다 - [춥씀니다]**

2. '~기'를 붙여 **동사의 명사형**을 연습해 보세요.
Make nouns out of verbs by putting noun suffix 기.

예1) **가다 - 가기 (going)** **먹다 - 먹기 (eating)**
놀다 - 놀기 (playing) **듣다 - 듣기 (listening)**
말하다 - 말하기 (speaking) **쓰다 - 쓰기 (writing)**

예2) **듣기와 말하기 수업도 듣고 있습니다.**
- I am also taking listening and speaking classes.

3권 12쪽

3. '~기 어려운' '~기 힘든'을 연습해 보세요.
Practice 'It's hard to' in Korean by using 기 어려운 or 기 힘든.

예) **구하다 - 구하기 힘든 거예요.** - It's hard to get.
잡다 - 잡기 힘든 공이네요. - That's a ball hard to catch.
믿다 - 믿기 어려운 이야기네요. - That story is hard to believe.

4. 색깔 명사를 연습해 보세요. Practice color nouns.

예) **빨강 파랑 노랑 하양, 흰색 까망, 검정 분홍 초록, 녹색 주황 갈색 보라색 하늘색 연두색 회색 진홍 황토색 연보라 남색 자주색 청록색 쑥색 옥색**

5. 형용사와 그 명사형을 짝지어 공부해 보세요.
Practice the original form of adjectives and their noun forms.

예) **기쁘다 - 기쁨 (delight)** **슬프다 - 슬픔 (sadness)**
고맙다 - 고마움 (gratitude) **아름답다 - 아름다움 (beauty)**
친절하다 - 친절함 (kindness) **화려하다 - 화려함 (splendor)**
춥다 - 추위 (coldness) **덥다 - 더위 (hotness)**

6. '~에서도'를 연습하며 다른 곳에서도 마찬가지인 상황을 표현해 보세요.

Use 에서도 to express the same situation at different places.

예)

거기에서도 안 팔아.

- They don't sell it there, either.

학교에서도 필요해.

- We need it at school, too.

여기에서도 볼 수 있어.

- I can see it from here, too.

3권 13쪽

7. ㅂ 불규칙 형용사를 연습해 보세요. Practice the rules of ㅂ irregular adjectives.

> **반말·도·라·서·야·과거형**이 될 때 **ㅂ이 없어지고 '워'**가 옵니다.
> **니까·라고·려·며·면·세요**(존대의 시)가 될 때는 **ㅂ이 없어지고 '우'**가 옵니다. 단, 곱다는 고와 (반말·도·라·서·야·과거형)가 됩니다.
> In case of 반말·도·라·서·야·과거형, ㅂ is omitted and 워 comes in.
> Before 니까·라고·려·며·면·세요(존칭의 시), ㅂ is omitted and 우 comes in.
> However, 곱다 changes into 고와 for 반말·도·라·서·야·과거형.

예) **가렵다 가볍다 가엽다 고맙다 곱다 그립다 더럽다 덥다 두껍다 뜨겁다 무겁다 무섭다 맵다 부럽다 아름답다 어렵다 시끄럽다 쉽다 즐겁다 지겹다 차갑다 춥다** 등

덥다 (hot)

덥 : 덥고 - 덥겠다 - 덥니 - 덥네 - 덥다 (현재형) - 덥습니다 - 덥지

더워 : 더워 (반말) - 더워도 - 더워라 - 더워서 - 더워야 - 더웠다 (과거형) - 더웠습니다

더우 : 더우니까 - 더우라고 - 더우려 - 더우며 - 더우면 - 더우세요

명사 앞 : 더운 (현재) - 덥던, 더웠던 (과거, 과거의 경험) - 더울 (미래)

춥다 (cold)

춥 : 춥고 - 춥겠다 - 춥니 - 춥네 - 춥다 (현재형) - 춥습니다 - 춥지

추워 : 추워 (반말) - 추워도 - 추워라 - 추워서 - 추워야 - 추웠다 (과거형) - 추웠습니다

추우 : 추우니까 - 추우라고 - 추우려 - 추우며 - 추우면 - 추우세요

명사 앞 : 추운 (현재) - 춥던, 추웠던 (과거, 과거의 경험) - 추울 (미래)

맵다 (spicy)

맵 : 맵고 - 맵겠다 - 맵니 - 맵네 - 맵다 (현재형) - 맵습니다 - 맵지

매워 : 매워 (반말) - 매워도 - 매워라 - 매워서 - 매워야 - 매웠다 (과거형) - 매웠습니다

매우 : 매우니까 - 매우라고 - 매우려 - 매우며 - 매우면 - 매우세요

명사 앞 : 매운 (현재) - 맵던, 매웠던 (과거, 과거의 경험) - 매울 (미래)

8. ㅂ 받침 동사를 연습해 보세요. Practice verbs with ㅂ bottom consonant.

예1) **ㅂ 규칙 동사 (ㅂ regular verbs) : 뽑다 씹다 업다 잡다 접다 집다** 등

> **반말·도·라·서·야·주세요·과거형**이 될 때 ㅏ ㅗ 에는 **'아'**가, ㅓ ㅜ ㅡ ㅣ에는 **'어'**가 옵니다. **니까·라고·러·려·며·면·세요(존대의 시)** 때는 모음에 상관없이 공통으로 **'으'**가 옵니다.
> For 반말·도·라·서·야·주세요·과거형, put 아 behind ㅏor ㅗ, and put 어 behind ㅓㅜㅡㅣ.
> For 니까·라고·러·려·며·면·세요(formal 시), put 으 behind any vowels.

잡다 (hold)

잡 : 잡고 - 잡겠다 - 잡는다 (현재형) - 잡니 - 잡네 - 잡습니다 - 잡자 - 잡지

잡아 : 잡아 (반말) - 잡아도 - 잡아라 - 잡아서 - 잡아야 - 잡아 주세요 - 잡았다 (과거형) - 잡았습니다

잡으 : 잡으니까 - 잡으라고 - 잡으러 - 잡으려 - 잡으며 - 잡으면 - 잡으세요

명사 앞 : 잡는 (현재) - 잡은 (과거) - 잡던, 잡았던 (과거의 습관, 경험) - 잡을 (미래)

접다 (fold)

접 : 접고 - 접겠다 - 접는다 (현재형) - 접니 - 접네 - 접습니다 - 접자 - 접지

접어 : 접어 (반말) - 접어도 - 접어라 - 접어서 - 접어야 - 접어 주세요 - 접었다 (과거형) - 접었습니다

접으 : 접으니까 - 접으라고 - 접으러 - 접으려 - 접으며 - 접으면 - 접으세요

명사 앞 : 접는 (현재) - 접은 (과거) - 접던, 접었던 (과거의 습관, 경험) - 접을 (미래)

예2) **ㅂ 불규칙 동사 (ㅂ irregular verbs) : 굽다 눕다 돕다 줍다 여쭙다** 등

> **반말·도·라·서·야·주세요·과거형**의 경우 ㅂ 탈락이 되고 ㅗ 뒤에는 **'와'**, ㅜ 뒤에는 **'워'**가 옵니다. **니까·라고·러·려·며·면·세요(존대의 시)** 의 경우, 모두 ㅂ 탈락이 되고 **'우'**가 옵니다.
> For 반말·도·라·서·야·주세요·과거형, ㅂ 받침 is omitted, and 와 comes after ㅗ or 워 comes after ㅜ.
> For 니까·라고·러·려·며·면·세요, ㅂ 받침 is omitted and 우 comes in.

돕다 (help)

돕 : 돕고 - 돕겠다 - 돕는다 (현재형) - 돕니 - 돕네 - 돕습니다 - 돕자 - 돕지

도와 : 도와 (반말) - 도와도 - 도와라 - 도와서 - 도와야 - 도와 주세요 - 도왔다 (과거형) - 도왔습니다

도우 : 도우니까 - 도우라고 - 도우러 - 도우려 - 도우며 - 도우면 - 도우세요

명사 앞 : 돕는 (현재) - 도운 (과거) - 돕던, 도왔던 (과거의 습관, 경험) - 도울 (미래)

본문해설 깨끗이 깨끗이 Explanation

1. 조건문을 만드는 **'~(으)면'**을 복습해 보세요. 받침이 있는 경우, '으'를 넣으세요.
Practice (으)면 which makes a conditional sentence. Behind bottom consonants, put 으 before 면.

예) **있다 - 시간 있으면 전화해.** - If you have time, please call me.

먹다 - 약 먹으면 나아. - If you take medicine, you will feel better.

공부하다 - 열심히 공부하면 합격할 거야. - If you study hard, you will pass.

2. **'~고 보니'**를 연습해 보세요. Practice 고 보니 in order to express 'After ___ing.'.

예) **듣고 보니, 이해가 되네요.** - Hearing the story, I understand.

알고 보니, 사실이에요. - Looking into it, it was true.

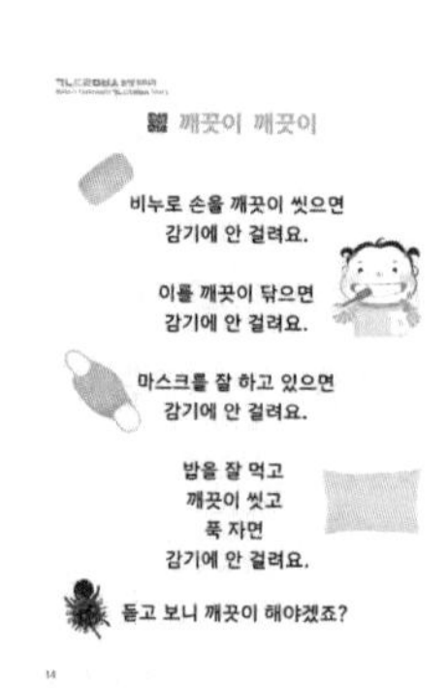

3권 14쪽

3. **'잘'**을 사용해 문장을 만들어 보세요.
잘 means 'well'. Practice frequently used sentences with 잘.

예) **잘 했어.** - Good job!

잘 들어. - Listen carefully.

잘 될 거야. - It will be fine.

4. **'~야겠다'**를 써서 결정이나 결심을 표현해 보세요.
Express your decision using 야겠다. It makes future tense and shows speaker's will or strong guess.

예) **가다 - 가야겠다.** - I should go.

기다리다 - 기다려야겠다. - We should wait.

쉬다 - 내일은 쉬어야겠어. - I should take day off tomorrow.

5. **'안 ~'**을 써서 **부정문**을 연습해 보세요.
Make a negative sentence with 안. 안 means 'not' in front of a verb or an adjective.

예) **난 안 아파.** - I am not sick.

얘는 안 먹어요. - He doesn't eat.

안 어려워요. - It's not hard.

그거 별로 안 비싸. - It's not that expensive.

6. ㅅ 받침 동사를 연습해 보세요. Practice verbs with ㅅ bottom consonant.

예1) **ㅅ 규칙 동사 (ㅅ regular verbs) : 벗다 빗다 빼앗다 솟다 씻다** 등

> **반말·도·라·서·야·주세요·과거형**이 될 때, 앞의 모음이 밝은 ㅏ ㅗ 이면 **'아'**, 어두운 ㅓ ㅜ ㅡ ㅣ일 때 **'어'**가 옵니다.
> **니까·라고·러·려·며·면·세요**(존대의 시) 때는 **'으'**가 공통으로 옵니다.
> For 반말·도·라·서·야·주세요·과거형, 아 comes after ㅏ ㅗ, and 어 comes after ㅓ ㅜ ㅡ ㅣ.
> For 니까·라고·러·려·며·면·세요(formal 시), 으 comes after any vowels.

빗다 (comb)

빗 : 빗고 - 빗겠다 - 빗는다 (현재형) - 빗니 - 빗네 - 빗습니다 - 빗자 - 빗지

빗어 : 빗어 (반말) - 빗어도 - 빗어라 - 빗어서 - 빗어야 - 빗어 주세요 - 빗었다 (과거형) - 빗었습니다

빗으 : 빗으니까 - 빗으라고 - 빗으러 - 빗으려 - 빗으며 - 빗으면 - 빗으세요

명사 앞 : 빗는 (현재) - 빗은 (과거) - 빗던, 빗었던 (과거의 습관, 경험) - 빗을 (미래)

씻다 (wash)

씻 : 씻고 - 씻겠다 - 씻는다 (현재형) - 씻니 - 씻네 - 씻습니다 - 씻자 - 씻지

씻어 : 씻어 (반말) - 씻어도 - 씻어라 - 씻어서 - 씻어야 - 씻어 주세요 - 씻었다 (과거형) - 씻었습니다

씻으 : 씻으니까 - 씻으라고 - 씻으러 - 씻으려 - 씻으며 - 씻으면 - 씻으세요

명사 앞 : 씻는 (현재) - 씻은 (과거) - 씻던, 씻었던 (과거의 습관, 경험) - 씻을 (미래)

예2) **ㅅ 불규칙 동사 (ㅅ irregular verbs) : 긋다 낫다 붓다 잇다 젓다 짓다** 등

> **반말·도·라·서·야·주세요·과거형**이 될 때, **ㅅ 이 탈락**되고 앞의 모음이 밝은 ㅏ ㅗ 이면 **'아'**, 어두운 ㅓ ㅜ ㅡ ㅣ일 때 **'어'**가 옵니다.
> **니까·라고·러·려·며·면·세요**(존대의 시) 경우, **ㅅ 이 탈락**되고 **'으'**가 공통으로 옵니다.
> For 반말·도·라·서·야·주세요·과거형, ㅅ disappears and 아 comes after the bright-sound ㅏ ㅗ, and 어 comes after ㅓ ㅜ ㅡ ㅣ.
> For 니까·라고·러·려·며·면·세요, ㅅ disappears and 으 comes after any vowels.

낫다 (get better)

낫 : 낫고 - 낫겠다 - 낫는다 (현재형) - 낫니 - 낫네 - 낫습니다 - 낫자 - 낫지

나아 : 나아 (반말) - 나아도 - 나아라 - 나아서 - 나아야 - 나아 주세요 - 나았다 (과거형) - 나았습니다

나으 : 나으니까 - 나으라고 - 나으러 - 나으려 - 나으며 - 나으면 - 나으세요

명사 앞 : 낫는 (현재) - 나은 (과거) - 낫던, 나았던 (과거의 습관, 경험) - 나을 (미래)

본문해설 내 동생 Explanation

1. 나이를 세는 말을 연습해 보세요. Learn how to count ages.

예1)

한 살	두 살	세 살	네 살	다섯 살	여섯 살	일곱 살	여덟 살	아홉 살	열 살
1	2	3	4	5	6	7	8	9	10
스무 살	**서른 살**	**마흔 살**	**쉰 살**	**예순 살**	**일흔 살**	**여든 살**	**아흔 살**	**백 살**	
20	30	40	50	60	70	80	90	100	

예2) **1세 [일세] 2세 3세 4세 .....70세 80세 90세 100세 [백세]**

2. 가족 단어를 연습해 보세요. Practice family words.

예)

할아버지 - grandfather　　**할머니** - grandmother

아버지 - father, **아빠** - dad　　**어머니** - mother, **엄마** - mom

형 - older brother of a boy　　**누나** - older sister of a boy

오빠 - older brother of a girl　　**언니** - older sister of a girl

남동생 - younger brother　　**여동생** - younger sister

3. '~쟁이''~꾸러기'는 그것을 습관적으로 하는 사람을 말해요.
쟁이 and 꾸러기 are suffixes which mean 'a habitual doer'.

예)

거짓말쟁이 - liar　　**겁쟁이** - coward　　**따라쟁이** - copycat

잠꾸러기 - sleepyhead　　**장난꾸러기** - scamp　　**울보** - crybaby

4. ㅇ 받침의 발음을 연습해 보세요. ㅇ 받침 뒤에 오는 ㄹ은 ㄴ 소리로 바뀝니다.
ㅇ bottom consonant changes the sound of following ㄹ into ㄴ sound. ㅇ + ㄹ → [ㅇ+ ㄴ]

예) **궁리 [궁니]** - devising　　**명령 [명녕]** - command　　**명랑 [명낭]** - cheerfulness

3권 16쪽

3권 17쪽

5. ㅇ받침 **의태어와 의성어**를 연습해 보세요. Practice mimetic words with ㅇ bottom consonant.

예) ㄱ - 가르릉 간당간당 갈팡질팡 건성건성 궁시렁궁시렁 그렁그렁 그르렁 글썽글썽
기우뚱 깡충깡충 꺄우뚱 껄렁껄렁 껑충 꼬부랑 꼬불탕꼬불탕 꼴랑 꽁꽁
꽁냥꽁냥 꿀렁꿀렁 끙끙 낑낑 꽝꽝 깨갱깨갱 깨개갱

ㄴ - 낭창낭창

ㄷ - 달랑달랑 덜렁 덜렁덜렁 덜컹덜컹 덤벙덤벙 덩실덩실 동글동글 동동 두둥실
둥글둥글 둥둥 둥실둥실 드르렁드르렁 듬성듬성 딩동딩동 딩동댕 대롱대롱
대충대충 댕강 뒤뚱뒤뚱 뒹굴뒹굴 따르릉 딸랑 딸랑딸랑 땅땅 또랑또랑
똘망똘망 띵 띵띵 뛰뛰빵빵 땡땡

ㅁ - 말똥말똥 말랑말랑 멀뚱멀뚱 멍멍 몰랑몰랑 몰캉몰캉 몽글몽글 물렁물렁
물컹물컹 뭉게뭉게 미끄덩미끄덩 민숭민숭 맹숭맹숭

ㅂ - 바둥바둥 발라당 방글방글 방방 방실방실 버둥버둥 벌러덩 벌렁벌렁 벙글벙글
보송보송 부르릉 부릉부릉 붕붕 빈둥빈둥 빈정빈정 빙그레 빙글빙글 빙빙
뱅글뱅글 뱅뱅 빵빵 뽀송뽀송 뽕뽕 뿡뿡 삥삥 빵 빵빵

ㅅ - 살랑살랑 샤방샤방 설렁설렁 성큼성큼 송골송골 송송 송알송알 술렁술렁
숭덩숭덩 숭숭 슝 슬렁슬렁 싱글벙글 싱숭생숭 씨부렁씨부렁 생글생글
씽씽 쌩 쌩쌩

ㅇ - 아등바등 아롱다롱 아웅다웅 아장아장 알랑알랑 알쏭달쏭 알콩달콩 앙앙 야옹
어슬렁어슬렁 어영부영 어정어정 어정쩡 어흥 얼렁뚱땅 엉거주춤 엉금엉금
엉기적엉기적 엉엉 영차 오동통 올망졸망 옹기종기 옹알옹알 우당탕
우당탕퉁탕 울렁울렁 울퉁불퉁 웅성웅성 웅얼웅얼 웅웅 으르렁 으앙 응애응애
일렁일렁 잉잉 앵앵 와장창 윙윙 왱왱

ㅈ - 자장자장 조용조용 종알종알 주렁주렁 중얼중얼 질겅질겅 징글징글 짤랑짤랑
쩌렁쩌렁 쩔렁쩔렁 쩡쩡 쫄랑쫄랑 찡얼찡얼 쨍그랑 쨍쨍

ㅊ - 찰랑찰랑 철렁 첨벙첨벙 초롱초롱 총총 출렁출렁 치렁치렁 칭얼칭얼 칭칭

ㅋ - 카랑카랑 컹컹 콩닥콩닥 쿵덕쿵덕 쿵더쿵쿵더쿵 쿵쿵 쿵쾅쿵쾅 킁킁 콰르릉 쾅쾅

ㅌ - 탕탕 텀벙텀벙 텅텅 통통 퉁퉁 팅팅 탱글탱글 탱자탱자 탱탱

ㅍ - 팔랑팔랑 팡팡 펄렁펄렁 펑펑 포동포동 퐁당 풍덩 풍성풍성 퐁퐁 풍풍
피둥피둥 피융 핑핑 팽팽

ㅎ - 허둥지둥 헐렁헐렁 홀라당 홀랑 훌러덩 훌렁 흥 흥얼흥얼 흥청망청 흥청흥청
힝 휘둥그레 휭 휭휭 휑 등

6. ㅡ 불규칙 동사를 연습해 보세요. Practice ㅡ irregular verbs.

예) **끄다 담그다 들르다 따르다 뜨다 모으다 쓰다 잠그다 치르다 트다** 등

> **반말·도·라·서·야·주세요·과거형**이 될 때, 앞의 모음이 ㅏ ㅗ 면, **ㅡ가 ㅏ로**,
> ㅓ ㅜ ㅡ ㅣ면 **ㅡ가 ㅓ로** 바뀝니다.
> For 반말·도·라·서·야·주세요·과거형, ㅡ changes into ㅏ after ㅏ ㅗ, and into ㅓ after ㅓ ㅜ ㅡ ㅣ.

쓰다 (write)

쓰 : 쓰고 - 쓰겠다 - 쓰니 - 쓰니까 - 쓰네 - 쓰라고 - 쓰러 - 쓰려 - 쓰며 - 쓰면 - 쓰세요 - 쓰자 - 쓰지 - 쓴다 (현재형) - 씁니다

써 : 써 (반말) - 써도 - 써라 - 써서 - 써야 - 써 주세요 - 썼다 (과거형) - 썼습니다

명사 앞 : 쓰는 (현재) - 쓴 (과거) - 썼던, 썼었던 (과거의 습관, 경험) - 쓸 (미래)

모으다 (gather)

모으 : 모으고 - 모으겠다 - 모으니 - 모으니까 - 모으네 - 모으라고 - 모으러 - 모으려 - 모으며 - 모으면 - 모으세요 - 모으자 - 모으지 - 모은다 (현재형) - 모읍니다

모아 : 모아 (반말) - 모아도 - 모아라 - 모아서 - 모아야 - 모아 주세요- 모았다 (과거형) - 모았습니다

명사 앞 : 모으는 (현재) - 모은 (과거) - 모으던, 모았던 (과거의 습관, 경험) - 모을 (미래)

7. ㅡ 불규칙 형용사를 연습해 보세요. Practice ㅡ irregular adjectives.

예) **기쁘다 나쁘다 바쁘다 예쁘다 고프다 아프다 슬프다** 등

> **반말·도·라·서·야·과거형**이 될 때, ㅡ가 앞의 모음이 밝은 ㅏ ㅗ 면 **ㅏ로**,
> 어두운 ㅓ ㅜ ㅡ ㅣ면 **ㅓ로** 바뀝니다.
> For 반말·도·라·서·야· 주세요·과거형, ㅡ changes into ㅏ after the bright-sound ㅏ ㅗ,
> and into ㅓ after the dark-sound ㅓ ㅜ ㅡ ㅣ.

바쁘다 (busy)

바쁘 : 바쁘고 - 바쁘겠다 (미래형) - 바쁘니 - 바쁘니까 - 바쁘네 - 바쁘다 (현재형) - 바쁘며 - 바쁘면 - 바쁘세요 - 바쁘지 - 바쁩니다

바빠 : 바빠 (반말) - 바빠도 - 바빠라 - 바빠서 - 바빠야 - 바빴다 (과거형) - 바빴습니다

명사 앞 : 바쁜 (현재) - 바쁘던, 바빴던 (과거, 과거의 습관, 경험) - 바쁠 (미래)

슬프다 (sad)

슬프 : 슬프고 - 슬프겠다 (미래형) - 슬프니 - 슬프니까 - 슬프네 - 슬프다 (현재형) - 슬프며 - 슬프면 - 슬프세요 - 슬프지 - 슬픕니다

슬퍼 : 슬퍼 (반말) - 슬퍼도 - 슬퍼라 - 슬퍼서 - 슬퍼야 - 슬펐다 (과거형) - 슬펐습니다

명사 앞 : 슬픈 (현재) - 슬프던, 슬펐던 (과거, 과거의 습관, 경험) - 슬플 (미래)

본문해설 낮에 자는 동물들 Explanation

1. 접속사를 연습해 보세요. Practice conjunctions.

예) **그리고** (and) - **우리는 낮에 일해요, 그리고 밤에 자요.**

- **우리는 낮에 일하고, 밤에 자요.**
- We work during the day and sleep at night.

그런데 (however) - **우리는 밤에 자요. 그런데 어떤 동물은 낮에 자요.**

- **우리는 밤에 자는데, 어떤 동물은 낮에 자요.**
- We sleep at night, however some animals sleep during the day.

그러나 (but) - **한국에서는 밤에 나가요. 그러나(하지만) 안 무서워요.**

하지만 - **한국에서는 밤에 나가나, 안 무서워요.**

- **한국에서는 밤에 나가지만, 안 무서워요.**
- We go out at night in Korea, but we are not scared.

2. 지시형용사를 복습해 보세요. Practice adjectives meaning 'like this' and 'like that'.

예) **이 - 이런 - 이런 책 보셨어요?** - Have you seen a book like this?

저 - 저런 - 저런 거는 어디서 사요? - Where can I buy something like that?

그 - 그런 - 그런 얼굴 하지 마세요. - Don't make that face.

3. '~지다'로 형용사 연습을 해보세요.

Practice adding 지다 ending to informal form(반말) of adjectives. 지다 means 'get' or 'become'.

3권 18쪽

예1) **어둡다 - 어두워 - 어두워지다** (become dark)

가볍다 - 가벼워 - 가벼워지다 (become light)

무섭다 - 무서워 - 무서워지다 (get scared)

예2) **기쁘다 - 기뻐 - 기뻐지다** (become glad)

예쁘다 - 예뻐 - 예뻐지다 (become pretty)

예3) **아프다 - 아파 - 아파지다** (get sick)

배고프다 - 배고파 - 배고파지다 (get hungry)

4. '~(하)자,'를 연습해 보세요.

~자, -다. is 'When ___, ___.' This 자 is followed by a clause about what happened next.

예) **봄이 되자, 꽃이 피었다.** - When spring came, flowers bloomed.

해가 뜨자, 그는 일어났다. - When the sun rose, he woke up.

어머니가 일어서자, 모두 박수를 쳤다. - When mom stood up, everyone clapped.

5. ㅈ 받침 동사를 연습해 보세요. Practice verbs with ㅈ bottom consonant.

예) **꽂다 맞다 멎다 맺다 잊다 젖다 짖다 찾다** 등

> **반말·도·라·서·야·주세요·과거형**이 될 때, 앞의 모음이 밝은 ㅏ ㅗ 이면 **'아'**, 어두운 ㅓ ㅜ ㅡ ㅣ일 때 **'어'**가 옵니다.
> **니까·라고·러·려·며·면·세요**(존대의 시) 때는 **'으'**가 공통으로 옵니다.
> For 반말·도·라·서·야·주세요·과거형, 아 comes behind the birght-sound ㅏ ㅗ, and 어 comes behind ㅓ ㅜ ㅡ ㅣ. For 니까·라고·러·려·며·면·세요(formal 시), 으 comes behind any vowels.

찾다 (find)

찾 : 찾고 - 찾겠다 - 찾는다 (현재형) - 찾니 - 찾네 - 찾습니다 - 찾자 - 찾지

찾아 : 찾아 (반말) - 찾아도 - 찾아라 - 찾아서 - 찾아야 - 찾아 주세요 - 찾았다 (과거형) - 찾았습니다

찾으 : 찾으니까 - 찾으라고 - 찾으러 - 찾으려 - 찾으며 - 찾으면 - 찾으세요

명사 앞 : 찾는 (현재) - 찾은 (과거) - 찾던, 찾았던 (과거의 습관, 경험) - 찾을 (미래)

잊다 (forget)

잊 : 잊고 - 잊겠다 (미래형) - 잊는다 (현재형) - 잊니 - 잊네 - 잊습니다 - 잊자 - 잊지

잊어 : 잊어 (반말) - 잊어도 - 잊어라 - 잊어서 - 잊어야 - 잊어 주세요 - 잊었다 (과거형) - 잊었습니다

잊으 : 잊으니까 - 잊으라고 - 잊으러 - 잊으려 - 잊으며 - 잊으면 - 잊으세요

명사 앞 : 잊는 (현재) - 잊은 (과거) - 잊던, 잊었던 (과거의 습관, 경험) - 잊을 (미래)

6. 동사에서 생긴 **명사**를 연습해 보세요.

Practice some noun forms out of verbs.

예) **굽다** (grill) - **구이** (barbecue)

먹다 (eat) - **먹이** (prey, feed)

웃다 (laugh) - **웃음** (laughter)

자다 (sleep) - **잠** (sleep)

듣다 (listen) - **듣기** (listening)

3권 19쪽

본문해설 꽃들의 인사 Explanation

1. 하루의 때를 나타내는 단어를 연습해 보세요. Practice words for the time of a day.

새벽 (dawn) - **아침** (morning) - **오전** (a.m.) - **정오** (noon) - **낮** (daytime), **한낮** (midday) - **오후** (afternoon) - **저녁** (evening) - **밤** (night) - **자정** (midnight) - **한밤** (deep night)

2. ㅅ 받침 의태어를 연습해 보세요. Practice mimetic words with ㅅ bottom consonant.

거뭇거뭇 꼬깃꼬깃 꾸깃꾸깃 나긋나긋 노릇노릇 느릿느릿 뉘엿뉘엿
머뭇머뭇 멈칫멈칫 반듯반듯 방긋방긋 방끗 벙긋벙긋 벙끗 봉긋
비릿비릿 비슷비슷 빙긋빙긋 빠릿빠릿 빨긋빨긋 빵긋 빵끗 빵긋빵긋
뻥긋 뻥끗 삐끗 삐끗삐끗 산뜻산뜻 싱긋 싱끗 씽긋 씽끗 싱긋벙긋 싱긋싱긋
생긋 생끗 생긋생긋 어슷어슷 여릿여릿 울긋불긋 짜릿짜릿 쫄깃쫄깃
쫑긋 쫑끗 쭈볏쭈볏 쭈빗쭈빗 쯧 쯧쯧 찌릿찌릿 찡긋 찡끗 파릇파릇
푸릇푸릇 흐릿흐릿 흘깃 흘낏 흘깃흘깃 흠칫 힐긋 힐끗 힐긋힐긋 희끗희끗 등

3. '~만'을 연습해 보세요. Practice adding 만 to a noun. It means 'only'.

예) **너만 사랑해.** - I love only you.
걔만 안 갔어. - Only he didn't go.
나만 몰랐네. - Only I didn't know.

3권 20쪽

4. 예쁜 것을 묘사하는 말을 연습해 보세요.
Practice words that describe pretty things.

예) **곱다** (be lovely) - **고와** - **곱습니다** - **고운** (명사 앞, before a noun) - **곱게** (부사, adverb)
귀엽다 (be cute) - **귀여워** - **귀엽습니다** - **귀여운** - **귀엽게**
눈부시다 (be dazzling) - **눈부셔** - **눈부십니다** - **눈부신** - **눈부시게**
멋있다 (be wonderful) - **멋있어** - **멋있습니다** - **멋진** - **멋있게**
멋지다 (be cool) - **멋져** - **멋집니다** - **멋진** - **멋지게**
세련됐다 (be sophisticated) - **세련됐어** - **세련됐습니다** - **세련된** - **세련되게**
아름답다 (be beautiful) - **아름다워** - **아름답습니다** - **아름다운** - **아름답게**
우아하다 (be elegant) - **우아해** - **우아합니다** - **우아한** - **우아하게**
예쁘다 (be pretty) - **예뻐** - **예쁩니다** - **예쁜** - **예쁘게**
잘생겼다 (be handsome) - **잘생겼어** - **잘생겼습니다** - **잘생긴** - **잘생기게**

5. 과거형을 연습해 보세요. Practice the past tense of the verbs from the story.

예) **인사하다 (greet) - 인사했다 - 인사했어 - 인사했습니다**

바라보다 (gaze) - 바라봤다 - 바라봤어 - 바라봤습니다

피다 (bloom) - 피었다 - 피었어 - 피었습니다

6. '처럼'을 연습해 보세요. Practice adding 처럼 to a noun. It means 'like' or 'such as'.

예) **나처럼 해 보세요.** - Do like me. **이것처럼 만들자.** - Let's make it like this.

7. '~서' 형태를 연습해 보세요.

서 ending behind the 반말 form usually means the prior action or the cause of following action.
It also means 'because' in many cases.

예) **자라다 - 자라서 - 그녀는 자라서 판사가 되었다.** - She grew up to be a judge.

깎다 - 깎아서 - 깎아서 먹었어요. - I peeled it and ate it.

받다 - 받아서 - 받아서 동생에게 줬어요. - I received it and gave it to my brother.

살다 - 살아서 - 여기 살아서 잘 알아요. - I live here so I know well.

8. 햇빛만 [해삔만] 처럼 **ㅅ, ㅈ, ㅊ 받침**은 **ㄴ, ㅁ, ㅇ**을 **만나면 ㄴ** 으로 **발음**됩니다.

When ㅅ, ㅈ, ㅊ bottom consonants meet ㄴ, ㅁ, ㅇ, they are pronounced ㄴ. (ex: 햇빛만 [해삔만])

예) 갓난아기 - [간난아기] - newborn baby　　거짓말 - [거진말] - lie

젖니 - [전니] - baby tooth　　꽃잎 - [꼰닙] - petal

잣나무 - [잔나무] - Korean pine tree　　햇님 - [핸님] - the sun

본문해설 허수아비 Explanation

1. '**녘**'은 어떤 시간대나 방향을 나타내는 시적인 말이에요.
녘 makes some time and direction words poetic.

예)	들녘	새벽녘	동녘	서녘	남녘	북녘	해 뜰 녘	해 질 녘
	field	around dawn	the east	the west	the south	the north	around sunrise	around sunset

2. **ㄷ 받침 뒤에 '이'**가 오면 **[지]**로 발음됩니다.
When 이 comes after ㄷ bottom consonant, it is pronouned [지]. ㄷ 받침 + 이 → [지].

예) **맏이 [마지]** - the eldest child **해돋이 [해도지]** - sunrise **미닫이 [미다지]** - sliding door

3. 하고 있는 동작을 나타내는 **진행형**을 연습해 보세요. Practice the usage of progressive forms.

> **'~고 있다'**는 지금 하고 있는 **동작**을 나타냅니다.
> When there is 고 before 있다, it shows the action the subject is doing at the moment.

예1) **가다 + 있다 - 가고 있다 (is going) - 가고 있어 - 가고 있습니다**
- 가고 있었다 (was going) - 가고 있었어 - 가고 있었습니다
오다 + 있다 - 오고 있다 (is on the way) - 오고 있어 - 오고 있습니다
- 오고 있었다 (was on the way) - 오고 있었어 - 오고 있었습니다
살다 + 있다 - 살고 있다 (is living) - 살고 있어 - 살고 있습니다
- 살고 있었다 (was living) - 살고 있었어 - 살고 있었습니다

예2) **나 벌써 알고 있었어.** - I already knew.
무슨 생각을 하고 있니? - What are you thinking?
지금 친구 만나러 가고 있어. - I'm on my way to meet my friend.

4. '한낮'의 '**한**'은 가운데와 최고조를 나타내는 접두사입니다.
한 of 한낮 is a prefix that means 'peak' like 'mid-'.

예) **한낮 - 한낮의 햇빛** - the midday sunlight
한밤 - 한밤의 어둠 - the darkness of midnight
한여름 - 한여름의 더위 - the heat of midsummer
한겨울 - 한겨울의 추위 - the coldness of midwinter

3권 22쪽

5. ‘**배웅하다**’의 반대말은 ‘**마중하다**’입니다. ‘배웅 나가다, 마중 나가다’로도 쓰입니다.

The opposite of 배웅하다 (see off) is 마중하다 (pick up). 나가다 (go out) is often used instead of 하다 as in 배웅 나가다 or 마중 나가다.

예) **내일 마중 나갈게.** - I'll pick you up tomorrow.

역까지 배웅해 줄게. - I'll see you off to the station.

6. 여러 의미의 ‘**푹**’을 연습해 보세요. 푹 is an mimetic adverb with several different meanings.

예) **아이가 푹 자고 일어나자,** - When the child woke up after a good sleep,

엄마가 감자를 푹 쪄서 주셨다. - Mom steamed potatoes thoroughly and gave them to him.

아이는 감자를 포크로 푹 찔렀다. - The child poked a potato hard with a fork.

그리고 감자를 소스에 푹 담갔다. - And he dipped the potato in the sauce deeply.

7. 허락을 구하는 ‘**~면 안 될까요?**’와 비슷한 표현을 연습해 보세요.

Practice some questions that ask for a permission.

면 is a conditional ending which acts like ‘if’. 안 되다 means ‘not okay’ or ‘not allowed’.

예) **나도 가면 안 될까요? - 나도 가면 안 되나요?**

- 나도 가면 안 돼요? - Do you mind if I go too?

TV 보면 안 될까요? - TV 보면 안 되나요?

- TV 보면 안 돼요? - Do you mind if I watch TV?

먹이 주면 안 될까요? - 먹이 주면 안 되나요?

- 먹이 주면 안 돼요? - Do you mind if I feed it?

집까지 걸으면 안 될까요? - 집까지 걸으면 안 되나요?

- 집까지 걸으면 안 돼요? - Can't we walk home?

3권 23쪽

본문해설 무궁화꽃이 피었습니다 Explanation

1. 꽂아 놓는 것에는 **'~꽂이'**, 걸어 놓는 것에는 **'~걸이'**, 담아 놓는 것에는 **'~통'**을 붙입니다. Practice compound words with 꽂이 (stand), 걸이 (rack), and 통 (container).

예1) **수저꽂이** **책꽂이** **우산꽂이**

수건걸이 **옷걸이** **휴지걸이**

밥통 **반찬통** **필통**

3권 24쪽

예2) **책은 책꽂이에 꽂고, 연필은 연필꽂이에 꽂아라.**

- Put the books on the bookshelf, and the pencils in the pencil holder.

밥은 밥통에 있고, 김치는 반찬통에 있어.

- The rice is in the rice cooker, and kimchi is in the container.

2. **'~와 같이'**를 연습해 보세요. Practice adding 와 같이 to a noun. 와 같이 means 'together with'.

예) **너와 같이 있고 싶어. - I want to be with you.**

누구와 같이 밥 먹어? - Who do you eat with?

내 친구와 같이 갈 거야. - I am going with my friend.

나와 같이 도서관에 갈래? - Will you go to the library with me?

3. **'~에서 ~까지'**를 연습해 보세요. Practice 에서 (from) and 까지 (to).

예) **여기에서 저기까지 달리기하자. - Let's race from here to there.**

여기서 학교까지 얼마나 걸려요? - How long does it take from here to school?

집에서 회사까지 차로 5분 걸려. - It takes 5 minutes from home to work by car.

4. 동사의 명사형을 연습해 보세요. Practice noun forms of verbs.

> 기본적으로 동사의 **'~세요'형에 'ㅁ'**을 붙여서 보통명사를 만듭니다.
> 그 동작을 하는 것을 뜻할 때, **'ㅁ'은 과거, '기'**는 미래를 나타내기도 합니다.
> 또 접미사 **'이' '개'**등도 명사를 만듭니다. Basically, adding ㅁ to the 세요 form of a verb makes its noun form. If you make a noun for doing an action, ㅁ means that you've done it, while 기 is used for a future plan. There are other noun suffixes like 이 and 개.

예1)
자다 - 잠 (sleep) 추다 - 춤 (dancing)
가르치다 - 가르침 (teaching) 기다리다 - 기다림 (waiting)
느끼다 - 느낌 (feeling) 만나다 - 만남 (meeting)

예2)
묶다 - 묶음 (bundle) 볶다 - 볶음 (the stir-fried)
졸다 - 졸음 (sleepiness) 믿다 - 믿음 (belief)
얼다 - 얼음 (ice) 걷다 (walk) - 걸음
돕다 - 도움 (help) 밉다 - 미움 (hatred)

예3)
책 주문함. 12시까지 입금하기. - Ordered the book. Deposit by 12.
나가기 전에 가스불 확인하기. - Check the stove before you leave.
초대장 보냄. 토요일까지 메뉴 짜기. - Sent invitations. Decide the menu by Sat.

예4)
놀다 (play) - 놀이 걸다 - 걸이 (hanger) 코 골다 (snore) - 코골이
굽다 (grill) - 구이 닦다 (polish) - 닦이 벌다 (earn)- 벌이
베다 - 베개 (pillow) 따다 - 따개 (opener) 뒤집다 - 뒤집개 (turner)

예5)
수건은 수건걸이에 걸어. - Hang the towel on the towel rack.
코골이는 건강에 해롭다. - Snoring is bad for your health.
병따개로 병을 땄다. - I opened the bottle with a bottle opener.

5. 형용사의 명사형을 연습하세요. Practice noun forms of adjectives.

> 형용사의 명사형은 **'~세요'형에 'ㅁ'**을 붙여서 만듭니다. '좋다'처럼 규칙활용을 하면 **'음'**을 붙입니다. 그 외에 '이, 기, 위' 등을 붙여 명사를 만듭니다.
> Putting a noun suffix ㅁ behind the 세요 form of an adjective turns it into a noun.
> 음 is added to regular adjectives like 작다 to make a noun form.
> There are other noun suffixes for adjectives such as 이, 기, and 위.

예1) **기쁘다 - 기쁨 (happiness)** **슬프다 - 슬픔 (sadness)**
작다 - 작음 (being small) **좋다 - 좋음 (being good, OK)**
즐겁다 - 즐거움 (joy) **어렵다 - 어려움 (difficulty)**

예2) **길다 - 길이 (length)** **깊다 - 깊이 (depth)**
크다 - 크기 (size) **높다 - 높이 (height)**
덥다 - 더위 (hotness) **춥다 - 추위 (coldness)**

6. 색깔 명사는 'ㅇ'으로 끝나거나 '색'을 붙입니다. '~색'으로 쓰는 경우는 형용사와 명사형이 같습니다.
Color nouns end with ㅇ or 색. When it ends with 색, it can be either a noun or an adjective.

예1) **빨강 - 빨간 색** **파랑 - 파란 색** **노랑 - 노란 색**
까망 - 까만 색 **하양 - 하얀 색, 흰 색**

예2) **분홍(색)** **초록(색)** **보라색** **회색** **갈색**

7. '살금살금' '조심조심'과 같은 **ㅁ 받침 의태어와 의성어**를 연습해 보세요.
Practice mimetic words and imitative words with ㅁ bottom consonant.

예) **깜깜 깜빡 깜빡깜빡 껌뻑 껌뻑껌뻑 꼼짝 꼼짝달싹 꼼지락꼼지락**
꿈쩍 꿈지럭꿈지럭 꿈틀꿈틀 끔뻑끔뻑 날름 낼름 날름날름 냠냠
담뿍 더듬더듬 듬뿍 듬뿍듬뿍 따끔 따끔따끔 떠듬떠듬 뜨끔
뜨끔뜨끔 띄엄띄엄 빠끔빠끔 뻐끔뻐끔 살금살금 섬뜩섬뜩 슬금슬금
시름시름 새콤달콤 쉬엄쉬엄 야금야금 어름어름 옴짝달싹 움찔움찔
움푹움푹 음매 조심조심 주섬주섬 찔끔찔끔 캄캄 힐금 힐끔 힐끔힐끔 등

8. ㅂ 받침 의태어와 의성어도 연습해 보세요. Practice mimetic with ㅂ bottom consonant.

예) **곱슬곱슬 굽신굽신 덥석 덥썩 짭짭 쩝쩝 허겁지겁** 등

9. ㅣ로 끝나는 동사와 형용사, 그리고 ㅣ가 들어가는 겹모음 **ㅐ ㅔ ㅚ ㅟ로 끝나는** 동사와 형용사는 받침이 있는 것처럼 **'어'를 넣습니다.**

Verbs and adjectives that end with vowel'ㅣ'and that end with double vowels containing'ㅣ' are followed by 어 as if they ended with consonants.

예1)

> 모음 'ㅣ'로 끝나면 **반말·도·라·서·야·주세요·과거형**일 때 **'어'**를 보탭니다. 그리고 자주 줄여서 'ㅕ'로 쓰입니다. (예: 모이다 - 모이어 - 모여)
>
> Add ㅓ behind ㅣ of the root of the verb or adjective. It is often shortened into ㅕ.

: **가리다 견디다 고이다 그리다 기다 기다리다 꺼리다 꾸리다 끼다 남기다 놀리다 다니다 다리다 다치다 달리다 마치다 만지다 모이다 무너지다 미치다 미끄러지다 버리다 버티다 비기다 비키다 벌리다 베끼다 부리다 빠지다 뿌리다 삐다 삐치다 쓰러뜨리다 쓰러지다 사라지다 사리다 시다 시리다 시키다 새기다 쏠리다 쑤시다 이기다 지다 지치다 지키다 지피다 제치다 찌다 차리다 추리다 치다 챙기다 튀기다 피다 후비다 흐느끼다 흐리다 흘리다 헤어지다 해치다 헤치다** 등

이기다 (win)

이기 : 이기고 - 이기겠다 - 이기니 - 이기니까 - 이기네 - 이기라고 - 이기려 - 이기며 - 이기면 - 이기세요 - 이기자 - 이기지 - 이긴다 (현재형) - 이깁니다

이겨 (이기어) : 이겨 (반말) - 이겨도 - 이겨라 - 이겨서 - 이겨야 - 이겨 주세요 - 이겼다 (과거형) - 이겼습니다

명사 앞 : 이기는 (현재) - 이긴 (과거) - 이기던, 이겼던 (과거의 습관, 경험) - 이길 (미래)

예2)

> **'시'**가 들어가는 존댓말은 어간이 'ㅣ'로 끝나므로 **반말·도·라·서·야·주세요·과거형**일 때 **'어'**를 넣고 보통 줄여서 **'셔'**로 씁니다.
>
> Honorific verbs with formal affix 시 also need 어 because its last vowel is 'ㅣ'. 시어 is often shortened into 셔.

: **가시다 고르시다 나가시다 나오시다 드시다 두시다 만나시다 물으시다 보시다 부르시다 사시다 아시다 오시다 주무시다 찾으시다 타시다 하시다** 등

오시다 (come)

오시 : 오시고 - 오시겠다 - 오시니 - 오시니까 - 오시네 - 오시라고 - 오시려 - 오시며 - 오시면 - 오시자 - 오시지 - 오신다 (현재형) - 오십니다 - 오십시오

오셔 : 오셔 (반말) - 오셔도 - 오셔서 - 오셔야 - 오셨다 (과거형) - 오셨습니다

명사 앞 : 오시는 (현재) - 오신 (과거) - 오시던, 오셨던 (과거의 습관, 경험) - 오실 (미래)

예3)

> **자동사 · 타동사 · 수동형**을 만드는 **'이 히 리 기'**가 있는 경우,
> 'ㅣ'로 끝나므로, 반말·도·서·야·주세요·과거형일 때 **'어'**를 넣습니다.
> 보통 **'ㅕ'**로 줄여집니다.
> Put ㅓ behind affixes of 이 히 리 기 which switch intransitive - transitive or active - passive verbs in case of 반말·도·서·야·주세요·과거형, since their roots end with vowel 'ㅣ'. It is often shortened into ㅕ.

: **갇히다 감기다 걸리다 굴리다 끼이다 날리다 돌리다 뒤집히다 묻히다 물리다 밀리다 매이다 맺히다 실리다 울리다 웃기다 베이다 잡히다 줄이다 쫓기다 털리다 치이다** 등

웃기다 (make laugh)

웃기 : 웃기고 - 웃기겠다 - 웃기니 - 웃기니까 - 웃기네 - 웃기라고 - 웃기러 - 웃기려 - 웃기며 - 웃기면 - 웃기세요 - 웃기자 - 웃기지 - 웃긴다 (현재형) - 웃깁니다

웃겨 : 웃겨 (웃기어, 반말) - 웃겨도 - 웃겨라 - 웃겨서 - 웃겨야 - 웃겨 주세요 - 웃겼다 - 웃겼습니다

명사 앞 : 웃기는 (현재) - 웃긴 (과거) - 웃기던, 웃겼던 (과거의 습관, 경험) - 웃길 (미래)

3권 25쪽

예4)

> **'ㅚ'**와 **'ㅟ'**도 'ㅣ'로 끝나므로 **'어'**를 넣어서 **반말·도·라·서·야·주세요·과거형**을 만듭니다.
> Behind ㅚ and ㅟ, put 어 to make 반말·도·라·서·야·주세요·과거형 since their last vowel is 'ㅣ'.

: **괴다 꾀다 뀌다 되다 뛰다 뵈다 쐬다 쉬다 외다 죄다 쥐다 쬐다 튀다 휘다** 등

되다 (become)

되 : 되고 - 되겠다 - 되니까 - 되네 - 되라고 - 되러 - 되려 - 되자 - 된다 (현재형) - 됩니다

되어 : 되어 (돼, 반말) - 되어도 (돼도) - 되어라 (돼라) - 되어서 (돼서) - 되어야 (돼야) - 되어 주세요 (돼 주세요) - 되었다 (됐다, 과거형) - 되었습니다 (됐습니다)

명사 앞 : 되는 (현재) - 된(과거) - 되던, 됐던 (과거의 습관, 경험) - 될 (미래)

쉬다 (rest)

쉬 : 쉬고 - 쉬겠다 - 쉬니까 - 쉬네 - 쉬라고 - 쉬러 - 쉬려 - 쉬자 - 쉰다 (현재형) - 쉽니다

쉬어 : 쉬어 (반말) - 쉬어도 - 쉬어라 - 쉬어서 - 쉬어야 - 쉬어 주세요 - 쉬었다 (과거형) - 쉬었습니다

명사 앞 : 쉬는 (현재) - 쉰(과거) - 쉬던, 쉬었던 (과거의 습관, 경험) - 쉴 (미래)

예5)

ㅐ(ㅏ+ㅣ)와 ㅔ(ㅓ+ㅣ)도 'ㅣ'로 끝나므로 **'어'**가 오지만 자주 생략합니다.
어 comes behind ㅐ(ㅏ+ㅣ) or ㅔ(ㅓ+ㅣ), and 어 is often omitted.

: **개다 꺼내다 깨다 꿰다 꿰매다 내다 대다 데다 떼다 떼내다 매다 보내다 보태다 베다 빼개다 새다 세다 으깨다 재다 지내다 쪼개다 째다 파내다 패다 혼내다 화내다** 등

세다 (count)

세 : 세고 - 세겠다 - 세니까 - 세네 - 세라고 - 세러 - 세려 - 세자 - 센다 (현재형) - 셉니다

세어 : 세(어) (반말) - 세(어)도 - 세(어)라 - 세(어)서 - 세(어)야 - 세(어) 주세요 - 세었다 (셌다) (과거형) - 세었습니다 (셌습니다)

명사 앞 : 세는 (현재) - 센(과거) - 셌던, 세었던 (과거의 습관, 경험) - 셀 (미래)

10. **르 불규칙 동사**를 연습해 보세요. Practice 르 irregular verbs.

예1) **가르다 고르다 구르다 거르다 기르다 나르다 누르다 마르다 머무르다 모르다 바르다 부르다 오르다 이르다** (tell on) **자르다 조르다 주무르다 타이르다 흐르다** 등

> **반말·도·라·서·야·주세요·과거형**은 '르' 앞이 ㅏ ㅗ 인 경우는 **ㄹ 받침을 첨가**하고 '르'대신 **'라'**를 넣습니다. '르' 앞이 ㅓ ㅜ ㅡ ㅣ인 경우에는 **ㄹ 받침을 첨가**하고 '르'대신 **'러'**를 넣습니다.
>
> To make 반말·도·라·서·야·주세요·과거형 form, add ㄹ and change 르 into 라 when the preceding vowel is ㅏ or ㅗ. And add ㄹ and change 르 into 러 when the preceding vowel is one of ㅓ ㅜ ㅡ ㅣ.

바르다 (apply)

바르 : 바르고 - 바르겠다 - 바르니 - 바르니까 - 바르네 - 바르라고 - 바르러 - 바르려 - 바르며 - 바르면 - 바르세요 - 바르자 - 바르지 - 바른다 (현재형) - 바릅니다

발라 : 발라 (반말) - 발라도 - 발라라 - 발라서 - 발라야 - 발라 주세요 - 발랐다 (과거형) - 발랐습니다

명사 앞 : 바르는 (명사) - 바른 (과거) - 바르던, 발랐던 (과거의 습관, 경험) - 바를 (미래)

부르다 (call)

부르 : 부르고 - 부르겠다 - 부르니 - 부르니까 - 부르네 - 부르라고 - 부르러 - 부르려 - 부르며 - 부르면 - 부르세요 - 부르자 - 부르지 - 부른다 (현재형) - 부릅니다

불러 : 불러 (반말) - 불러도 - 불러라 - 불러서 - 불러야 - 불러 주세요 - 불렀다 (과거형) - 불렀습니다

명사 앞 : 부르는 (현재) - 부른 (과거) - 부르던, 불렀던 (과거의 습관, 경험) - 부를 (미래)

흐르다 (flow)

흐르 : 흐르고 - 흐르겠다 - 흐르니 - 흐르니까 - 흐르네 - 흐르라고 - 흐르러 - 흐르려 - 흐르며 - 흐르면 - 흐르세요 - 흐르자 - 흐르지 - 흐른다 (현재형) - 흐릅니다

흘러 : 흘러 (반말) - 흘러도 - 흘러라 - 흘러서 - 흘러야 - 흘러 주세요 - 흘렀다 (과거형) - 흘렀습니다

명사 앞 : 흐르는 (현재) - 흐른 (과거) - 흐르던, 흘렀던 (과거의 습관, 경험) - 흐를 (미래)

예2) **'이르다'**는 예외입니다. 이르다 (reach) is an exception.

이르다 (reach)

이르 : 이르고 - 이르겠다 - 이르니까 - 이르네 - 이르라고 - 이르러 - 이르려 - 이르며 - 이르면 - 이르세요 - 이르자 - 이르지 - 이른다 (현재형) - 이릅니다

이르러 : 이르러 (반말) - 이르러도 - 이르러라 - 이르러서 - 이르러야 - 이르러 주세요 - 이르렀다 (과거형) - 이르렀습니다

명사 앞 : 이르는 (현재) - 이른 (과거) - 이르던, 이르렀던 (과거의 습관, 경험) - 이를 (미래)

본문해설 데이트 Explanation

1. '명사 + 나다' 로 된 동사를 연습해 보세요. 주로 계획 없이 생기는 일에 씁니다.
Practice words with 나다. 나다 added to a noun turns the word into a verb.
The verb with 나다 is usually used for something unplanned.

예)	고장나다	구멍나다	난리나다	땀나다	배탈나다	병나다	불나다
	out of order	get a hole	make a fuss	sweat	get a stomachache	get sick	be on fire
	소문나다	신나다	생각나다	열나다	큰일나다	혼나다	화나다
	be gossiped	be excited	think of	run a fever	get in big trouble	be scolded	get angry

2. 이유를 설명하는 **'~서'**를 연습해 보세요. Practice 서 which means 'because' or 'and then'.

예1) **동사의 ~서 (because ~) (~, and then)** 서 ending in verbs.

가다 - 가서	얻다 - 얻어서	듣다 - 들어서	놀다 - 놀아서	팔다 - 팔아서
입다 - 입어서	줍다 - 주워서	씻다 - 씻어서	붓다 - 부어서	쓰다 - 써서
오다 - 와서	오르다 - 올라서	찌다 - 쪄서	주다 - 줘서	하다 - 해서

예2) **형용사의 '~서' (because ~)** 서 ending in adjectives.

가볍다 - 가벼워서	기쁘다 - 기뻐서
달다 - 달아서	덥다 - 더워서
무섭다 - 무서워서	맵다 - 매워서
바쁘다 - 바빠서	세다 - 세(어)서
아프다 - 아파서	예쁘다 - 예뻐서
착하다 - 착해서	크다 - 커서
피곤하다 - 피곤해서	하얗다 - 하얘서

3권 26쪽

3. 인터넷 용어인 **초성어**를 연습해 보세요. Practice texting abbreviations.

예)
- ㅇㅇ - 응응 - Yes
- ㅇㅋ - 오키, 오케이 - OK
- ㄴㄴ - 노노 - No no
- ㄱㅅ - 감사 - Thank you
- ㅈㅅ - 죄송 - Sorry
- ㅇㄷ - 어디? - Where?
- ㅇㄴ - 아놔 - What the heck, Oh! no
- ㅂㅂ - 바이바이 - Bye bye
- ㅈㅂㅈㅇ - 정보좀요 - Give me some information
- ㅋㅋ, ㅎㅎ, ㅋㄷㅋㄷ - 크크, 흐흐, 키득키득 - laughing sounds
- ㅊㅋㅊㅋ - 축하축하 - Congratulations
- ㅠㅠ - 우는 얼굴 - crying face

4. 형용사의 **부사형**을 연습해 보세요. **'게'**를 붙이는 경우가 많습니다.
'이''히' 형태도 있습니다.
Practice the adverb forms of adjectives. Putting 게 behind the root is commonly used.
이 and 히 are also adverb suffixes.

예) **기쁘다 - 기쁘게** (happily) **예쁘다 - 예쁘게** (prettily) **작다 - 작게** (small)
달다 - 달게 (sweet) **쉽다 - 쉽게** (easily) **좋다 - 좋게** (nicely)
빠르다 - 빠르게 (fast) **멀다 - 멀게** (far)
높다 - 높이, 높게 (high) **깊다 - 깊이, 깊게** (deeply)
가깝다 - 가까이, 가깝게 (close) **깨끗하다 - 깨끗이, 깨끗하게** (clearly)
조용하다 - 조용히, 조용하게 (quietly) **소중하다 - 소중히, 소중하게** (preciously)

5. '하다. 그런데'를 '~ㄴ데'로 바꾸는 연습을 해보세요.
Practice combining two sentences with ㄴ데 which means 'but' or 'however'.

예) **미안해. 그런데 좀 늦을 거 같아. - 미안한데 좀 늦을 거 같아.**
- I'm sorry, but I'll be a little late.
고마워. 그런데 못 갈 거 같아. - 고마운데 못 갈 거 같아.
- Thank you, but I won't be able to go.

6. 추측을 나타내는 **'~(으)ㄹ 거 같아'**를 연습해 보세요.
Practice the usage of (으)ㄹ 거 같아 which means 'it seems'.

예) **맞다 - 내가 맞을 거 같아.** - It seems that I'll be right.
붙다 - 너 붙을 거 같아. - It seems that you'll pass the exam.
맵다 - 꽤 매울 거 같아. - It seems to be pretty spicy.

7. **'~고 싶다'**를 연습해 보세요. Practice the expression of 고 싶다 which means 'want to'.

예) **먹다 - 나도 먹고 싶다.** - I want to eat it, too.
걷다 - 잠깐 걷고 싶어요. - I'd like to take a walk.
만나다 - 내일 만나고 싶어. - I want to see you tomorrow.

8. **'위 아래 밑 옆 앞 뒤 가운데'**를 연습해 보세요. Practice words indicating positions.

위 - on, above **아래, 밑** - under, below **옆** - next to
앞 - in front of **뒤** - behind **가운데** - in the middle of

9. **ㅋ 받침의 발음**을 연습해 보세요. Practice the pronunciation of ㅋ bottom consonant.

부엌에 - [부어케] **부엌이 - [부어키]** **부엌만 - [부엉만]** **부엌일 - [부엉닐]**

10. 새로 생긴 **신조어**를 익혀 보세요. Practice newly coined words and slangs.

예) **ㄱ** **가성비** - 가격 대비 성능

가심비 - 가격 대비 심적 만족

~각 - 틀림없이 ~됨 **갈비** - 갈수록 비호감

갑분싸 - 갑자기 분위기 싸해짐

갑통알 - 갑자기 통장 보니 알바 해야겠다

갑툭튀 - 갑자기 튀어 나옴

갓성비 - 가성비가 지극히 좋음

갓생 - 모범적인 부지런한 생활

강약약강 - 강자에게 약하고 약자에게 강함

건행 - 건강하고 행복하세요

겉바속촉 - 겉은 바싹하고 속은 촉촉한

격공 - 격하게 공감

고인물 - 오랜 경험으로 숙달된 고수

고답 - 고구마 먹은 것 같이 답답함

국룰 - 온 국민이 아는 보편적 규칙

국뽕 - 자기 나라에 대한 강한 애정과 자부심

군싹 - 군침이 싹 도네

그린라이트 - 상대도 나를 좋아하는 것이 맞음

그사세 - 그들이 사는 세상

극딜 - 집중 공격, 총공세

극대노 - 크게 화냄

극혐 - 극도로 혐오

근자감 - 근거 없는 자신감

금사빠 - 금방 사랑에 빠지는 사람

금손 - 손재주가 뛰어난 사람

금수저 - 부잣집에 태어남 ↔ 흙수저

금쪽이 - 귀하지만 사고뭉치인 자식

김떡순 - 김밥 떡볶이 순대 **개이득** - 큰 이득

개냥이 - 강아지같이 잘 따르는 고양이

갠소 - 개인 소장

관종 - 과도하게 관심 받고 싶어 하는 사람

광대승천 - 크게 좋아하며 웃음

광탈 - 빛의 속도로 탈락

광클 - 미친 듯 마우스 클릭

까판 - 싫어하는 사람을 까는 판

깔미 - 깔수록 미운 사람 **깜놀** - 깜짝 놀람

꾸꾸꾸 - 티나게 열심히 꾸밈

꾸안꾸 - 꾸민 듯 안 꾸민 듯 예쁜

꿀잼 - 굉장히 재밌음 **꿀팁** - 유용한 정보

낄끼빠빠 - 낄 땐 끼고 빠질 땐 빠져라

ㄴ **나나** - 겁나 겁나, 엄청

나일리지 - 나이 + 마일리지

남사친, 여사친 - 그냥 친구인 이성

남소 - 남자 소개

넘사벽 - 넘어설 수 없는 존재

노답 - 답이 없음, 매우 한심함

노빠꾸 - 망설임 없이 바로 실행하는 사람

노잼 - 재미없음

뉴트로 - 현대에 맞게 재창조된 복고

내돈내산 - 내 돈 내고 내가 산 것

내로남불 - 내가 하면 로맨스 남이 하면 불륜

냉무 - 내용 없음

뇌섹남, 뇌섹녀 - 두뇌가 섹시한 남녀, 지성이 돋보이는 멋진 남녀

뇌피셜 - 내 생각은~, 개인적 의견

뇌절 - 과장되거나 오버하는 행동

ㄷ

닥본사 - 닥치고 본방 사수

닥사 - 닥치고 사야 함

단짠 - 단 맛 짠 맛

단호박 - 단호한 태도, 단호한 사람

담타 - 담배 타임

답정너 - 답은 정해져 있고 넌 대답만 해

덕계못 - 덕후는 계를 못 탄다, 진정한 팬일수록 기회를 놓치거나 이벤트에서 탈락할 확률이 높다

덕질 - 팬질, 마니아 질

덕후 - 마니아, 더쿠

돌싱 - 이혼하여 다시 싱글로 돌아온 사람

드립 - 즉흥적 농담이나 멘트

득템 - 좋은 것을 손에 넣음

듣보잡 - 듣지도 보지도 못했던 잡것

딜교 쌉손해 - 약 올리고 상처를 주려고 했지만 오히려 본인이 더 상처를 받는 것

대유잼 - 크게 재미있다

댕냥이 - 강아지와 고양이

댕댕이 - 강아지

댕청이 - 멍청이

돼지런하다 - 먹을 때만 부지런하다

뜨아 - 뜨거운 아메리카노, 뜨아 ↔ 아아

떡상 - 가치의 급격한 상승

떡튀순 - 떡볶이, 튀김, 순대

똥손 - 손재주가 없는 손

똥템 - 후진 상품

띵언 - 명언

띵작 - 명작

ㄹ

라방 - 라이브 방송

라뽀 - 유대감

~러 - ~하는 사람

렬루 - 리얼루? 정말?

~린이 - 초보자, 그 분야의 어린이

랜선연애 - 온라인 연애

레게노 - 레전드

레알 - 진짜, 정말

레어템 - 희귀한 것

ㅁ

마상 - 마음에 상처 입음

마싸 - 자신만이 기준에 따라 사는 사람

마통 - 마이너스 통장

만렙 - 최고 레벨

만반잘부 - 만나서 반가워 잘 부탁해

만찢남, 만찢녀 - 만화를 찢고 나온 듯한 비현실적 외모와 캐릭터

말잇못 - 말을 잇지 못함

맛잘알 - 맛을 잘 안다

맛점 - 맛있는 점심

망생 - 엉망으로 사는 생활 ↔ 갓생

많관부 - 많은 관심 부탁해

머선 129 - 무슨 일이고?

먹방 - 먹는 걸 보여주는 방송

먹튀 - 식당에서 먹고 돈 안 내고 튀는 것

멍뭉미 - 강아지 같은 귀여운 매력

모나미 - 희고 검은 상하의

모솔 - 모태솔로, 한 번도 연애 못해 본 사람

모평 - 수능 모의 평가

몸짱 - 몸매 좋은 사람

무물 - 무엇이든 물어 보세요

문상 - 문화상품권

문찐 - 문화 찐따, 유행에 느린 사람

물음표 살인마 - 질문을 너무 많이 하는 사람

미방 - 미리 보기 방지

밀당 - 밀고 당기기, 연애나 거래의 심리전

메보좌 - 메인 보컬역

멘붕 - 멘탈 붕괴, 충격에 정신없음

ㅂ **박박** - 대박 대박

반모 - 반말 모드 ↔ 존모 - 존댓말 모드

반박 - 반말 모드 박탈, 이젠 반말 안 쓴다

발연기 - 연기를 못함

방종 - 방송 종료

버정 - 버스 정거장

버카충 - 버스 카드 충전

법블레스유 - 법 없었으면 넌 죽었어

벼락거지 - 하루 아침에 거액을 날림

별다줄 - 별걸 다 줄인다

병맛 - 병신 같은 맛, 느낌

복세편살 - 복잡한 세상 편하게 살자

본캐 - 본래 성질 혹은 주인공

부캐 - 본캐가 아닌 성질, 제2의 인격

분좋카 - 분위기 좋은 카페

불금 - 불타는 금요일

브금 - 배경음악

비담 - 비주얼 담당

비번 - 비밀번호

비추 - 추천 안 함

빛삭 - 빛의 속도로 삭제

베프 - 제일 친한 친구

빠태 - 빠른 태세 전환

빵셔틀 - 빵 심부름꾼, 학교에서 괴롭힘을 당하는 아이

뽀시래기 - 귀여운 새끼 동물

빼박 - 빼도 박도 못한다, 틀림없다

ㅅ **사기캐** - 믿기지 않게 뛰어남

사바사 - 사람마다 상황마다 다르다

사배자 - 사회적 배려 대상자

사이다 - 속 시원한 발언이나 전개

삼귄다 - 사귀기 전 단계

샵쥐 - 시아버지

선빵 - 먼저 공격함

선톡 - 먼저 톡을 보냄

설참 - 설명 참고

성덕 - 성공한 덕후, 좋아하고 몰두하여 그 분야에서 성공한 사람

소확행 - 작지만 확실한 일상의 행복

솔까 - 솔직히 까놓고 말하면, 솔까말

순삭 - 순식간에 없앰

스드메 - 스튜디오, 드레스, 메이크업

스불재 - 스스로 불러온 재앙

시금치 - 시댁 식구

식겁 - 뜻밖에 놀라 겁을 먹음

식후땡 - 식사가 끝난 다음

심쿵 - 심장이 쿵!, 순간 크게 설렘

싫존주의 - 싫어하는 것을 존중하는 주의

생얼 - 화장 안 한 얼굴

생파 - 생일 파티

생까다 - 무시하고 모른 척하다

세젤예 - 세상에서 제일 예쁨

셀카 - 자신의 사진을 자기가 찍는 것

싸패 - 싸이코패스

쌉 - 완전, 무조건

쌉가능 - 무조건 가능

쌉파서블 - 매우 가능하다

썸탄다 - 호감 있는 대상과 교제 전 친해지는 것

ㅇ **아아** - 아이스아메리카노

아무 말 대잔치 - 아무 말이나 하기

아삽 - ASAP 최대한 빨리

아싸 - 아웃사이더 ↔ 인싸

악플 - 모욕적 댓글

안물안궁 - 안 물었고 안 궁금해

안습 - 안구에 습기, 눈물이 난다

~알못 - 모름, ~를 모르는 사람

알쓰 - 알코올 쓰레기, 술을 조금만 마셔도 취해 버리는 사람, 술찌

알잘딱깔센 - 알아서, 잘, 딱, 깔끔하고, 센스 있게

어그로 - 자극적으로 관심 끄는 행위
어쩔티비 - 어쩌라고?
얼꽝 - 못생김
얼죽아 - 얼어 죽어도 아이스아메리카노
얼죽코 - 얼어 죽어도 코트, 패션에 신경 씀
얼짱 - 얼굴이 잘생긴 사람
얼탱이 없다 - 어이없다
엄근진 - 엄격 근엄 진지
엄친아 - 엄마 친구 아들, 뭐든 잘하는 존재
여소 - 여자 소개
열공 - 열심히 공부
열정페이 - 일만 시키고 돈은 적게 줌
열폭 - 열등감 폭발
영끌 - 영혼까지 끌어모으다
오운완 - 오늘 운동 완료
오저치고 - 오늘 저녁 치킨 Go?
올불 - 모두 합격불을 켬, 모두 동의
욜 - 요일
우행시 - 우리의 행복한 시간
웃수저 - 유머 감각을 타고 난 사람
움짤 - 움직이는 이미지, GIF
웃참 - 웃음 참기
웃프다 - 웃긴데 슬프다
음쓰 - 음식물 쓰레기
이 뭐 병 - 이건 뭐 병신도 아니고
이생망 - 이번 생은 망했다
익게 - 익명 게시판
익게남, 익게녀 - 익명게시판에 글을 작성한 남자, 여자
인싸 - 인기 있는 사람
일베 - 극우적 반사회적 성향의 남성 중심 유저를 비하하는 말, 외국인 혐오,여성 혐오 등이 특성
입꾹 - 입을 꾹 다문
입틀막 - 입을 틀어막음
일취월장 - 일요일에 취하면 월요일에 장난 아님
애빼시 - 애교 빼면 시체
엔빵 - 더치페이, 사람 수대로 나누어 계산함
엘베 - 엘리베이터
앱삭 - 앱 삭제
완소 - 완전 소중
읽씹 - 메시지를 읽고 답하지 않음
월급루팡 - 일은 못하면서 월급만 가져가는 존재
워라벨 - 일과 삶의 균형
월클 - 세계적 수준

ㅈ

자만추 - 자연스런 만남 추구
자삭 - 자진 삭제
~잘알 - 잘 아는 사람
장미단추 - 멀리서 보면 미인 가까이서 보면 추녀
전과자 - 전공을 바꾼 사람
정떨 - 정 떨어지다
존맛, 존맛탱 - 아주 맛있음
존못 - 굉장히 못생김
존잘 - 굉장히 잘생김
존버 - 끈질기게 버티기
존예 - 굉장히 예쁨
주린이 - 주식 어린이, 주식 초보
주불 - 주소 불러
죽빵 - 주먹으로 얼굴을 때리는 것
줍줍 - 줍는 듯 많이 사는 것
중꺾마 - 중요한 것은 꺾이지 않는 마음
지대와방 - 아주 많이
지공거사 - 공짜로 지하철 타는 노인
지름신 - 충동 구매 욕구
지못미 - 지켜 주지 못해서 미안해
지방캠 - 지방 캠퍼스
진지충 - 마냥 진지한 사람
집콕 - 집에 콕 박혀 있다
잼민이 - 무개념 초등학생
제곧내 - 제목이 곧 내용
짜짜 - 진짜 진짜

쩍벌남 - 다리를 쩍 벌리고 앉는 남자 **짤** - 유행하는 온라인상 웃긴 이미지
짭 - 모조품 **쩐다** - 굉장하다 **찐** - 진짜, 진정한 **찐친** - 진짜 친구
찐텐 - 진짜 텐션, 진심

ㅊ **차박** - 차에서 자는 여행 **차애** - 두 번째로 좋아하는 것 **철벽** - 철저한 연애 차단
추팔 - 추억 팔이, 추억에 잠김 **추합** - 추가 합격 **출튀** - 출석만 부르고 빠져나감
치느님 - 맛있는 한국 치킨 **치맥** - 치킨과 맥주 **치트키** - 만능 해결책
최애 - 최고로 좋아하는 대상 **최초합** - 첫 발표에 합격 **취적** - 취향 저격
취존 - 취향 존중 **취켓팅** - 취소표를 예매함

ㅋ **카공족** - 카페에서 공부하는 사람 **칼퇴** - 칼같은 정시 퇴근 **커엽다** - 귀엽다
쿨거 - 흥정 없이 쿨하게 거래 **킬포** - 핵심, 킬링포인트 **킹받다** - 열받다
크크루삥뽕 - 십대의 놀림 표현 ㅋㅋㄹ삥뽕 **킹왕짱** - 완전 최고로 **킹정** - 완전 인정
케바케 - case by case 경우에 따라 다르다 **캘박** - 캘린더에 박제함, 스케줄 확정

ㅌ **탕진잼** - 생활에 지장 없는 범위 내에서 푼돈 쓰는 재미 **텅장** - 텅 빈 통장
티밍 - 적과 팀 먹음, 팀원 공격 **티키타카** - 대화가 막힘없이 오가는 것
티피오 - TPO. 시간 · 장소 · 상황 **팀플** - 팀플레이, 조별 과제 **템** - 물건

ㅍ **품절남, 품절녀** - 결혼해 버린 아까운 남녀 인기인 **프사** - 프로필 사진
플러팅 - 유혹적인 몸짓, 표정, 말 **플렉스** - 돈 자랑 **폭망** - 폭삭 망함
핑프 - 인터넷 검색 안 하고 자꾸 묻는 사람 **피켓팅** - 피 튀기는 치열한 티켓 예매
패셔니스타 - 옷 잘입는 유명인 **패션테러리스트** - 옷을 못입는 사람
패완얼 - 패션의 완성은 얼굴 **팩폭** - 사실을 지적해 상처를 줌 **팬아저** - 팬이 아니어도 저장

ㅎ **하비** - 하체 비만 **학폭** - 학교 폭력 **할많하않** - 할 말은 많지만 하지 않겠다
핫플 - 인기 장소 **핫템** - 인기 상품 **현웃** - 현실 웃음
현질 - 게임 아이템 현금 구매 **현타** - 현실 자각 타임
호갱 - 이용하기 좋은 어수룩한 사람 **혼놀** - 혼자 놀기 **혼밥** - 혼자 밥 먹기
혼술 - 혼자 술 마시기 **혼코노** - 혼자 코인노래방 **혼추족** - 추석을 혼자 보내는 사람
혼틈 - 혼란을 틈 타 **혼행** - 혼자 여행 **홈트** - 집에서 하는 운동
흙수저 - 가난한 집 출신 **핵** - 최고 **헤메코** - 헤어, 메이크업, 코디
혜자구성 - 가성비가 뛰어난 착한 구성 **혜자스럽다** - 가성비가 뛰어나고 정성스러움
환승연애 - 갈아타는 연애 **휘뚜루마뚜루** - 가리지 않고 마구 **H워얼V** - 사랑해
JMT - 매우 맛있음, 존맛탱 **MZ 세대** - 1980년에서 2010년까지 출생한 디지털 세대
TMI - Too Much Information 필요 없는 많은 걸 알려줌

본문해설 낙엽들의 이야기 Explanation

1. '나무의 잎'이 **'나뭇잎'**이 되며, 발음은 [나문닙]입니다. **사이시옷**을 연습해 보세요.
In-between ㅅ means possessive 'of' and makes compound words. The pronunciation of 나뭇잎 is [나문닙] because ㅅ turns into ㄴ sound when it meets ㄴ ㅁ ㅇ.

예) **깻잎 [깬닙]** sesame leaf　**나뭇가지** branch　**등굣길** way to school　**머릿결** hair texture　**바닷길** sea route　**콧등** nose bridge　**혼잣말 [혼잔말]** talking to oneself

2. 결과적으로 이어지는 동작을 설명하는 **'~하자 ___ 했다'** 형태를 연습해 보세요.
하자 ending is similar to 'when'. 하자 explains the preceding action or the cause of the following sentence.

예)
바람이 불어 왔어요. 그러자 나뭇잎이 떨어졌어요.
- 바람이 불자 나뭇잎이 떨어졌어요.
- The leaves fell when the wind blew.

그 아이가 피아노를 쳤어요. 그러자 모두 조용해졌어요.
- 그 아이가 피아노를 치자 모두 조용해졌어요.
- Everyone became quiet when the child played the piano.

3. **'보세요'**와 **'주세요'**는 반말형 뒤에 옵니다. Practice the expression of 주세요 (Please do) and 보세요 (Please try ~ing)

예)
먹다 (eat) - **먹어 주세요** - **먹어 보세요** - **드셔 보세요**
닫다 (close) - **닫아 주세요** - **닫아 보세요**
씻다 (wash) - **씻어 주세요** - **씻어 보세요**
쓰다 (write, use) - **써 주세요** - **써 보세요**
바르다 (apply) - **발라 주세요** - **발라 보세요**
하다 (do) - **해 주세요** - **해 보세요**
오다 (come) - **와 주세요** - **와 보세요**
치우다 (put away) - **치워 주세요** - **치워 보세요**

3권 28쪽

4. 명사에 **'빛'**을 붙여서 그 색을 뜻합니다. 빛 behind a noun often means hue or color of it.

예1) **금빛** golden　**은빛** silver-colored　**초록빛** green　**얼굴빛** complexion　**잿빛** ashy

예2) **초록빛 바닷물** - turquoise seawater　**은빛 날개** - silver wings

5. '~(으)ㄹ 거다'는 **추측, 예정, 의지**를 나타냅니다.

ㄹ 거다 is used to show the guess, schedule, and will. 을 거다 comes behind a bottom consonant.

예) **아마 맞을 거야. - I think it's right.**

너도 곧 알게 될 거야. - You will find out soon.

이따 나갈 거야. - I'll be leaving later.

6. ㅌ 받침의 발음을 연습해 보세요. Practice how to pronounce ㅌ bottom consonant.

예)

같이 - [가치]	**솥이 - [소치]**	**같은 - [가튼]**	**솥은 - [소튼]**
겉만 - [건만]	**겉모습 - [건모습]**	**낱말 - [난말]**	**솥만 - [손만]**
겉옷 - [거돋]	**낱알 - [나달]**	**같게 - [갇께]**	**낱개 - [낟깨]**

7. 가을날 [가을랄] 처럼 **ㄴ은 ㄹ을 만나면 ㄹ소리로 동화**됩니다.

When ㄴ meet ㄹ bottom consonant, it is assimilated into the sound of ㄹ. ㄴ+ㄹ →[ㄹ+ㄹ]

예1) **논리 - [놀리]** **신랑 - [실랑]** **전력 - [절력]** **한류 - [할류]**

예2) **달님 - [달림]** **설날 - [설랄]** **별님 - [별림]** **겨울날 - [겨울랄]**

8. 무언가 알게 되었을 때 자주 쓰는 **'~(이)군' '~구나' '~네'**를 연습해 보세요.

이 말투는 혼잣말을 할 때도 자주 씁니다.

(이)군, 구나, 네 endings are frequently used to express that you realize or find out something. These endings are often used when talking to oneself.

예) **정말 그렇군. - Quite so.**

바로 여기네. - It's right here.

진짜 똑같구나. - It is truly the same.

생각보다 멀군. - It is farther than I thought.

9. ㅎ 받침 동사를 연습해 보세요. Practice the rules of verbs with ㅎ bottom consonant.

> **반말·도·라·서·야·주세요·과거형**이 될 때, 앞의 모음이 ㅏ ㅗ 면 **'아'**, ㅓ ㅜ ㅡ ㅣ일 때 **'어'**가 오는 일반적 규칙을 따릅니다. 단, '놓다'의 경우 ㅎ이 없어지고 ㅏ가 붙어 '놔'로 줄여 쓸 수 있습니다.
>
> **니까·라고·러·려·며·면·세요**일 때 '으'가 공통으로 옵니다.
>
> For 반말·도·라·서·야·주세요·과거형, 아 comes after ㅏ ㅗ, and 어 comes after the other vowels. However, in case of 놓다, ㅎ can be omitted and ㅏ comes to make 놔 as the shortened form. For 니까·라고·러·려·며·면·세요(formal 시), 으 comes in.

예) 낳다 놓다 닿다 쌓다 빻다 찧다 등

쌓다 (pile)

쌓 : 쌓고 - 쌓겠다 - 쌓는다 (현재형) - 쌓니 - 쌓네 - 쌓습니다 - 쌓자 - 쌓지

쌓아 : 쌓아 (반말) - 쌓아도 - 쌓아라 - 쌓아서 - 쌓아야 - 쌓아 주세요 - 쌓았다 (과거형) - 쌓았습니다

쌓으 : 쌓으니까 - 쌓으라고 - 쌓으러 - 쌓으려 - 쌓으며 - 쌓으면 - 쌓으세요

명사 앞 : 쌓는 (현재) - 쌓은 (과거) - 쌓던, 쌓았던 (과거의 습관, 경험) - 쌓을 (미래)

놓다 (put)

놓 : 놓고 - 놓겠다 - 놓는다 (현재형) - 놓니 - 놓네 - 놓습니다 - 놓자 - 놓지

놓아 : 놓아 (놔, 반말) - 놓아도 (놔도) - 놓아라 (놔라) - 놓아서 (놔서) - 놓아야 (놔야) - 놓아 주세요 (놔 주세요) - 놓았다 (놨다, 과거형) - 놓았습니다 (놨습니다)

놓으 : 놓으니까 - 놓으라고 - 놓으러 - 놓으려 - 놓으며 - 놓으면 - 놓으세요

명사 앞 : 놓는 (현재) - 놓은 (과거) - 놓던, 놓았던 (과거의 습관, 경험) - 놓을 (미래)

10. ㅎ 불규칙 형용사의 활용을 연습해 보세요. Practice the rules of ㅎ irregular adjectives.

라고·려면·며·면·세요(존대의 시)에서 **ㅎ이 탈락**됩니다. **나·냐·니까·네** 같이 ㄴ 앞에서는 ㅎ 받침을 붙이기도 하고 없애기도 합니다.
반말·도·라·서·야·지다·과거형에서는 **ㅎ이 없어지고 'ㅣ'가 붙어**, 'ㅐ' 혹은 'ㅒ'가 됩니다. '좋다'는 '좋아 - 좋아도 - 좋아라 - 좋았어 - 좋았습니다'로 규칙변화를 합니다. For 라고·려면·며·면·세요, omit ㅎ. Before ㄴ as in 나·냐·니까·네, ㅎ can be omitted. For 반말·도·라·서·야·지다·과거형, omit ㅎ and put ㅣ. They usually become ㅐ or ㅒ. 좋다 follows the regular rule and becomes 좋아 - 좋아도 - 좋아라 - 좋았습니다.

예) **거멓다 까맣다 노랗다 빨갛다 벌겋다 그렇다 이렇다 저렇다 파랗다 하얗다** 등

빨갛다 (red)

빨갛 : 빨갛고 - 빨갛구나 - 빨갛게 - 빨갛나 - 빨갛습니다 - 빨갛지

빨가 : 빨가니까 - 빨가네 - 빨가라고 - 빨가려면 - 빨가며 - 빨가면 - 빨가세요

빨개 : 빨개 (반말) - 빨개도 - 빨개라 - 빨개서 - 빨개야 - 빨개지다 - 빨갰다 (과거형) - 빨갰습니다

명사 앞 : 빨간 (현재) - 빨갛던, 빨갰던 (과거, 과거의 경험) - 빨갈 (미래)

파랗다 (blue)

파랗 : 파랗고 - 파랗구나 - 파랗게 - 파랗나 - 파랗습니다 - 파랗지

파라 : 파라니까 - 파라네 - 파라라고 - 파라려면 - 파라며 - 파라면 - 파라세요

파래 : 파래 (반말) - 파래도 - 파래라 - 파래서 - 파래야 - 파래지다 - 파랬다 - 파랬습니다

명사 앞 : 파란 (현재) - 파랗던, 파랬던 (과거, 과거의 경험) - 파랄 (미래)

11. '파랗다'로 **ㅎ 받침의 발음**을 연습해 보세요. Practice how to pronounce ㅎ받침 with 파랗다.

예) **파랗다 - [파라타] 파랗고 - [파라코] 파랗게 - [파라케] 파랗지 - [파라치]**

12. **ㅜ 불규칙 동사**를 연습해 보세요. Practice ㅜ irregular verbs.

예) **가두다 거두다 겨루다 꾸다 나누다 누다 다투다 두다 맞추다 멈추다 미루다 메꾸다 배우다 부수다 싸우다 쏘다 주다 지우다 춤추다 치우다 채우다 키우다 태우다 피우다** 등

> **반말·도·라·서·야·주세요·과거형**에서 'ㅜ'가 **'ㅝ'**로 변합니다.
> 원래는 **'ㅜ + ㅓ'**지만, 보통 줄여서 **'ㅝ'**로 씁니다.
> '푸다'는 예외로 '퍼 - 퍼서 - 퍼 주세요 - 펐다'가 됩니다.
> For 반말·도·라·서·야·주세요·과거형, ㅓ comes and shortened as ㅝ.
> 푸다 (scoop) is an exception whose usages are '퍼 - 퍼서 - 퍼 주세요 - 펐다'.

나누다
(share)

나누 : 나누거나 - 나누거라 - 나누고 - 나누겠다 - 나누나 - 나누니까 - 나누네 - 나누라고 - 나누러 - 나누려 - 나누며 - 나누면 - 나누세요 - 나누자 - 나눈다 (현재형) - 나눕니다

나눠 : 나눠 (나누어, 반말) - 나눠도 - 나눠라 - 나눠서 - 나눠야 - 나눠 주세요 - 나눴다 - 나눴습니다

명사 앞 : 나누는 (현재) - 나눈 (과거) - 나누던, 나눴던 (과거의 습관, 경험) - 나눌 (미래)

3권 29쪽

배우다
(learn)

배우 : 배우거나 - 배우거라 - 배우고 - 배우겠다 - 배우나 - 배우니까 - 배우네 - 배우라고 - 배우러 - 배우려 - 배우며 - 배우면 - 배우세요 - 배우자 - 배운다 (현재형) - 배웁니다

배워 : 배워 (반말) - 배워도 - 배워라 - 배워서 - 배워야 - 배워 주세요 - 배웠다 - 배웠습니다

명사 앞 : 배우는 (현재) - 배운 (과거) - 배우던, 배웠던 (과거의 습관, 경험) - 배울 (미래)

13. 자동사와 **타동사**를 연습해 보세요. Practice intransitive verbs and transitive verbs.

주어에게 일어나는 행동을 자동사, 주어가 **남 (목적어)에게 하는 행동을 타동사**로 설명합니다. 예) 동생이 웃는다 (자동사). 동생을 웃긴다 (타동사).
자동사에 영어의 be 동사 역할이 포함되며, 타동사에 사역동사 (사동사)가 포함됩니다. 자동사와 타동사를 겸하는 동사도 있으며, 수동형 (피동사)과 형태가 겹치는 자동사도 있습니다. **'이, 히, 리, 기, 우, 구, 추, 애'**를 넣거나, **'나다 - 내다' '지다 - 뜨리다'**로 자동사와 타동사가 변환됩니다.
또 별개 단어로 된 경우도 많습니다.
Usually, an intransitive verb comes behind the subject marker of 이 or 가. A transitive verb comes behind the object marker of 을 or 를. **'이, 히, 리, 기, 우, 구, 추, 애' '나다 - 내다' '지다 - 뜨리다'** are used for the switching. Some verbs are used as both, while in some cases there are two separate words.

예1) **'이'**를 넣으면 자동사나 타동사로 바뀝니다. (자동사 intransitive - 타동사 transitive)
이 makes the verb either intransitive or transitive.

보이다 - 보다　　붙다 - 붙이다　　죽다 - 죽이다　　줄다 - 줄이다

예2) 자동사 **'~나다'**에 'ㅣ'가 붙으면, 타동사 **'~내다'**가 됩니다. (자동사 - 타동사)
나다 makes an intransitive verb and 내다 (나다 + ㅣ) makes a transitive verb.

끝나다 - 끝내다　　빛나다 - 빛내다
소리 나다 - 소리 내다　　열나다 - 열내다
혼나다 - 혼내다　　힘나다 - 힘내다

예3) **'히'**로 자동사와 타동사가 바뀝니다. (자동사 - 타동사)
히 makes the verb either intransitive or transitive.

굳다 - 굳히다　　눕다 - 눕히다　　닫히다 - 닫다　　막히다 - 막다　　묻히다 - 묻다

예4) 어떤 형용사는 **'히'**로 **타동사**를 만듭니다. (형용사 - 타동사)
Some adjectives change into transitives verb with 히.

넓다 - 넓히다　　더럽다 - 더럽히다　　좁다 - 좁히다

예5) **'리'**를 넣어서 자동사와 타동사 변환을 합니다. (자동사 - 타동사)
리 makes the verb either intransitive or transitive.

날다 - 날리다　　늘다 - 늘리다　　마르다 - 말리다
불다 - 불리다　　살다 - 살리다　　울다 - 울리다

예6) **'기'**를 넣어 타동사를 만듭니다. 기 makes some verbs transitive. (자동사 - 타동사)

남다 - 남기다　　숨다 - 숨기다　　웃다 - 웃기다

예7) **'우'**를 넣어 타동사로 바꿉니다. 우 makes some verbs transitive. (자동사 - 타동사)

돋다 - 돋우다　　비다 - 비우다

찌다 - 찌우다　　(꽃이) **피다 - 피우다**

예8) **'ㅣ+우'** 붙여서 타동사가 됩니다. ㅣ+우 makes some verbs transitive. (자동사 - 타동사)

서다 - 세우다　　자다 - 재우다

타다 - 태우다　　차다 - 채우다　　뜨다 - 띄우다

예9) **'구'**가 오는 타동사가 있습니다. 구 is also used to make a transitive verb. (자동사 - 타동사)

달다 - 달구다

예10) ㅈ 받침 뒤에는 **'추'**가 옵니다. 추 after ㅈ makes a transitive verb. (자동사 - 타동사)

낮다 - 낮추다　　늦다 - 늦추다　　맞다 - 맞추다

예11) '없다'는 **'애'**를 넣어 타동사를 만듭니다. 애 makes 없다 transitive. (자동사 - 타동사)

없다 - 없애다

예12) **'~지다'**는 자동사, **'~뜨리다'**는 타동사입니다. (자동사 - 타동사)
지다 is an intransitive ending and 뜨리다 is a transitive ending for some verbs.

꺼지다 - 꺼뜨리다　　깨지다 - 깨뜨리다

넘어지다 - 넘어뜨리다　　떨어지다 - 떨어뜨리다

무너지다 - 무너뜨리다　　미끄러지다 - 미끄러뜨리다

빠지다 - 빠뜨리다　　쓰러지다 - 쓰러뜨리다

퍼지다 - 퍼뜨리다　　흐트러지다 - 흐트러뜨리다

본문해설 앉아서 무엇을 하나요 Explanation

1. 겹받침 단어의 발음을 연습해 보세요. Practice how to pronounce double bottom consonants.

예) **닮다 - [담따]　닮고 - [담꼬]　닮는 - [담는]　닮아 - [달마]　닮지 - [담찌]**
많다 - [만타]　많고 - [만코]　많은 - [마는]　많아 - [마나]　많지 - [만치]
읽다 - [익따]　읽고 - [일꼬]　읽는 - [잉는]　읽어 - [일거]　읽지 - [익찌]
없다 - [업따]　없고 - [업꼬]　없는 - [엄는]　없어 - [업써]　없지 - [업찌]
핥다 - [할따]　핥고 - [할꼬]　핥는 - [할른]　핥아 - [할타]　핥지 - [할찌]
닭 - [닥]　닭고기 - [닥꼬기]　닭도 - [닥또]　닭만 - [당만]　닭은 - [달근]
닭이 - [달기]　닭 우는 - [다구는]　닭 위에 - [다귀에]　닭한테 - [다칸테]

2. 겹받침 동사의 활용을 연습해 보세요.
Practice the endings of verbs with double bottom consonants.

예) **닮다** (resemble)

닮 : 닮고 - 닮거라 - 닮게 - 닮는다 (현재형) - 닮니 - 닮네 - 닮자 - 닮지 - 닮습니다
닮아 : 닮아 (반말) - 닮아도 - 닮아라 - 닮아서 - 닮아야 - 닮아 주세요 - 닮았다 (과거형) - 닮았습니다
닮으 : 닮으니까 - 닮으라고 - 닮으러 - 닮으려 - 닮으며 - 닮으면 - 닮으세요
명사 앞 : 닮는 (현재) - 닮은, 닮았던 (과거) - 닮을 (미래)

앉다 (sit)

앉 : 앉고 - 앉거라 - 앉게 - 앉는다 (현재형) - 앉니 - 앉네 - 앉자 - 앉지 - 앉습니다
앉아 : 앉아 (반말) - 앉아도 - 앉아라 - 앉아서 - 앉아야 - 앉아 주세요 - 앉았다 (과거형) - 앉았습니다
앉으 : 앉으니까 - 앉으라고 - 앉으러 - 앉으려 - 앉으며 - 앉으면 - 앉으세요
명사 앞 : 앉는 (현재) - 앉은 , 앉았던 (과거) - 앉을 (미래)

읽다 (read)

읽 : 읽고 - 읽거라 - 읽게 - 읽는다 (현재형) - 읽니 - 읽네 - 읽자 - 읽지 - 읽습니다
읽어 : 읽어 (반말) - 읽어도 - 읽어라 - 읽어서 - 읽어야 - 읽어 주세요 - 읽었다 (과거형) - 읽었습니다
읽으 : 읽으니까 - 읽으라고 - 읽으러 - 읽으려 - 읽으며 - 읽으면 - 읽으세요
명사 앞 : 읽는 (현재) - 읽은 (과거) - 읽던, 읽었던 (과거의 습관, 경험) - 읽을 (미래)

3. 겹받침 단어를 연습해 보세요. Practice more words with double bottom consonants.

예) 갉다 (nibble) 값 (price) 곪다 (fester) 굵다 (be thick) 긁다 (scratch)
긁적긁적 (scratching and scratching) 괜찮다 (It's OK) 기슭 (the foot of mountain)
꿇다 (kneel) 끊다 (cut) 끓다 (boil) 낡다 (worn out) 넋 (soul) 넓다 (be large)
늙다 (get old) 닭 (chicken) 닮다 (resemble) 닳다 (wear out) 떫다 (be astringent)
뚫다 (pierce) 많다 (be a lot) 맑다 (be clear) 몫 (portion) 묽다 (be watery)
밝다 (be bright) 밟다 (step on) 붉다 (be ruddy) 삶 (living) 삶다 (simmer)
섧다 (be sorrowful) 싫다 (hate) 않다 (not) 앎 (knowing) 앓다 (be ill)
얇다 (be thin) 얹다 (put on) 얽다 (be pitted) 얽히다 (interwind) 얾 (being frozen)
없다 (there's no) 엷다 (be light) 옮다 (rub off) 옮기다 (move) 옳다 (be right)
읊다 (recite) 읽다 (read) 잃다 (lose) 젊다 (be young) 짊어지다 (to shoulder)
짧다 (be short) 칡 (kudzu) 품삯 (wage) 핥다 (lick) 흙 (soil) 훑다 (scan) 등

4. 맛을 표현하는 단어를 연습해 보세요. Practice words describing various tastes.

예) **짜다** (be salty)

짜 : 짜 (반말) - 짜고 - 짜게 - 짜니 - 짜니까 - 짜네 - 짜다 (현재형) - 짜도 - 짜라고 - 짜며 - 짜면 - 짜서 - 짜세요 - 짜야 - 짜지 - 짠데 - 짭니다 - 짰다 (과거형) - 짰습니다

명사 앞 : 짠 (현재) - 짜던, 짰던, 짰었던 (과거, 과거의 경험) - 짤 (미래)

달다 (be sweet)

달 : 달고 - 달게 - 달다 (현재형) - 달라고 - 달며 - 달면 - 달지 - 답니다

달아 : 달아 (반말) - 달아도 - 달아라 - 달아서 - 달아야 - 달았다 (과거형) - 달았습니다

다 : 다니 - 다니까 - 다네 - 다세요 - 단데 - 답니다

명사 앞 : 단 (현재) - 달던, 달았던, 달았었던 (과거, 과거의 경험) - 달 (미래)

쓰다 (be bitter)

쓰 : 쓰고 - 쓰게 - 쓰니까 - 쓰다 (현재형) - 쓰라고 - 쓰며 - 쓰면 - 쓰세요 - 쓰지 - 쓴데 - 씁니다

써 : 써 (반말) - 써도 - 써라 - 써서 - 써야 - 썼다 (과거형) - 썼습니다

명사 앞 : 쓴 (현재) - 쓰던, 썼던, 썼었던 (과거, 과거의 경험) - 쓸 (미래)

시다 (be sour)

시 : 시고 - 시게 - 시니 - 시니까 - 시네 - 시다 (현재형) - 시라고 - 시며 - 시면 - 시세요 - 시지 - 신데 - 십니다

시어, 셔 : 시어 (셔, 반말) - 시어도 - 시어라 - 시어서 - 시어야 - 시었다 (과거형) - 시었습니다

명사 앞 : 신 (현재) - 시던, 시었던, 시었었던 (과거, 과거의 경험) - 실 (미래)

맵다
(be spicy)

맵 : 맵고 - 맵게 - 맵니 - 맵네 - 맵다 (현재형) - 맵습니다 - 맵지

매워 : 매워 (반말) - 매워도 - 매워라 - 매워서 - 매워야 - 매웠다 (과거형) - 매웠습니다

매우 : 매우니까 - 매우라고 - 매우려 - 매우며 - 매우면 - 매우세요 - 매운데

명사 앞 : 매운 (현재) - 맵던, 매웠던 (과거, 과거의 경험) - 매울 (미래)

싱겁다
(be bland)

싱겁 : 싱겁고 - 싱겁게 - 싱겁니 - 싱겁네 - 싱겁다 (현재형) - 싱겁습니다 - 싱겁지

싱거워 : 싱거워 (반말) - 싱거워도 - 싱거워라 - 싱거워서 - 싱거워야 - 싱거웠다 (과거형) - 싱거웠습니다

싱거우 : 싱거우니까 - 싱거우라고 - 싱거우며 - 싱거우면 - 싱거우세요 - 싱거운데

명사 앞 : 싱거운 (현재) - 싱겁던, 싱거웠던 (과거, 과거의 경험) - 싱거울 (미래)

맛있다
(be tasty)

맛있 : 맛있고 - 맛있게 - 맛있는데 - 맛있니 - 맛있네 - 맛있다 (현재형) - 맛있습니다 - 맛있지

맛있어 : 맛있어 (반말) - 맛있어도 - 맛있어라 - 맛있어서 - 맛있어야 - 맛있었다 (과거형) - 맛있었습니다

맛있으 : 맛있으니까 - 맛있으라고 - 맛있으며 - 맛있으면 - 맛있으세요

명사 앞 : 맛있는 (현재) - 맛있던, 맛있었던 (과거, 과거의 경험) - 맛있을 (미래)

맛없다
(taste bad)

맛없 : 맛없고 - 맛없게 - 맛없는데 - 맛없니 - 맛없네 - 맛없다 (현재형) - 맛없습니다 - 맛없지

맛없어 : 맛없어 (반말) - 맛없어도 - 맛없어라 - 맛없어서 - 맛없어야 - 맛없었다 (과거형) - 맛없었습니다

맛없으 : 맛없으니까 - 맛없으라고 - 맛없으며 - 맛없으면 - 맛없으세요

명사 앞 : 맛없는 (현재) - 맛없던, 맛없었던 (과거, 과거의 경험) - 맛없을 (미래)

5. '~할 수 있다'와 **'~할 수 없다'**를 연습해 보세요.
'할 수 없다'는 **'못 한다'**로 많이 씁니다.
능숙하지 않은 것은 **'못한다'**로 씁니다.

할 수 있다 means 'can'.
할 수 없다 means 'cannot'.
못 한다 is often used instead of 할 수 없다.
못한다 means 'be bad at'.

예)

내일은 갈 수 있는데, 오늘은 갈 수 없어.
- I can go tomorrow, but I can't go today.

어른은 마실 수 있는데, 아이들은 마실 수 없어.
- Adults can drink it, but children can't.

노래는 잘 못하지만, 춤은 잘 출 수 있어요.
- I can't sing well, but I can dance well.

3권 30쪽

6. **'~(으)면 ~(으)ㄹ수록'** 을 연습해 보세요.

~(으)면 ~(으)ㄹ수록 makes 'the more____, the more ____.' sentence.

예) **먹으면 먹을수록 살이 쪄요.** - The more I eat, the more weight I gain.

가면 갈수록 따뜻해져요. - The further we go, the warmer it becomes.

배우면 배울수록 쉬워져요. - The more you learn, the easier it becomes.

7. 타동사의 **수동형**(피동사)을 연습해 보세요. Practice passive forms of verbs.

> 수동형은 **'이, 히, 리, 기'**가 들어가거나, 타동사에 **'~지다'**를 붙여 만듭니다.
> '~하다'로 된 타동사는 대상이 사람인 경우는 **'~받다'**로, 사람이 아니면
> **'~되다'** 로 바뀌는데, 나쁜 일에는 사람의 경우에도 종종 '~되다'를 씁니다.
>
> There are passive affixes like 이, 히, 리, and 기. Also, adding 지다 to informal form changes a transitive verb into a passive form.
> Usually, 하다 changes into 받다 for a person noun and into 되다 for a non-person noun. However, if the verb has a bad meaning, it turns into 되다 even for a person noun.

예1) 어간 뒤에 **'이'** 를 붙여 수동형을 만듭니다. (능동형 active - 수동형 passive)

Adding 이 behind the root of some verbs makes their passive forms.

놓다 - 놓이다　　**바꾸다 - 바뀌다**　　**보다 - 보이다**　　**쓰다 - 쓰이다**

예2) 어간 뒤에 **'히'**를 넣습니다. (능동형 - 수동형)

Adding 히 behind the root makes passive forms of many verbs.

긁다 - 긁히다　　**먹다 - 먹히다**　　**묻다 - 묻히다**　　**밟다 - 밟히다**

읽다 - 읽히다　　**씹다 - 씹히다**　　**잡다 - 잡히다**　　**적다 - 적히다**

예3) 반말형의 어간에 **'리'** 를 붙여 수동형을 만듭니다. (능동형 - 수동형)

For some verbs, adding 리 behind the root of informal form makes passive forms.

부르다 (call) - **불러** (반말) - **불·러** - **불리다** (be called)

갈다 - 갈리다　　**깔다 - 깔리다**　　**말다 - 말리다**　　**물다 - 물리다**

밀다 - 밀리다　　**싣다 - 실리다**　　**자르다 - 잘리다**　　**팔다 - 팔리다**

예4) 어간 뒤에 **'기'** 를 붙여 수동형을 만듭니다. (능동형 - 수동형)

기 behind the root also makes passive forms of some verbs.

감다 - 감기다　　**끊다 - 끊기다**　　**담다 - 담기다**　　**뜯다 - 뜯기다**

씻다 - 씻기다　　**안다 - 안기다**　　**쫓다 - 쫓기다**　　**찢다 - 찢기다**

예5) '타동사의 **반말형 + 지다**' 로 만들어집니다.

Informal form of a transitive verb + 지다 → passive form.

그리다 (draw) - **그려** (반말) + **지다** → **그려지다** (수동형 be drawn)

고치다 - 고쳐지다	**굽다 - 구워지다**	**닦다 - 닦아지다**
던지다 - 던져지다	**만들다 - 만들어지다**	**바르다 - 발라지다**
버리다 - 버려지다	**심다 - 심어지다**	**삶다 - 삶아지다**
세우다 - 세워지다	**지우다 - 지워지다**	**채우다 - 채워지다**

예6) **'~하다'**는 대상이 사람인 경우는 **'받다'**, 사람이 아닌 경우는 **'되다'** 로 바뀝니다.

The passive form of 하다 is 받다 for a person noun and 되다 for a non-person noun.

(능동형 - 수동형)

1) **사람의 경우** :	**부탁하다 - 부탁받다**	**사과하다 - 사과받다**
(for person nouns)	**사랑하다 - 사랑받다**	**수술하다 - 수술받다**
	인사하다 - 인사받다	**지시하다 - 지시받다**
	청혼하다 - 청혼받다	**치료하다 - 치료받다**
2) **사람이 아닌 경우** :	**건설하다 - 건설되다**	**관찰하다 - 관찰되다**
(for non-person nouns)	**방송하다 - 방송되다**	**수리하다 - 수리되다**
	설계하다 - 설계되다	**시작하다 - 시작되다**
	조립하다 - 조립되다	**판매하다 - 판매되다**

3) **비교** : (원형 - 사람 대상 - 사물 대상)

Compare the passive forms.

(the original form - the passive form for a human subject - the passive form for a non-human subject.)

교육하다 - 교육받다 - 교육되다	**배달하다 - 배달받다 - 배달되다**
조사하다 - 조사받다 - 조사되다	**할인하다 - 할인받다 - 할인되다**

4) **나쁜 일**에는 사람도 '되다' 혹은 '당하다'를 씁니다.

If the word has a bad meaning, '되다' or '당하다' is used to make the passive form even for a person subject.

체포하다	**- 체포되다**	**투옥하다**	**- 투옥되다**
arrest	be arrested	imprison	be imprisoned

사기치다	**- 사기(를) 당하다**
cheat	be cheated

앉아서 즐겁게 자전거를 타요. 페달을 밟으면 밟을수록 빨리 달려요.

앉아서 책을 읽어요.
차 한 잔을 마시며
평화롭게 책을 읽어요.

앉아서 우리는 많은 추억을 만들어요.

31

3권 31쪽

8. 외래어를 공부해 보세요. Learn loanwords from foreign countries.

예) **ㄱ** - 가스 가운 거즈 고무 골드 골인 골키퍼 골프 그룹 그린 개그맨 갭 게임 껌

ㄴ - 난센스 노크 노트북 노하우 니트 내비게이션 네온사인 네티즌 넥타이 뉘앙스

ㄷ - 다이빙 다이아몬드 다이어트 다큐멘터리 더빙 도넛 드라마 드라이브 드레싱

ㄹ - 라디오 라식 라이센스 라인 락카 러그 러브 런웨이 로비 리듬 레스토랑 레시피

ㅁ - 마라톤 마사지 마스크 마이크 모니터 모델 모자이크 뮤지컬 미팅 매뉴얼 메일

ㅂ - 바이러스 바코드 버스 버튼 볼링 블랙박스 비데 비자 비즈니스 비타민 빌딩 빵

ㅅ - 사우나 샴푸 샤워 샵 서비스 선글라스 소스 솔로 쇼크 쇼핑 스마트폰 스위치

ㅇ - 아나운서 아마추어 아이디 아이디어 아티스트 아이스 오디션 요가 유머 이미지

ㅈ - 점프 정글 좀비 주스 줌 지퍼 짐 재스민 재즈 잼 제로 제스처 젤라또 젤리

ㅊ - 찬스 초콜릿 추로스 치어리더 침팬지 채널 챔피언 채팅 체스 체인 체크 첼로

ㅋ - 카드 카리스마 카메라 카레 카시트 카운터 카페 카펫 커버 커튼 컨설팅 콘서트

ㅌ - 타이어 타월 터널 터미널 턱시도 토크쇼 톨게이트 투어 트윈 티백 티셔츠 티켓

ㅍ - 파스타 파트너 파티 팔레트 팝콘 퍼센트 펀드 포크 풀코스 프라이버시 패션

ㅎ - 핫초코 호텔 홀로그램 홈 홈런 홈스테이 후드 히터 힐링 해커 핸드 헤어 헬멧 등

본문해설 와! 한글을 써요 1 Explanation

1. '이제 ~고 ~야지.' 문형을 연습해 보세요.
Practice '이제 ~고 ~야지.' which means 'Now, I'm gonna __ and __.' or 'Now, I (or You) need to __ and to __.'

예) **이제 이 닦고 세수해야지.** - Now, I'm gonna brush my teeth and wash my face.
Now, you need to brush your teeth and wash your face.

2. '~에 왔다.' '~에 갔다.'를 연습해 보세요.
Practice 'came to' and 'went to' in Korean.

예) **친구들이 집에 왔어요.** - My friends came to my house.
어떤 친구들은 집에 갔어요. - Some friends went home.

3. 무엇인지 물어보는 연습을 해 보세요. Practice asking what it is.

예) **이게 뭐예요? - 이건 뭐예요? - 이게 뭐죠? - 이건 뭐죠?** - What is this?
저게 뭐예요? - 저건 뭐예요? - 저게 뭐죠? - 저건 뭐죠? - What is that?
그게 뭐예요? - 그건 뭐예요? - 그게 뭐죠? - 그건 뭐죠? - What is it?

4. '~ 쓰고 ~라'를 연습해 보세요. Practice 'do with __ on' in Korean. Before 라 comes 반말형.

예) **학교에 우산 쓰고 가라.** - Go to school with an umbrella.
안경 쓰고 읽어라. - Read with your glasses on.

5. '기다리세요'를 연습해 보세요. Practice 기다리세요 which means 'Please wait (for)'.

예) **멋진 선물을 기다리세요.** - Wait for a wonderful gift, please.
잠깐만 기다리세요. - Wait a minute.

6. '많이'를 연습해 보세요. Practice 많이 which means 'a lot.'

예) **사람들이 많이 살아요.** - There live a lot of people.
사람들이 많이 없어요. - There aren't many people.

7. '~야 해요'를 연습해 보세요. Practice 야 해요 which means 'have to.'

예) **깨끗이 씻고 자야 해요.** - You have to wash up and go to bed.
잘 생각하고 사야 해요. - You have to think carefully before buying it.

8. **나이**를 얘기하고 써 보세요. Practice how to say and write ages.

예1) **내 동생은 여덟 살이에요.** - My younger brother (or sister) is eight years old.

저의 어머니께서는 여든 살이세요. - My mother is 80 years old.

우리 형은 스물다섯 살이야. - My older brother is 25 years old.

예2)

한 살	두 살	세 살	네 살	다섯 살	여섯 살	일곱 살	여덟 살	아홉 살	열 살
1세	2세	3세	4세	5세	6세	7세	8세	9세	10세

스무 살	서른 살	마흔 살	쉰 살	예순 살	일흔 살	여든 살	아흔 살	백 살
20세	30세	40세	50세	60세	70세	80세	90세	100세

예3) **몇 살이야? - 몇 살이세요? - 나이가 어떻게 되세요? - 연세가 어떻게 되세요?**

- How old are you?

9. 정보를 전달할 때 쓰는 **'단다** (동사와 형용사)'와 **'란다** (명사)'를 연습해 보세요.
Practice 단다 (for verbs and adjectives) and 란다 (for nouns) which are used when giving information or conveying a message.

예1) **박쥐는 밝은 낮에 잔단다.** - Bats sleep during the bright day.

애들이 집에서 밥 먹는단다. - Kids said they will eat at home.

예2) **알고 보니 그게 맞는 답이란다.** - It turns out that it is the right answer.

아빠가 만든 게 바로 이 요리란다. - What dad made is this dish.

10. 놀람이 섞인 **'벌써 ~네'**를 연습해 보세요.
Practice 벌써 ___ 네 to show a surprise when something is done sooner than expected.

예) **벌써 꽃이 활짝 피었네.** - The flowers are already in full bloom.

와, 벌써 한글을 읽네. - Wow! He (or She) can already read Hangeul.

벌써 다섯 시네. - It's already five o'clock.

11. 가벼운 권유를 할 때 쓰는 **'~에서 ~할까?'**을 연습해 보세요.
Practice ___ 에서 ___ 할까? for making a light suggestion.

예) **부엌에서 닭 요리 할까?**

- Shall we cook chicken in the kitchen?

밖에서 밥 먹을까?

- How about eating out?

극장에서 영화 볼까?

- Shall we see a movie at the theater?

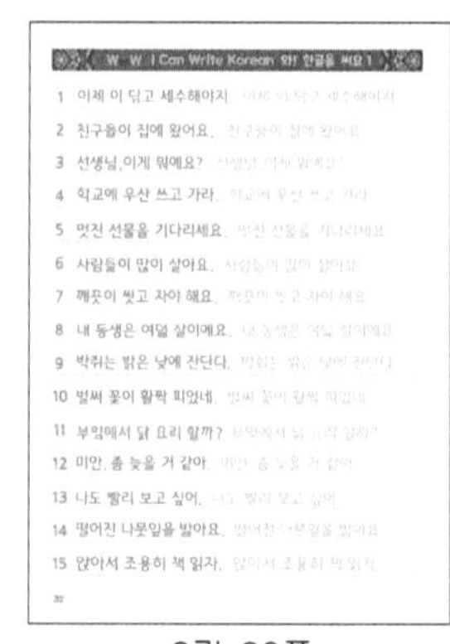
W W I Can Write Korean 와! 한글을 써요 1

1 이제 이 닦고 세수해야지.
2 친구들이 집에 왔어요.
3 선생님, 이게 뭐예요?
4 학교에 우산 쓰고 가라.
5 멋진 선물을 기다리세요.
6 사람들이 많이 살아요.
7 깨끗이 씻고 자야 해요.
8 내 동생은 여덟 살이에요.
9 박쥐는 밝은 낮에 잔단다.
10 벌써 꽃이 활짝 피었네.
11 부엌에서 닭 요리 할까?
12 미안, 좀 늦을 거 같아.
13 나도 빨리 보고 싶어.
14 떨어진 나뭇잎을 밟아요.
15 앉아서 조용히 책 읽자.

32

3권 32쪽

12. '~거 같다.'로 추측을 표현하는 연습해 보세요. Express your guesses with 거 같다.

예) **미안, 좀 늦을 거 같아.** - Sorry, I guess I'll be a little late.

좀 비쌀 거 같은데. - I think it might be a bit expensive.

배고파 죽을 거 같아요. - I'm starving to death.

13. '빨리 ~고 싶다.'를 연습해 보세요. 빨리 __고 싶다 means 'I can't wait to'.

예) **나도 빨리 보고 싶어.** - I can't wait to see you, too.

빨리 먹고 싶다. - I can't wait to eat it.

빨리 듣고 싶다. - I can't wait to hear it.

14. '~지다'가 명사 앞에서 **'~진'**이 된 문장을 연습해 보세요.
지다 which often implies passive meanings turns into 진 before a noun to describe it.

예) **떨어진 나뭇잎을 밟아요.** - I step on the fallen leaves.

깨진 접시는 버리세요. - Throw away the broken plates.

그것들은 버려진 장남감들이었다. - They were abandoned toys.

15. '~서 ~자.'로 다양한 표현을 해보세요.
Practice __서 __자 which means 'Let's __ and __'.

예) **앉아서 조용히 책 읽자.** - Let's sit down and read a book quietly.

김치찌개 끓여서 맛있게 먹자. - Let's make kimchi stew and enjoy it.

여행 가서 재밌게 놀자. - Let's go on a trip and have fun.

본문해설 와! 한글을 써요 2 Explanation

1. 이름, 직업, 국적 등을 넣어 **반말로 자기소개**를 해 보세요.
Introduce yourself in the informal way.

예) **난 진수고, 학생이야. 서울에 살아.** - I am Jinsoo and I'm a student. I live in Seoul.

2. 존댓말로 자기소개를 해보세요. 받침이 있는 경우에는 '이에요'를 붙이고, 받침이 없는 경우에는 '예요('이에요'의 준말)'을 붙이나, 구어체로는 '에요'도 사용합니다.
Practice introducing yourself in a formal way. Put 이에요 behind a bottom consonant and put '예요(shortened form of 이에요)' behind a vowel.

예) **저는 존이고, 강사예요. 미국인이에요.** - I am John, and I'm an instructor. I'm American.

3. 반말로 이름을 말하고 써 보세요. Say and write your name in an informal way.

예) **내 이름은 ______ 야.** - My name is ______ .

4. 존댓말로 이름을 말해 보세요. 이름 뒤에 '이에요' '예요' 혹은 '입니다'를 붙입니다. '입니다'가 가장 정중합니다.
Practice saying your name in the formal way. Put 이에요, 예요, or 입니다 to make a formal style. 입니다 is the politest.

예) **내 이름은 ______ 예요. - 제 이름은 ______ 입니다.** - My name is ______ .

5. 어느 나라 사람인지 말해보세요. 나라 이름 뒤에 '사람' 혹은 '인'을 붙입니다.
Practice saying your nationality. To say the nationality, put 사람 or 인 behind the name of your country.

예) **저는 한국 사람이에요. - 저 한국인이에요.** - I am Korean.
저는 미국 사람이에요. - 저 미국인이에요. - I am American.

6. 받침 있는 단어 뒤에는 '을', 받침 없는 단어 뒤에는 '를'을 써서 **좋아하는 것**을 말하고 써 보세요.
Say and write what you like by using 을 behind a consonant and 를 behind a vowel.

예) **나는 책을 좋아해.** - I like books.
난 야구를 좋아해. - I like baseball.
난 걷는 걸 좋아해. - I like walking.
저는 음악을 좋아해요. - I like music.
전 영화를 좋아해요. - I like movies.
전 쓰는 걸 좋아해요. - I like writing.

7. 받침 있는 단어 뒤에는 '은' '을', 받침 없는 단어 뒤에는 '는' '를'을 써서 **싫어하는 것**을 써 보세요. '은·는·이·가·을·를'은 생략할 수 있습니다.
Say and write what you don't like by using 은 or 을 behind a consonant and 는 or 를 behind a vowel. 은·는·이·가·을·를 are often omitted.

예) **나 운동 싫어해.** - I don't like working out.
난 싸움을 싫어해. - I don't like fighting.
전 담배는 싫어해요. - I don't like cigarettes.

3권 33쪽

8. **무엇을 잘 하는지** 얘기하고 써 보세요.
Say and write what you are good at. Use 을 behind a consonant.

예) **나 노래 잘해. - 나는 노래를 잘해요.** - I am good at singing.
나 요리 잘해. - 전 요리를 잘해요. - I am good at cooking.
나 한국어 잘해. - 저 한국어 잘해요. - I am good at Korean.

9. 진행형인 **'~고 있어요.'**를 사용해 지금 배우고 있는 것을 이야기하고 써 보세요.
Say and write what you are learning using the present progressive form.

예) **나는 한국어를 배우고 있어요.** - I am learning Korean.
전 한국 노래를 배우고 있어요. - I am learning Korean songs.
저는 부채춤을 배우고 있어요. - I am learning Korean fan dance.

10. 능력을 나타내는 **'수 있어요.'**를 써서 할 수 있는 것을 표현해 보세요.
Say and write sentences with 수 있어요 which shows ability.

예) **나는 한글을 읽을 수 있어요.** - I can read Hangeul.
그는 피아노를 칠 수 있어요. - He can play the piano.
걔도 한국어 할 수 있어. - She (or He) can speak Korean too.

11. 능력과 성향을 나타내는 **'줄 알아요.' '줄 몰라요.'**를 연습해 보세요.
Practice 줄 알아요 and 줄 몰라요. 줄 알아요 means 'I know how to ____'.
and 줄 몰라요 means 'I don't know how to ____'. They show ability or disposition.

예) **나 운전(을) 할 줄 알아.** - I can drive.
나도 스키 탈 줄 알아요. - I can ski too.
요리(를) 할 줄 몰라요. - I don't know how to cook.

12. **'적 있어요.'**를 연습해 보세요. Use 적 있어요 to tell your experiences.

예) **한국 드라마 본 적 있어요. - I have seen Korean dramas.**

떡 먹은 적 있어요? - Have you ever had rice cake?

전에 만난 적 있죠? - We've met before, haven't we?

13. **'~에 간 적 없어요.' '~에 간 적 있어요.'**를 연습해 보세요.

에 간 적 없어요 means 'I've never been to ____' and 에 간 적 있어요 means 'I've been to ____'.

예) **제주도에 간 적 있어요? - Have you been to Jejudo?**

아뇨, 제주도에 간 적 없어요. - No, I've never been to Jejudo.

서울에 두 번 간 적 있어요. - I've been to Seoul twice.

14. **누구를 닮았는지** 써 보세요. Say and write who you look like.

예) **난 엄마를 닮았어. - I resemble my mom.**

전 아빠를 많이 닮았어요. - I resemble my dad a lot.

이 바위는 사람 얼굴을 닮았네. - This rock looks like a human face.

15. **'~도 괜찮다.'**로 다양한 표현을 해보세요.

Practice 도 괜찮아요 which means '____ is okay, too.'

예) **그것도 괜찮네. - That is okay too.**

비싸도 괜찮아? - Is it okay if it's expensive?

나도 가도 괜찮을까? - Will it be okay if I come too?

한국어로도 괜찮아요. - It's okay in Korean, too.

본문해설 와! 한글을 써요 3 Explanation

1. '~이/가 ~에 있다'로 여러 가지 내용을 만들어 보세요. 받침 뒤에 '이'를 쓰고, 받침이 없으면 '가'를 씁니다. 순서를 바꾸어 **'~에 ~이/가 있습니다'**도 연습해 보세요.
Make a sentence with 이/가 에 있다. 있습니다 is the most formal form of 있다(There is). 이 and 가 are subject markers. 이 comes after a consonant and 가 comes after a vowel. 에 is a prepositional marker. It is okay to change the order like _에 _이/가 있다.

예) **책상이 방에 있었다.** - A desk was in the room.
창가에 화분이 있어요. - There is a flower pot by the window.
하늘에 무지개가 있습니다. - There is a rainbow in the sky.

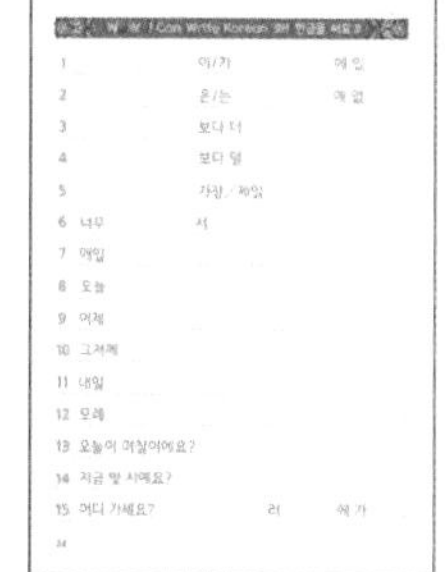
3권 34쪽

2. '~은/는 ~에 없다'로 문장을 만들어 보세요. 받침이 있으면 '은'을, 받침이 없으면 '는'을 씁니다.
Make a sentence with 은/는 _에 없다. 없다 means 'there is no'. 은 and 는 are subject markers often used to pick the subject out in order to imply the difference. 은 comes after a consonant while 는 comes after a vowel.

예) **컴퓨터는 방에 없었다.** - The computer was not in the room.
빵은 냉장고에 없어요. - The bread is not in the refrigerator.
교실에 피아노는 없습니다. - There is no piano in the classroom.

3. '~보다 더'를 써서 비교하는 문장을 써 보세요.
Make a sentence to compare using 보다 더 which means 'more than'.

예) **오늘이 어제보다 더 추워.** - Today is colder than yesterday.
이 셔츠가 저것보다 더 얇아요. - This shirt is thinner than that one.
그것보다는 이게 더 인기가 많습니다. - This is more popular than that one.

4. '~보다 덜'로 비교하는 문장을 만들어 보세요. '덜'은 보다 적거나 충분하지 않은 상태를 나타냅니다.
Practice using 보다 덜 which means 'less than'. 덜 also means 'not enough' or 'not fully'

예1) **오늘 떡볶이가 어제 떡볶이보다 덜 매워.** - Today's tteokbokki is less spicy than yesterday's tteokbokki.
약 먹었더니 목이 아까보다 덜 아파요. - Taking the medicine, my throat hurts less than before.

예2) **이 빨래들은 아직 덜 말랐어요.** - These laundry are not dry yet.
이제부터 덜 먹을 거야. - I will eat less from now on.
너 아직 잠이 덜 깼구나? - You are still half asleep, aren't you?

5. **'가장'** 혹은 **'제일'**을 써서 최상급 문장을 만들어 보세요.
Make a superlative sentence using 가장 or 제일. Both mean 'the most'

예) **무엇이 당신에게 가장 소중한가요?** - What is the most precious thing to you?
가장 점수가 높은 사람이 이깁니다. - The person with the highest score wins.
어떤 한국 음식을 제일 좋아하세요? - Which Korean food do you like best?
이 방이 이 집에서 제일 넓습니다. - This room is the largest in the house.

6. **'너무 ~서'**를 사용하여 문장을 만들어 보세요.
Make a sentence with 너무__서. It means 'too__ to__'.

예) **너무 무거워서 안 가져갈래요.** - I won't take it because it's too heavy.
너무 멀어서 걸어갈 수 없어. - It's too far to walk.
이 문제는 너무 어려워서 못 풀겠어요. - This problem is so difficult that I can't solve it.

7. **'매일'**을 넣어 일상에 대한 작문을 해 보세요. 시제는 현재형과 현재 진행형을 쓸 수 있습니다.
Make a sentence on daily routines using 매일 (every day). You can use both present tense (한다) and present continuous (하고 있다).

예) **매일 강아지와 산책을 합니다.** - I take a walk with my dog every day.
매일 야채 주스를 마시고 있어요. - I drink vegetable juice every day.
매일 꼬박꼬박 연습하세요. - Practice regularly every day.

8. **'오늘'**을 넣어 작문을 해 보세요. 오늘 있었던 일이나 오늘의 계획을 써 보세요.
Starting with 오늘, write about today's plan or how today was.

예) **오늘 나 제주도로 여행 가.** - Today I am going on a trip to Jeju Island.
오늘이 만난 지 100일 되는 날이에요. - Today is the 100th day since we met.
오늘 정신없이 바빴어. - It was a crazy day today.

9. **'어제'**를 넣어 작문을 해 보세요. Write a sentence using 어제 (yesterday).

예) **어제 와줘서 고마웠어.** - Thank you for coming yesterday.
어제는 미안했어. - Sorry about yesterday.
어제 서울에 눈이 많이 왔습니다. - It snowed a lot in Seoul yesterday.
어제 오랜만에 콘서트에 갔다 왔어요.- I went to a concert yesterday after a long time.

10. '그저께'를 넣어 작문을 하세요.
그저께 means 'the day before yesterday'. Make a sentence with 그저께.

예) **그저께의 전날은 그끄저께입니다.** - The previous day of the day before yesterday is 그끄저께.

그저께 한국에 도착했습니다. - I arrived in Korea the day before yesterday.

그저께는 그냥 집에 있었어요. - I just stayed home the day before yesterday.

11. '내일'를 넣어 계획이나 희망에 관한 작문을 해 보세요.
내일 means tomorrow. You can use the present tense for a scheduled plan. However, to tell a decision or a strong guess, use (으)ㄹ 거다.

예) **내일 친구 생일 파티 가요.** - I'm going to my friend's birthday party tomorrow.

내일까지 끝낼 수 있습니다. - I can finish it by tomorrow.

내일 사러 갈 거야. - I'm going to buy it tomorrow.

내일은 대체로 맑겠습니다. - Tomorrow, it will be mostly sunny.

12. '모레'를 넣어 계획을 써 보세요.
모레 means 'the day after tomorrow'. Write a sentence about your future plan with 모레.

예) **모레 저녁 약속이 있어.** - I have dinner plans the day after tomorrow.

모레와 글피는 시험이야. - The day after tomorrow and two days after tomorrow are test days.

모레쯤 택배가 도착할 겁니다. - The package will arrive around the day after tomorrow.

13. 날짜 쓰기를 연습해 보세요. Practice writing dates in Korean.

예1) 반말 : **오늘(이) 며칠이야? - 오늘 며칠이지? - 오늘 며칠이니? - 오늘 며칠이냐? 오늘 며칠인가?**

존댓말 : **오늘 며칠이에요? - 오늘 며칠이죠? - 오늘 며칠인가요? - 오늘 며칠입니까?** - What date is today?

예2) **오늘은 1월 1일 새해의 첫날입니다.** - Today is January 1st, the first day of the new year.

오늘은 6월[유월] 6일[육일] 현충일입니다. - Today is Memorial Day, June 6th.

오늘은 10월[시월] 9일 한글의 날입니다. - Today is Hangeul Day, October 9th.

예3) 요일 :

월	화	수	목	금	토	일
Monday	Tuesday	Wednesday	Thursday	Friday	Saturday	Sunday

14. 시간을 쓰는 연습을 해보세요. Say and write the time.

예1) 반말 : **지금(이) 몇 시야? - 지금 몇 시지? - 지금 몇 시니? - 지금 몇 시냐? - 지금 몇 신가?**

존댓말 : **지금 몇 시예요? - 지금 몇 시죠? - 지금 몇 신가요? - 지금 몇 십니까?**

- What time is it now?

예2) 6시 30분이야. - 여섯 시 삼십 분이에요. - 여섯 시 반입니다. - It's half past six.

11시 50분이야. - 열 한시 오십 분이에요. - 열 두시 십 분 전입니다. - It's 11:50.

낮 12시 정각이야. - 열 두시 정각이에요. - 정오입니다. - It's noon.

15. 어디에 무엇을 하러 가는지를 써 보세요.

Practice writing about where to go and what to do.

예1) **어디 가? - 어디 가요? - 어디 가세요? - 어디 가십니까?**

- Where are you going to?

예2) **책 사러 서점에 가자.** - Let's go to a book store to buy books.

친구 만나러 카페에 가요. - I'm going to a cafe to meet a friend.

숙제하러 친구네 집에 가요. - I'm going to my friend's house to do my homework.

본문해설 와! 받침이 하나씩 늘어나네 카드 Explanation

1. 카드를 섞은 다음 **어순**에 맞게 단어를 나열하여 문장을 만들어 보세요.
Mix the cards and make a sentence by arranging the words in the correct order.

예) **우리는 학교에서 한국어를 배웁니다.** - We learn Korean at school.

가족과 공원에서 즐겁게 운동을 해요. - I enjoy exercising in the park with my family.

날씨가 좋으면 강아지와 밖에 나가요. - If the weather is fine, I go out with my dog.

2. 카드를 골라 그 단어를 넣어 **문장**을 만들어 보세요.
Choose a card and make a sentence with the word.

예) **한강 공원에서 운동을 해요.** - I work out at Han River Park.

도서관에서 책을 많이 읽었어요. - I read a lot of books at the library.

친구를 만나서 좋은 영화를 봐요. - I meet my friend and watch a good movie.

3. 보라색 동사 카드를 고른 다음, 그 동사의 **원형, 현재형, 과거형**을 말해 보세요.
After choosing a verb card, say and write the original form, present form, and past form of it.

(original - present - past)

예) **합니다, 해요 - 하다** (do) **- 한다 - 했다**

배웁니다, 배워서 - 배우다 (learn) **- 배운다 - 배웠다**

만나도, 만나서 - 만나다 (meet) **- 만난다 - 만났다**

먹어요 - 먹다 (eat) **- 먹는다 - 먹었다**

읽어요 - 읽다 (read) **- 읽는다 - 읽었다**

봐요 - 보다 (see) **- 본다 - 보았다, 봤다**

나가요 - 나가다 (go out) **- 나간다 - 나갔다**

들어요 - 듣다 (hear) **- 듣는다 - 들었다**

입고 - 입다 (wear) **- 입는다 - 입었다**

춰요 - 추다 (dance) **- 춘다 - 추었다**

잘하고 - 잘하다 (do well) **- 잘한다 - 잘했다**

3권 33쪽

4. 초록색 글자 카드로 시작되는 문장을 만들어 보세요.
Make sentences starting with the green-colored words.

예) **학교에서 점심을 먹어요.** - I have lunch at school.
주말에는 친구를 만나요. - I meet my friends on weekends.
가족과 같이 여행을 가요. - I am going on a trip with my family.
도서관에서 매일 공부해요. - I study in the library every day.
밖에 나가고 싶어요. - I want to go outside.
공원에서 강아지와 놀아요. - I play with my puppy in the park.

5. 주황색 형용사 카드를 골라 문장을 만들어 보세요.
Make sentences with adjectives of orange word cards.

예) **많은 책을 읽으세요.** - Read a lot of books.
좋은 아이디어가 있어요. - I have a good idea.
멋진 공연이었어요. - That was a great performance.
정말 좋으면 나도 살게. - If it is really good, I will buy one too.
아름다운 풍경을 보니까 좋아요. - It's nice to see beautiful scenery.
둘이 친한 사이에요? - Are you two close?
여기 예쁜 신발이 많다. - There are lots of pretty shoes here.
이 게임이 쉽고 재미있어. - This game is easy and fun.
맛있는 거 먹고 싶어. - I want to eat something delicious.

6. 파란색 부사 카드를 골라 문장을 만들어 보세요.
Make sentences with adverbs of blue word cards.

예) **학교에서 열심히 공부하고 있어요.** - I am studying hard at school.
한국어를 즐겁게 배우고 있어요. - I'm enjoying learning Korean.
모두 신나게 춤을 추어요. - Everyone is dancing cheerfully.
친구가 많이 생겼어요. - I made many friends.
이 책 정말 좋아요. - This book is really great.

written
by Kim Suhie
(the author of *Wow! I Can Read Korean* series)

edited
by Jeong Jinsoo

김수희(*와! 한글을 읽어요* 시리즈 저자) 지음

Published in Korea
by BIGDESK

https://bigdesk.modoo.at

mybookonthedesk@gmail.com

WOW
I Can Read Korean

한글 떼기 진도를 아름다운 이야기들에 담은
한글 파닉스 스토리북 시리즈입니다.
자음과 모음부터 시작하여 한글을 쉽고 재밌게 배울 수 있으며
큐알코드를 통해 한국어와 영어로 스토리를 들을 수 있습니다.
문학으로 한글을 익히고 가이드북으로 우리말 규칙과 문법을 공부하며
국어 실력을 탄탄하게 키워 보세요.

Wow I Can Read Korean series is a set of
beautiful Korean phonics storybook with special functions.
You can learn how to read Hangeul and read stories in Korean
at the same time simply enjoying the stories.
While listening to the stories in Korean and English through QR code,
you can easily catch the pronunciation and the meanings.
The series is brilliant easy literature
that contains the whole process of Hangeul phonics.
With Guidebook, you can also learn rich vocabulary
and grammar rules step by step along the beautiful stories.
Build your confidence with the instant benefit
from Wow! I Can Read Korean series
and expand your Korean skills with Guidebook.